D0892741

Titre original : *Slaves of the Mastery*
Publié initialement par Mammoth,
Egmont Children's Books Ltd, Londres, 2001
© William Nicholson, 2001, pour le texte
© Éditions Gallimard Jeunesse, 2001, pour la traduction française
© Éditions Gallimard Jeunesse, 2003, pour l'illustration de couverture

William Nicholson

LES ESCLAVES
DE LA SEIGNEURIE

Le Vent de Feu, II

Traduit de l'anglais
par Diane Ménard

FOLIO JUNIOR/**GALLIMARD** JEUNESSE

PROLOGUE :
SIRÈNE

Du continent, par une journée claire, on peut voir l'île. La longue crête de sa colline entourée d'arbres rompt la ligne d'horizon au sud. Des flottilles de pêche passent parfois devant son rivage rocheux, et les pêcheurs regardent la forme lugubre de la haute ruine qui se profile en haut de la colline, mais ils ne s'arrêtent pas. L'île n'a rien à leur offrir. De petites pousses sur ses rives pelées, juste quelques touffes d'herbes poussiéreuses, et de vieux oliviers en cercle autour d'un bâtiment dépourvu de toit. Des histoires courent sur cette île, des histoires de magiciens qui peuvent provoquer des orages, d'animaux parlants, d'hommes volants. Ce genre de choses, il vaut mieux les laisser tranquilles.

Cette île se nomme Sirène. Il y a longtemps, un groupe de voyageurs s'est installé là, a construit de hauts murs de pierre au sommet de la colline et a planté des oliviers pour faire de l'ombre. L'édifice n'a d'autre plancher que l'herbe et les rochers qui étaient déjà là. Il n'a pas de toit. Ses fenêtres n'ont pas de vitres, son large porche n'a pas de portes. Mais ce n'est pas une ruine : c'est ainsi que le peuple qui l'a construit a voulu qu'il soit. Pas de poutres qui pourrissent, pas de tuiles qui glissent puis tombent. Pas de verre qui se casse, pas de portes qui se ferment. Simplement, un vaste espace lumineux balayé par le soleil, le vent et la pluie, une maison qui n'est pas une maison, un endroit où se retrouver, où chanter, puis à abandonner de nouveau.

Aujourd'hui, après de nombreuses années, un bruit de pas résonne de nouveau dans l'île de Sirène. Une femme suit le long chemin qui monte du rivage. Aucun bateau ne mouille dans la crique, et pourtant elle est là. Pieds nus, elle porte une simple robe de laine délavée. Ses cheveux gris sont coupés court. Son visage est hâlé, buriné, tanné. Quel âge a-t-elle ? Impossible à dire. Elle a le visage d'une grand-mère, mais ses yeux clairs et son corps agile sont ceux d'une jeune femme. Elle ne s'arrête presque jamais pour reprendre son souffle tandis qu'elle gravit le coteau.

Il y a une source d'eau fraîche là où la colline s'aplanit ; elle s'y arrête et boit. Puis elle reprend son chemin et passe entre les troncs tordus des oliviers, effleurant de la main leur écorce rugueuse. Elle franchit l'entrée sans porte et pénètre dans la grande salle sans toit. Elle reste là, debout, à regarder et à se souvenir. Elle se rappelle comme cet endroit était autrefois plein de monde, comme ils chantaient tous ensemble, comme ce chant l'emplissait tout entière et comme elle aurait voulu qu'il ne finisse jamais. Mais il y a un temps pour le chant et un temps pour l'attente. À présent, tout doit recommencer.

Elle marche lentement jusqu'au milieu de la salle, et regarde, par les hautes fenêtres, l'océan au loin. Un lézard, peu habitué à la présence humaine, se sauve vivement dans une fente de la maçonnerie. Un nuage passe devant le soleil et son ombre s'étend sur elle.

Elle est la première. Les autres vont bientôt la rejoindre. Le temps de la cruauté est venu.

1

COUCHER DE SOLEIL
SUR ARAMANTH

Marius Semeon Ortiz franchit au galop le sommet de la petite colline et arrêta son cheval écumant. Là, à ses pieds, s'étendait la vaste plaine côtière ainsi que l'océan : et, non loin de là, à une heure de marche tout au plus, son but, sa récompense, les portes de la gloire : la cité d'Aramanth. Ortiz se dressa sur ses étriers et, se tenant fermement, le souffle court, il fixa de ses jeunes yeux perçants la ville au loin. Les remparts avaient disparu depuis longtemps, comme ses éclaireurs le lui avaient rapporté. La ville ne semblait pas défendue. Aramanth gisait devant lui, dans la lumière déclinante du soir, aussi grasse et désarmée qu'une mère poule.

Ses capitaines le rejoignirent et sourient eux aussi en voyant approcher la fin de leur long voyage. Les chariots contenant les provisions étaient presque vides et, les trois derniers jours, les hommes avaient dû marcher en se contentant de maigres rations. À présent, c'était Aramanth qui allait les nourrir. Les chariots pèseraient lourd sur leurs essieux quand les troupes rentreraient chez elles.

Ortiz se tourna sur sa selle et vit avec une satisfaction

silencieuse ses lignes d'attaque avancer en bon ordre. Elles étaient suivies de près par un millier d'hommes, dont trois cent vingt étaient des chasseurs à cheval qui commençaient à gravir la colline. Derrière eux, tirés par des chevaux, roulaient les chariots chargés de tentes, de cages, de rations pour les hommes et de provisions pour les bêtes : soixante chariots, et le double d'attelages pour les tirer, car on ne pouvait exiger des chevaux qu'ils portent de lourdes charges pendant longtemps sans se reposer. Or, Ortiz avait beau être jeune, c'était un commandant qui ne laissait rien au hasard. Il n'était pas question qu'un cheval boiteux retarde ses troupes pendant cette longue marche.

Il leva une main. Ce signal silencieux se transmit aussitôt d'une escouade à l'autre, et les hommes ainsi que les chevaux s'arrêtèrent avec soulagement. C'était leur dix-neuvième jour de marche. Ils étaient fatigués, loin de chez eux, et incertains de la victoire. Seule sa volonté les avait soutenus, sa certitude que le plus long raid de l'histoire de la Seigneurie rapporterait son plus grand butin. Cela faisait des années que des voyageurs colportaient des récits sur la prospérité et la tranquillité de la ville des plaines. C'était le jeune Ortiz qui avait envoyé des éclaireurs pour confirmer ces rumeurs. Aramanth était riche et sans défense. « Riche comment ? » avait-il demandé. Les éclaireurs avaient essayé de deviner du mieux qu'ils pouvaient : « Dix mille. Au minimum ! » Dix mille ! Aucun commandant n'avait jamais rapporté autant, ni même la moitié, à la Seigneurie. Ortiz n'avait que vingt et un ans et, déjà, il avait à portée de main une telle gloire, un tel honneur, que la plus grande récompense suivrait sûrement. Un jour proche, le Maître choisirait son successeur, son fils adoptif, et Marius

Semeon Ortiz osait rêver qu'il serait celui qui s'agenouillerait devant lui pour dire : « Maître ! Père ! »

Mais il fallait d'abord s'emparer des richesses d'Aramanth et les rapporter sans dommage. Il se retourna pour regarder encore une fois la ville lointaine, sur laquelle le crépuscule commençait à tomber et où les lumières s'allumaient peu à peu. « Laissons-les dormir en paix une dernière nuit, se dit-il. Au point du jour, je donnerai l'ordre d'attaquer et mes hommes feront leur devoir. Aramanth brûlera, et dix mille hommes, femmes et enfants deviendront les esclaves de la Seigneurie. »

*** *** ***

Kestrel Hath et sa famille se tenaient derrière la foule des invités. Sa jeune sœur Pinto, qui avait sept ans et était plus vive qu'un moineau, se retournait sans cesse et s'agitait à côté d'elle. La cérémonie des fiançailles allait se dérouler au centre des arènes de la ville, à l'endroit où se dressait le vieux Chanteur de Vent. Pour l'occasion, le socle de la structure avait été recouvert de bougies. Une brise légère éteignait sans arrêt les petites flammes, et la mère de la fiancée, Mme Greeth, qui ne supportait pas que les choses ne soient pas comme elles devaient être, passait son temps à se hausser sur la pointe des pieds pour les rallumer. La brise faisait fredonner et gazouiller le Chanteur de Vent, à sa manière douce et intemporelle. Kestrel ne s'intéressait pas aux fiançailles et elle se mit à écouter. Comme toujours, elle se sentit apaisée.

Pia Greeth, la future mariée, avait quinze ans, le même âge que Kestrel. Pia était très jolie à la lueur des bougies. Le garçon qu'elle allait épouser, Tanner Amos, semblait dépassé par la cérémonie. « Pourquoi Pia se marie-t-elle avec lui ? se demanda Kestrel. Comment peut-elle savoir si elle l'aimera toute sa vie ? » Il avait l'air si indécis, si timide et si jeune ! Mais lui aussi n'avait que quinze ans, l'âge à partir duquel les jeunes gens pouvaient se marier ; et c'était le début de la saison des mariages.

Kestrel fronça les sourcils et détourna les yeux du couple pour les ramener sur le Chanteur de Vent. Elle croisa alors le regard du frère aîné de Pia, Farlo, et se rendit compte qu'il la regardait fixement depuis un moment. Cela l'irrita. Il s'était mis à la suivre un peu partout ces dernières semaines, et lui lançait des regards implorants comme s'il avait voulu lui parler, mais attendait qu'elle prît l'initiative. Pourquoi devrait-elle lui parler ? Elle n'avait rien de particulier à lui dire. Pourquoi, tout d'un coup, commençaient-ils tous à se mettre deux par deux ? Elle avait toujours trouvé Farlo sympathique, jusqu'à ce qu'il commence à la fixer avec des yeux en bille de loto.

Elle tourna donc la tête encore une fois et vit son frère jumeau, Bowman, qui regardait au loin. Elle scruta ses pensées et comprit que lui non plus n'était pas concentré sur la cérémonie. Il sentait quelque chose d'autre, quelque chose qui le troublait.

« Qu'y a-t-il, Bo ? »

« Je ne sais pas. »

À présent, le jeune couple prononçait ses vœux de fiançailles.

– Aujourd'hui commence mon chemin avec toi.

Le garçon parlait d'une voix timide et hésitante. Ces vœux venaient de jours anciens, lorsque le peuple Manth était une tribu nomade qui voyageait sans trêve à travers des terres désolées. De nombreux invités remuaient les lèvres, répétant les mots familiers, sans même s'en apercevoir.

– Là où tu vas, je vais. Là où tu demeures, je demeure.

Bowman s'éloigna silencieusement. Kestrel vit Pinto le suivre des yeux, impatiente de le rejoindre. La fillette parla à voix basse à sa mère, qui acquiesça d'un signe de tête, sachant qu'elle ne pourrait pas rester longtemps tranquille et silencieuse. Pinto s'éclipsa.

– Quand tu dormiras, je dormirai. Quand tu t'éveilleras, je m'éveillerai.

Kestrel ne suivit pas Bowman. Ces derniers temps, il recherchait de plus en plus la solitude. Elle ne comprenait pas pourquoi et en était blessée, mais c'était ce qu'il voulait et elle l'aimait trop pour se plaindre.

Elle écouta la fin des vœux.

– Je passerai mes jours au son de ta voix, mes nuits à portée de ta main, et personne ne s'introduira entre nous. J'en fais le serment.

Le garçon offrit alors sa main à la fille, qui la prit.

Kestrel vit sa mère chercher la main de son père, puis la serrer, et elle comprit que sa mère se rappelait le temps de ses propres fiançailles. Une tristesse soudaine envahit Kestrel, un sentiment qui ne lui était pas familier. Elle s'enfonça un ongle dans la paume de la main jusqu'à ce qu'elle ait mal, pour arrêter les larmes qui lui montaient aux yeux. « Pourquoi devrais-je être triste ? se demanda-t-elle. Parce que Pa et Ma s'aiment ? Parce que je ne veux jamais me marier ? » Mais ce n'était pas cela. C'était autre chose.

La foule se rassemblait autour du jeune couple pour le féliciter. Mme Greeth soufflait sur les bougies pour les éteindre et les rangeait dans une boîte ; elles pourraient toujours resservir plus tard ! Les parents de Kestrel remontaient les neuf gradins de l'arène en se hâtant, car il y avait une réunion municipale ce soir-là, et la cérémonie avait duré plus longtemps que prévu. Bowman et Pinto étaient déjà partis.

C'est alors que Kestrel trouva le mot exact qui correspondait au sentiment de tristesse qui l'avait envahie. Ce n'était pas de la solitude. Tant que son frère jumeau vivrait, elle ne pourrait jamais se sentir seule. C'était l'intuition d'un événement plus terrible : la prémonition d'une perte. Un jour, elle le perdrait, et elle ne savait pas comment elle pourrait continuer à vivre sans lui.

« Nous irons ensemble. »

Ces mots, échos du passé, signifiaient pour elle que quand viendrait l'heure de mourir, ils mourraient ensemble. Mais ce sentiment nouveau lui disait autre chose : l'un d'eux disparaîtrait et l'autre continuerait à vivre.

« Faites que je sois celle qui mourra la première. »

Elle eut aussitôt honte d'elle. Le plus heureux des deux serait celui qui disparaîtrait le premier. Pourquoi devrait-elle souhaiter à son frère bien-aimé le malheur de lui survivre ? Elle était plus forte que lui. C'était elle qui devrait le supporter.

Voilà le sentiment qui lui donnait envie de pleurer : ce n'était pas la solitude, pas encore, mais la certitude qu'un jour viendrait où elle serait seule.

✳✳✳

Mumpo Inch, assis sur l'amas de pierres qui avaient autrefois constitué les remparts de la ville, regardait l'océan. S'il portait le regard assez loin, il parvenait à voir la crête des plus hautes vagues qui déferlaient sous le ciel sans lune. Il poussa un long soupir triste. Un autre jour était passé et il n'avait toujours pas prononcé les mots qu'il avait si soigneusement préparés puis appris par cœur. Cela faisait maintenant onze semaines et deux jours qu'il avait eu quinze ans, et quatre semaines et quatre jours que Kestrel Hath avait elle aussi fêté son quinzième anniversaire. Mumpo adorait Kestrel, il l'aimait plus que la vie même, et cela depuis cinq longues années. Il ne pouvait supporter l'idée qu'elle puisse se marier avec quelqu'un d'autre que lui. Pourtant, il savait que s'il le lui demandait, elle lui répondrait non. Il en était sûr. Ils étaient trop jeunes. Il le sentait bien lui-même. Ni l'un ni l'autre n'était prêt à se marier. Mais que se passerait-il si quelqu'un d'autre la demandait avant lui ? Et si elle répondait oui ?

Il entendit du bruit derrière lui, se retourna et vit Pinto qui sautillait sur les pierres. Pinto était petite pour son âge, fine, agile, l'esprit aussi tranchant qu'un brin d'herbe. Comme elle était beaucoup plus jeune que lui, Mumpo se sentait toujours à l'aise avec elle. Elle ne le critiquait jamais et, contrairement aux autres, ne souriait pas quand il disait certaines choses. La seule chose qu'elle ne supportait pas, c'était qu'il l'appelle Pim, le surnom qu'on lui donnait quand elle était petite. Elle n'était plus un bébé, lui disait-elle farouchement, en le regardant de ses yeux brillants et blessés qui semblaient toujours au bord des larmes, mais ne pleuraient jamais.

– Je savais que tu serais là.

Elle se laissa tomber sur les genoux, derrière lui, et lui passa les bras autour du cou.

– Je viens là pour être seul, lui dit Mumpo.

– Tu peux être seul avec moi.

C'était tout à fait vrai : elle ne le dérangeait pas. Il tendit le bras derrière lui et pinça sa jambe osseuse.

– Qu'est-ce que tu as fait de Kess ?

– Oh, je l'ai tuée, dit Pinto en se dégageant joyeusement. J'en ai eu assez que tu me parles toujours d'elle, alors je l'ai tuée.

– Où as-tu laissé le corps ?

– Aux fiançailles des Greeth.

Mumpo se leva, en faisant tomber Pinto par terre d'une chiquenaude. Il était grand et bien bâti, comme son père, mais il n'avait pas l'autorité naturelle qui émanait de Maslo Inch dans sa jeunesse. Mumpo était trop accommodant pour imposer sa volonté à quiconque ; trop simple, disaient certains. Quant à Pinto, elle pensait qu'il était la personne la plus adorable du monde.

– Il faut que je demande quelque chose à Kess, dit-il, davantage pour se convaincre lui-même que pour informer la petite fille.

– Je ne me donnerais pas cette peine, lui dit Pinto. Elle dira non.

Mumpo devint écarlate.

– Tu ne sais même pas de quoi je parle.

– Si, je sais. Tu veux qu'elle se marie avec toi. Eh bien, elle ne le fera pas. Je lui ai demandé, et elle m'a dit non.

– Tu ne lui as jamais demandé !

En réalité, Pinto n'avait pas interrogé sa grande sœur sur cette vaste et inquiétante question. Elle avait voulu le faire à plusieurs reprises, mais elle n'avait pas osé. Cependant, elle était absolument sûre que si elle le lui demandait, la réponse serait celle qu'elle venait de donner à Mumpo.

– Tu es une sale petite fouineuse qui se mêle de ce qui ne la regarde pas. Je ne te parle plus.

Il était furieux et honteux à la fois. Pinto regretta aussitôt ses paroles.

– Je ne lui ai pas demandé, Mumpo. C'est moi qui ai tout inventé.

– Tu me le jures ?

– Je te le jure. Mais elle te dira non.

– Comment le sais-tu ?

Pinto aurait voulu lui dire : « Je le sais, car c'est à moi que tu appartiens », mais elle répondit simplement :

– Elle ne veut épouser personne.

– Elle le fera, conclut tristement Mumpo. Elles finissent toutes par le faire.

La nuit était tombée, et ils se tinrent par la main en revenant, marchant sur les tas branlants de gravats. Pinto sentait la main forte et sèche de Mumpo dans la sienne ; il la tenait d'une façon si légère et si sûre qu'à deux reprises elle fit semblant de trébucher, uniquement pour sentir les doigts de Mumpo serrer sa main plus fort, et son bras musclé la retenir pour l'empêcher de tomber. En réalité, elle était aussi agile qu'une chèvre et elle aurait pu retrouver son chemin à la lumière des étoiles ou sans lumière du tout, mais elle jouait à un jeu secret, imaginant qu'ils étaient fiancés et qu'elle lui disait les mots familiers des fiançailles : « Je passerai mes jours au son de ta voix, mes nuits à portée de ta main. »

Ils dépassèrent les immeubles abandonnés de l'ancien Quartier Gris, que des bandes d'enfants turbulents utilisaient désormais pour leurs jeux secrets, puis entrèrent dans les rues éclairées du Quartier Marron. On employait toujours les noms d'autrefois, même si bien peu de maisons avaient gardé leur ancienne couleur.

Après les changements, les habitants d'Aramanth avaient été pris d'une frénésie de peinture, et un arc-en-ciel de teintes vives avait surgi à travers toute la ville, sur les portes et les cadres de fenêtres, les murs et même les toits. Mais cinq ans de soleil, de vent et de pluie avaient délavé la peinture qui avait été hâtivement passée sur les maisons, et les vieilles couleurs commençaient à réapparaître.

Ils trouvèrent la place principale pleine de monde et de bruit. La réunion avait fini pratiquement au moment où elle avait commencé, à cause d'un problème de procédure. La foule sortait de l'hôtel de ville, puis les gens se séparaient et rentraient chez eux par petits groupes, en discutant fiévreusement. Mumpo n'assistait jamais aux réunions municipales. D'après lui, elles se résumaient à peu de chose : tout le monde parlait en même temps, personne n'écoutait, et l'on sortait de là avec la même opinion qu'on avait en y entrant.

Son regard perçant repéra rapidement Kestrel au milieu d'un groupe de jeunes gens qui parlaient tous avec exaltation. Mumpo s'arrêta à la marge du groupe, se refusant à les rejoindre, malgré les efforts de Pinto qui le tirait par la main.

– Ils parlent pour ne rien dire, assura Pinto. Comme d'habitude.

Mumpo ne l'écoutait pas. Il observait Kestrel. Comme d'autres filles parmi les plus jeunes de la bande, elle avait les cheveux courts, emmêlés, et elle portait des vêtements noirs délavés, en réaction contre la mode multicolore en vogue chez les adultes. Son visage était curieux, anguleux, avec une grande bouche ; elle n'était pas belle selon les critères habituels, mais il y avait chez elle une intensité, une énergie qui attiraient et retenaient l'attention. Pour Mumpo, elle était entièrement belle. Elle était si vivante que, parfois, elle lui paraissait être la vie même, ou la source de la vie. Quand les yeux noirs et impétueux de Kestrel croisèrent les siens, il se sentit secoué par sa vitalité, et autour de lui tout lui sembla plus brillant et plus incisif.

– Pourquoi tu n'es pas venu à la réunion, Mumpo ?

Avec un tressaillement, il s'aperçut qu'elle lui parlait.

– Oh, ce genre de choses, ce n'est pas pour moi.

– Pourquoi ? Tu vis ici, non ?

– Oui, dit-il.

– Et tu ne t'intéresses pas à la ville ? C'est pourtant chez toi !

Comme toujours, Mumpo dit la première chose qui lui passait par la tête.

– Je n'ai pas l'impression que ce soit chez moi.

Kestrel le regarda fixement et ne dit rien pendant un long moment. Puis elle se retourna vers les autres, leur souhaita abruptement bonne nuit et s'en alla

Mumpo et Pinto la suivirent plus lentement. L'appartement de Mumpo, où il vivait avec son père, était près de celui de la famille Hath, au centre de la ville.

– Je dis toujours ce qu'il ne faut pas dire, confia-t-il tristement à Pinto. Et je ne sais jamais pourquoi.

Bowman n'était pas allé à la réunion. Il avait marché dans la ville, essayant de localiser la source du danger qu'il avait perçu pendant les fiançailles. C'était une impression aussi insaisissable qu'une odeur. Parfois, il lui semblait la tenir, puis il la perdait de nouveau. Il se tourna face au vent et huma l'air, espérant trouver un indice qui puisse le guider. Mais ce n'était ni une odeur ni un son . c'était une impression. Bowman pouvait sentir la présence de la peur à plus d'un kilomètre, il pouvait éprouver la joie d'un rire avant l'esquisse même du sourire. Mais les impressions étaient difficiles à repérer. Elles venaient aussi souvent du plus profond de lui-même que du monde extérieur.

À présent, ce sentiment de danger avait de nouveau disparu. Peut-être avait-il tout inventé. Peut-être avait-il tout simplement faim. Il décida de rentrer chez lui.

Quand les autres membres de la famille revinrent, ils le trouvèrent debout sur le petit balcon, en train de regarder la nuit. Le poêle était presque éteint. Hanno Hath se baissa pour le ranimer doucement.

– Tu as laissé le feu s'éteindre, Bo.

– Ah, bon ?

Il semblait sincèrement surpris, et Hanno Hath n'en parla plus. Les gens disaient que Bowman était un rêveur ou, plus méchamment, qu'il était à moitié endormi, mais son père le comprenait. Bowman était aussi éveillé que n'importe lequel d'entre eux, et peut-être plus. Mais il était attentif à d'autres choses.

– On a perdu notre temps, comme d'habitude, dit Kestrel en entrant dans la pièce. La seule personne qui ait dit quelque chose d'intéressant, c'était Mumpo, et c'est le plus bête de tous.

– Il n'est pas bête ! protesta Pinto, en entrant dans la pièce à son tour.

– Oh, bien sûr, tout le monde sait que c'est ton chou-chou !

Pinto se précipita sur Kestrel et la frappa de ses petits poings serrés. Des larmes brûlantes lui montaient aux yeux. Kestrel lui rendit ses coups, la frappant au visage. Pinto se jeta par terre en sanglotant.

– Kestrel ! s'écria sévèrement son père.

– C'est elle qui a commencé !

Ira Hath prit Pinto dans ses bras et la calma. Pinto saignait du nez. Quand elle s'en aperçut, elle en fut secrètement ravie et s'arrêta de pleurer.

– Du sang ! dit-elle. Kess m'a fait saigner !

– Ce n'est rien, ma chérie, lui dit sa mère.

– Mais elle m'a fait saigner ! – Pinto était triomphante. – Celui qui fait saigner a toujours tort. Gronde-la !

– Tu t'es fait saigner toi-même, répliqua Kestrel. Tu as cogné ton nez contre ma main.

– Oh ! s'écria Pinto. Oh, espèce de sorcière ! Menteuse !

– Bon, ça suffit, maintenant.

Comme toujours, la voix douce de Hanno Hath réussit à calmer tout le monde.

– Alors, Mumpo a dit quelque chose d'intéressant, Kess ?

– J'allais vous le raconter, mais Pim…

– Ne m'appelle pas Pim !

– J'ai le droit de parler ou pas ?

– Je m'en fiche, dis ce que tu veux.

En fait, Pinto était intéressée par ce que Kestrel allait raconter car il s'agissait de Mumpo.

– Il a dit qu'il n'avait pas l'impression d'être chez lui à Aramanth.

– Oh, le pauvre garçon !

– Oui, mais ça m'a fait réfléchir. Je me suis aperçue que moi non plus, je n'avais pas cette impression.

Hanno Hath lança un coup d'œil à sa femme.

– Alors où est ta maison, ma petite Kess ?

– Je ne sais pas.

– Eh bien, tu as peut-être raison. Tous les vieux livres

disent qu'il ne faut considérer cette ville que comme une halte sur le chemin du pays des origines.

– Le pays des origines ! s'insurgea sa femme. Qu'est-ce que c'est que ça ? Où est-il ? Je vais vous le dire, moi. Il est ailleurs. Voilà où il est. Où que l'on vive dans le monde réel, on trouve des ennuis et des raisons de mécontentement, alors on invente un autre endroit où les choses vont mieux. Voilà où il se trouve votre précieux pays des origines. On ferait mieux de faire tout ce qu'on peut là où on se trouve.

– Tu as peut-être raison, ma chérie.

– Mais maman, dit Kestrel, tu ne le sens pas toi aussi ? Nous ne sommes pas faits pour cette ville.

– Oh, tu sais, je fais partie de ces gens bizarrement constitués qui ne se sentent bien nulle part.

– Nous sommes une famille bizarrement constituée, reprit Pinto.

Cette idée lui plaisait.

– Il existe un pays des origines, insista Kestrel. Est-ce que tes livres disent où il se trouve, Pa ?

– Non, ma chérie, s'il en était ainsi, il y a longtemps que j'y serais allé.

– Pourquoi ?

– Oh, je suis un vieux rêveur.

– Eh bien moi, j'irai.

– Attends d'être mariée, lui dit sa mère, et tu verras les choses différemment.

– Je ne veux pas me marier.

Ira Hath leva les yeux et croisa le regard de son mari. Il haussa légèrement les épaules, puis tourna la tête vers le balcon où se tenait Bowman.

– Il n'est pas question de te marier contre ta volonté, commença gentiment sa mère. Mais, ma chérie…

– Je sais que je finirai ma vie toute seule, répliqua Kestrel pour montrer qu'elle n'avait pas besoin qu'on le lui répète, mais ça m'est égal.

– Kess n'est jamais seule, dit Pinto avec envie. Elle a Bo.

Leur mère hocha la tête d'un air désapprobateur et ne dit plus rien. Hanno Hath alla rejoindre Bowman sur le balcon. Il ne parla pas tout de suite car il essayait de trouver les mots justes. Mais Bowman ne savait que trop bien où il voulait en venir.

– J'essaie vraiment, Pa.

– Je sais.

– Ce n'est pas facile.

Hanno Hath soupira. Il se sentait très mal à l'aise. Mais Ira avait raison : les jumeaux grandissaient et ils devaient apprendre à s'éloigner un peu l'un de l'autre.

– Vous partagez toujours vos pensées ?

– Pas autant qu'avant, mais toujours un peu.

– Elle doit faire sa vie de son côté, Bo. Et toi aussi.

– Oui, Pa.

Bowman aurait voulu dire à son père : « Nous ne sommes pas comme n'importe qui, nous n'aurons pas la même vie que les autres, nous avons été désignés pour vivre quelque chose de différent. » Mais comme il ne savait pas quoi exactement, ni même pourquoi il avait ce sentiment, il ne dit rien.

– Je ne vous demande pas de cesser de vous aimer. Mais simplement d'avoir aussi d'autres amis.

– Oui, Pa.

Hanno posa légèrement son bras autour des épaules de son fils. Ils restèrent ainsi quelques instants, puis Bowman dit :

– Je crois que je vais sortir.

Comme il se dirigeait vers la porte, Kestrel leva les yeux et croisa son regard.

« Je viens avec toi ? »

« Il vaut mieux pas. »

Kestrel aussi savait que leurs parents voulaient qu'ils passent moins de temps ensemble. Mais elle sentait qu'il y avait autre chose.

« Dis-moi ce que c'est. »

« Oui. Mais plus tard. »

Il disparut aussitôt dans l'escalier, puis dans la rue plongée dans la nuit. Il n'avait pas de but précis, il avait seulement besoin d'être loin des autres, loin de sa famille. Il se serait également éloigné de lui-même s'il avait su comment s'y prendre. À présent, il était persuadé que l'impression de danger qui ne l'avait pas quitté de la journée venait de la peur profondément enfouie en lui. Il avait besoin d'un endroit calme pour mieux comprendre ce qui lui arrivait et pourquoi cette peur s'était réveillée après tant d'années. Il se dirigea donc vers l'océan, au sud.

Dès qu'il sortit des limites de la ville, il dut s'orienter à la lueur des étoiles. C'était une fraîche nuit d'automne et il frissonnait un peu en marchant. Ses yeux s'habituèrent à l'obscurité et il aperçut bientôt le rivage au loin ainsi que la ligne de petites collines qui formait l'horizon à l'est. Il s'arrêta enfin, non qu'il fût arrivé à un endroit précis, mais parce qu'il lui sembla qu'il se trouvait assez loin de l'agitation de la ville. Là, seul dans la nuit, il ferma les yeux et resta immobile. Il avait cette impression de peur et, à un moment, il sentit qu'elle était effroyablement proche. Elle était puissante et cruelle. Il s'adressa au pouvoir dont le souvenir était enfoui en lui.

« Je ne veux pas de toi. Je n'ai jamais voulu de toi. »

Mais ce n'était pas vrai. Il avait voulu le pouvoir, un jour. Il y a longtemps, à un moment qui, depuis, lui avait toujours semblé n'avoir été qu'un rêve, il l'avait voulu. Il s'était laissé pénétrer par un esprit qui l'avait intoxiqué. Et désormais le Morah était en lui ; il ne serait plus jamais libre.

Il marcha un peu vers l'est, gravissant le chemin en pente ; il sentait la peur tout autour de lui. Il s'arrêta, ne voyant que la ligne noire au sommet des collines, ainsi que la masse confuse et grise de la mer. Il se retourna et découvrit Aramanth qui scintillait doucement dans la nuit. C'était là que se trouvaient tous les gens qu'il aimait, tous les gens qui l'aimaient lui, dans le monde entier. Comment aurait-il pu leur dire qu'il était une source de danger pour eux ? Un traître qui portait en lui l'esprit vivant du Morah au cœur de leur maison ? Comment aurait-il pu dire à sa sœur, la moitié de lui-même, de ne pas l'approcher de trop près, de crainte que le Morah ne prenne possession d'elle aussi ?

« Le mal est en moi. Je dois le supporter seul. »

Ce sentiment d'angoisse était si fort, si envahissant, que l'air de la nuit en était chargé comme d'un nuage noir. Soudain, il ne parvint même plus à respirer. Il fit demi-tour et revint précipitamment vers la ville. Il ne pouvait savoir que s'il avait continué à gravir le coteau pendant quelques minutes encore, il aurait vu l'armée de la Seigneurie bivouaquant du côté le plus éloigné de la colline. Aucune lampe, aucun feu ne brûlait, les harnais des chevaux ne faisaient aucun bruit : en silence, l'armée attendait l'aube.

2
TERREUR À L'AUBE

Cette nuit-là, Ira Hath fit un rêve si intense qu'il la réveilla avant l'heure habituelle. Elle s'assit dans son lit et s'aperçut qu'elle sanglotait. Ira était incapable de s'arrêter. Elle essaya d'étouffer ses sanglots avec le bord de sa couverture, mais cela produisit un bruit nasillard qui était encore pire. Elle voulut donc se lever pour aller boire un verre d'eau. Mais elle se rendit compte qu'elle ne tenait pas debout et se rassit brusquement sur le lit, ce qui réveilla Hanno. Il vit les torrents de larmes sur ses joues et s'inquiéta. Alors, elle lui raconta son rêve.

Elle marchait le long d'une route couverte de neige, avec le reste de sa famille et beaucoup d'autres personnes encore. La route menait à un col entre des collines escarpées. De l'autre côté de la route, les versants blancs et lisses de la colline montaient raide, tandis que la route elle-même gravissait un sommet, puis redescendait de l'autre côté. Ils allaient vers l'ouest, semblait-il, car juste devant eux, dans le grand V que formaient les collines, le soleil se couchait. Bien que, tout autour d'elle, l'air hivernal fût froid, elle sentait une chaleur sur son visage qui semblait venir du soleil, devant elle.

Elle marchait en tête. Elle arrivait donc la première en haut de la route et se retrouvait à l'intérieur du V, au-delà du sommet de la colline. Là, une rafale de flocons de neige se mettait à tomber et, devant elle, à l'ouest, le soleil couchant colorait le ciel d'un rouge foncé. À travers les flocons de neige, à la lueur du couchant, elle apercevait une vaste plaine où deux rivières coulaient vers une mer inconnue.

Puis, dans son rêve, tandis que, les joues en feu, elle contemplait la terre enserrée par le V des collines, sous la neige qui tombait, et le vaste horizon rouge, elle sentait soudain une bouffée de bonheur si intense qu'elle en avait les larmes aux yeux. Défaillant de joie, elle se tournait alors vers Hanno et leurs enfants, mais en voyant leur expression, elle comprenait aussitôt qu'ils ne pourraient la suivre là où elle allait. Elle avait éprouvé le plus grand bonheur qu'elle eût jamais connu et, en même temps, avait compris qu'elle devait perdre tous ceux qu'elle aimait. Dans son rêve, elle avait sangloté de joie et de tristesse, et ses sanglots l'avaient réveillée.

Hanno essuya les larmes d'Ira et la prit dans ses bras en lui rappelant que ce n'était qu'un rêve. Le choc qu'elle avait éprouvé passa lentement, et Ira redevint elle-même. Elle reprocha à Hanno de s'être laissé aller à une conversation idiote sur le pays des origines et lui dit que tout était de sa faute.

– Pourquoi es-tu tombée sur le lit ? lui demanda-t-il.

– Je ne suis pas tombée. Je me suis assise.

– Pourquoi ?

– Je me sentais faible.

Il ne dit plus rien, mais elle savait ce qu'il pensait. Son lointain ancêtre Ira Manth était un voyant, le premier prophète du peuple Manth. « Chaque fois que je perçois l'avenir, avait-il écrit, je deviens plus faible. Mon don est un mal qui me ronge. Je mourrai de mes prophéties. »

– Ce n'était qu'un rêve, Hanno. Rien de plus.

– Sans doute, ma chérie.

– Ne commence pas à donner des idées aux enfants. Ils ont la tête assez embrouillée comme ça.

– Je ne leur dirai rien.

Ira se leva. Elle avait repris des forces. Elle se leva, alla jusqu'à la fenêtre, tira les rideaux, et vit dehors les premières lueurs de l'aube blanchir l'horizon, à l'est.

– C'est presque le matin.

Son mari la rejoignit à la fenêtre et lui passa les bras autour du cou.

– Je t'aime si fort, lui dit-il doucement.

Elle tourna la tête et l'embrassa sur la joue. Ils restèrent ainsi, paisiblement, pendant un long moment.

Soudain, Hanno dit :

– Tu l'entends ?

– Quoi ?

– Le Chanteur de Vent.

Elle écouta.

– Non.

Le Chanteur de Vent ne chantait plus.

Marius Semeon Ortiz était en selle, en haut de la colline, ses chasseurs en rang derrière lui. Une brise venue de l'océan apportait le bruissement des vagues et l'odeur piquante du sel dans l'air du petit matin. Ortiz observait la ville, en dessous, où ses commandos spéciaux étaient déjà au travail. Tapis à mi-hauteur de la colline, à sa gauche, les corps d'attaque attendaient ses ordres.

Il sentait la nervosité des rangées de chevaux derrière lui, qui rongeaient leur frein. Sa propre monture changea de position, dilata les naseaux, et laissa échapper un petit hennissement.

– Du calme, lui dit-il, du calme.

Une flèche enflammée s'éleva au-dessus de la ville, s'incurvant dans le ciel silencieux : c'était le signal que les entrepôts avaient été forcés.

– Intendants ! dit Ortiz. Incendiaires !

Il n'avait pas besoin de parler fort. Ses hommes guettaient le moindre de ses mots.

Les chariots chargés de ravitaillement commencèrent à rouler en bas de la colline sur des roues entourées de tissu pour en étouffer le bruit ; des commandos silencieux et rapides les accompagnaient, conscients du peu de temps dont ils disposaient pour faire leur travail, essentiel à la réussite des opérations. Devant eux, les escouades d'incendiaires couraient à toute vitesse, chaque homme portant sur le dos du petit bois trempé dans de l'huile pour allumer les feux. Ortiz fit un signe de la main et ses fantassins se levèrent, puis coururent sur un long chemin qui descendait en courbe vers la ville, du côté de la mer. Après eux, plus lentement, roulaient les chariots vides qu'on appelait cages à singe.

Un cri monta de la ville. Un gardien de nuit avait découvert les intendants. À présent, d'autres habitants se réveillaient et des lumières tremblotaient çà et là. Mais déjà une lumière bien plus forte se dégageait des flammes, attisées par la brise, qui montaient de l'un des immeubles abandonnés du Quartier Gris. Un autre feu flamba, puis un troisième : une ligne d'incendies se forma au nord de la ville, du côté du vent.

Ortiz sentit son cheval frémir. L'odeur de la fumée lui

parvenait ; il savait que son heure allait venir. On entendait des cris et des hurlements s'élever de la ville, ainsi que le martèlement de pas précipités. Ortiz pouvait se représenter la scène, car il en avait déjà vu bien souvent de semblables : les gens qui se réveillaient en trouvant leurs rues en flammes, qui sortaient tous à la fois des maisons, à moitié habillés, l'air ébahi et terrifié.

Lentement, il dégaina son épée. Derrière lui, ses chasseurs l'imitèrent et il entendit le sifflement de trois cents épées sortant de leur fourreau dans un grand frémissement. Il relâcha ses rênes et son cheval fit un pas en avant. Derrière lui, les chasseurs s'ébranlèrent. Il lança son cheval au trot, puis au galop. Derrière lui, il entendait le roulement de tambour des sabots des chevaux. Les yeux rivés sur la ville en flammes devant lui, il emmena les chasseurs au petit galop sur le sol pierreux. Tout dépendait de ce moment précis. Si le coup était porté rapidement, par surprise, alors en comptant sur la terreur, une force d'un millier d'hommes pouvait écraser une ville et asservir un nombre d'hommes dix fois supérieur au leur. C'était l'horreur de cette première attaque qui transformerait des hommes libres en esclaves.

Tout en chevauchant, il jeta un coup d'œil à sa gauche et vit que ses fantassins étaient en place. Derrière lui, les premiers rayons du soleil levant passaient par-dessus la ligne noire des collines. « Nous y sommes, pensa-t-il, c'est le moment de ne pas revenir en arrière, c'est tout ou rien. » Et, se levant sur sa selle, il fut envahi par un intense sentiment de joie. Les yeux brillants, un mince sourire sur les lèvres, il brandit son épée, éperonna son cheval pour le lancer au galop, et cria :

– Chargez !

Le Chanteur de Vent brûlait. Hanno Hath braquait sur lui le jet d'eau d'une pompe à incendie, tandis que Kestrel et Bowman, chacun à un bout de la poignée, pompaient de toutes leurs forces. Les gradins des arènes s'animaient déjà de silhouettes qui arrivaient en courant. Le cri « Au feu ! » se répandait dans toute la ville. Ira Hath et Pinto couraient dans les rues, frappant aux portes pour réveiller les gens qui dormaient encore. De tous côtés, des familles en pyjamas et chemises de nuit se déversaient dans les arènes. Kestrel pleurait en pompant l'eau. « Non ! Non ! Non ! » criait-elle chaque fois qu'elle appuyait sur la poignée. Bowman ne se retourna pas pour regarder le Chanteur de Vent brûler, de peur de ne pouvoir retenir ses larmes.

La pompe à incendie d'Hanno réussit enfin à éteindre les flammes, laissant la tour à moitié détruite, calcinée et sifflante.

– Continuez à pomper ! cria-t-il en tournant son tuyau vers un immeuble en feu, mais Kestrel avait déjà lâché la pompe pour se suspendre à la ruine fumante.

– Fais attention, Kess.

La voix de son père fut brusquement interrompue par de terribles hurlements. Des hommes, des femmes, des enfants se ruèrent dans l'arène. Dans le fracas assourdissant de sabots au galop, les chasseurs de la Seigneurie pénétraient en force sous les arcades, brandissant leurs épées étincelantes. Devant eux, les citoyens d'Aramanth s'enfuyaient en courant. Ceux qui tombaient ou revenaient en arrière étaient fauchés par les longues épées, et lorsque les lignes de soldats à cheval avançaient, leurs chevaux piétinaient les corps des morts et des blessés. Derrière les chasseurs, des fantassins armés de courtes lances poignardaient les corps ensanglantés qui gisaient sur le sol. Terrifiés, les habitants de la ville fuyaient devant cette effroyable machine à tuer, se précipitant dans les arènes, courant dans les rues en flammes, sortant de la ville vers le rivage de l'océan.

Kestrel se cramponnait au Chanteur de Vent carbonisé, et les envahisseurs ne la remarquèrent pas dans ses vêtements noirs. Le bois brûlé lui faisait mal aux bras et aux jambes, mais elle n'osait pas bouger. Immobile, elle assista au massacre. Elle vit son frère et son père repoussés avec les autres. Elle entendit les cris déchirants des blessés et les violents coups de lance des soldats. Elle regarda le chef des envahisseurs, le vit clairement dans la lumière du soleil levant, avec son jeune et beau visage encadré d'une cascade de cheveux fauves et ses yeux cruels comme ceux d'un faucon chassant la vermine. Elle le fixa aussi longtemps qu'elle le put, gravant profondément son image dans sa mémoire.

« Tu es mon ennemi et je ne t'oublierai pas. »

Lorsque le dernier soldat fut hors de vue, un silence sinistre s'abattit sur la ville. Kestrel tendit le bras pour atteindre la fente dans laquelle était insérée la voix d'argent du Chanteur de Vent. La gorge de métal était encore très chaude, mais Kestrel introduisit ses doigts dans la fente et, aussitôt, avant même de sentir qu'elle s'était brûlée, elle s'empara de la voix. Celle-ci tomba par terre, sur les dalles. Kestrel la suivit, descendant doucement de la tour. Elle sentit que la peau de ses doigts, à la main droite, était arrachée. Elle trouva la voix sur le sol. Elle avait assez refroidi pour qu'elle puisse la prendre et, de sa main gauche, elle la fit glisser dans sa poche.

Tout autour d'elle, elle entendait le crépitement des

flammes et sentait leur chaleur. Les grandes arènes circulaires étaient construites en pierre et peu de choses pouvaient brûler à cet endroit-là. Mais au-delà des piliers des arcades s'élevait un mur de feu. Elle ne pouvait aller nulle part.

À l'extérieur de la ville, les habitants en fuite se retrouvèrent acculés entre le feu et l'océan. Les fantassins de la Seigneurie les attendaient. Ils formaient de petits groupes menaçants, leur épée à la main, tandis que des milliers d'habitants de la ville, impuissants, tournaient en rond, abasourdis et terrifiés, cherchant les membres de leur famille, pleurant et sanglotant, incapables de comprendre ce qui s'était passé. Aucun d'entre eux ne prenait les choses en main, il n'y avait pas d'organisation. Le coup était tombé trop brutalement.

Marius Semeon Ortiz arriva à cheval et vit les regards hébétés ; il était satisfait. Ses compagnies d'intendants sortaient de la ville incendiée, leurs chariots remplis à ras bord. Il était temps de calmer les prisonniers et de leur apprendre l'obéissance.

– Il ne vous sera pas fait de mal ! Faites ce que l'on vous demande et il ne vous arrivera rien !

Des officiers à cheval passaient dans la foule pour crier la même chose :

– Restez là où vous êtes. Il ne vous sera pas fait de mal !

Ortiz ordonna d'amener les cages à singe. Des attelages de chevaux tirèrent les lourdes cages sur roues jusqu'au milieu de la foule. Les chevaux furent dételés et emmenés plus loin. Ortiz parcourut les visages du regard ; il lui fallait trouver une victime dans ce peuple conquis, et montrer pourquoi cette cage méritait son nom.

Hanno Hath était parvenu à réunir toute sa famille, à l'exception de Kestrel. Les voies d'accès à la ville étaient barrées par des hommes armés et, même s'ils avaient réussi à franchir cette barrière, l'incendie se propageait trop violemment dans la ville pour qu'il soit possible d'y pénétrer. Il ne leur restait qu'à espérer que Kestrel ait trouvé le moyen d'échapper à cet enfer. En attendant, trop de gens étaient blessés autour d'eux. La priorité était de survivre et d'aider les autres à survivre.

Un officier à cheval s'approcha en criant :

– Faites ce qu'on vous dit et on ne vous fera pas de mal !

– Tu n'es pas blessée ? Pinto, tu saignes.

– Ça va, papa, répondit Pinto d'une voix tremblante. Ce n'est pas mon sang.

– Est-ce que quelqu'un sait ce qui est arrivé à Kess ?

Ira Hath regarda Bowman. Les yeux fermés, il essayait de retrouver sa sœur jumelle par la pensée.

« Kess, tu m'entends ? »

Il hocha négativement la tête.

– Est-ce que tu le saurais si elle était… ?

– Oui, je crois.

Pinto aperçut Mumpo et son père, Maslo Inch.

– Mumpo est là ! Il va bien !

Marius Semeon Ortiz, dominant tout le monde sur son beau cheval, regardait dans la même direction. Ses yeux furent attirés par le grand homme en vêtements blancs. Maslo Inch, qui avait été autrefois le puissant Examinateur en chef d'Aramanth, avait perdu son orgueil. Depuis les grands changements qui avaient eu lieu, son esprit était devenu très confus et, ces dernières années, il dépendait entièrement de son fils.

Les seules choses qui restaient de sa gloire antérieure, c'étaient sa toge blanche, autrefois signe du meilleur classement, et son allure très digne. Son cœur était brisé, son esprit embrouillé, mais son corps, façonné par une longue habitude, avait gardé un maintien imposant ; il marchait la tête haute. Ce fut ce qui le distingua des autres.

Ortiz le désigna du doigt. Ses hommes se frayèrent aussitôt un passage dans la foule et l'empoignèrent. Mumpo essaya de les arrêter, mais ils le repoussèrent, et un officier à cheval le menaça de son épée. Son père, qui ne comprenait qu'à moitié ce qui lui arrivait, lui sourit tandis que les soldats l'emmenaient.

– Laisse-les, fils. Quelle importance ?

Mumpo les suivit, accompagné de plusieurs personnes, dont Hanno Hath. Ils virent qu'on poussait Maslo Inch dans une haute cage dont on refermait la porte à barreaux derrière lui.

Mumpo, bouleversé, se tourna vers Hanno Hath.

– Qu'est-ce qu'ils vont lui faire ?

Hanno Hath secoua la tête, craignant de dire à Mumpo ce qu'il pensait.

– Mes ordres doivent être exécutés ! s'écria Ortiz du haut de son cheval. Sans poser de questions ! Sans délai ! Au premier signe de désobéissance… – il montra la cage du doigt – cet homme mourra !

Ortiz regarda autour de lui et entendit le bourdonnement des voix. Ses mots, répétés de bouche en bouche, se propageaient dans la foule immense des prisonniers. C'était une bonne chose : la peur les rendait attentifs. Ils devaient apprendre qu'il ne proférait jamais de vaines menaces. Comme le Maître lui-même le lui avait enseigné, un seul acte de brutalité pouvait maîtriser une ville entière, du moment qu'il était commis sans hésitation et sans pitié. Ortiz avait sa victime, il ne lui manquait plus qu'un prétexte.

Mumpo ne savait pas tout cela. Tout ce qu'il comprenait, c'était que son père, qu'il avait appris à aimer, courait un obscur danger. Mumpo avait eu peur du soldat qui l'avait menacé avec son épée, mais à présent le soldat s'était éloigné de lui, et il ne sentait que sa colère. Il avait le courage de ceux qui ne connaissent pas le calcul : voulant sauver son père, il ne pensa pas un instant aux risques qu'il prenait lui-même. Il marcha donc vers la cage, tapa bruyamment sur les barreaux noircis et cria :

– Relâchez-le !

Ortiz se retourna sur son cheval, et pointa son épée vers Mumpo.

– Recule !

– C'est mon père ! s'exclama Mumpo, n'écoutant que ses sentiments. Relâchez-le !

Maslo Inch tendit le bras à travers les barreaux et caressa la joue de Mumpo.

– Mon fils, dit-il avec fierté.

Ortiz vit avec une sombre satisfaction qu'on n'avait pas obéi à son ordre.

– Je vous avais prévenus. Vous ne m'avez pas écouté. Maintenant, vous allez en payer le prix.

Il fit un signe, et l'un de ses hommes avança d'un pas, portant une torche allumée. Sous la cage, il y avait un plateau en fer couvert d'une épaisse couche de petit bois trempé dans l'huile. Au-dessus du bois d'allumage, le plancher de la cage était une grille en fer découverte. Quand les brindilles prirent feu et que la fumée s'éleva, les gens qui étaient le plus près de la cage comprirent avec horreur que Maslo Inch n'avait aucune possibilité d'échapper aux flammes. Il allait être brûlé vif.

– Silence ! ordonna Ortiz. Chaque fois que quelqu'un parlera, je prendrai l'un de vous et il mourra de la même façon.

Un silence terrible s'abattit sur le peuple d'Aramanth. Comment auraient-ils pu désobéir ? Même les plus courageux d'entre eux, même ceux qui n'auraient pas hésité à risquer la mort, n'osaient pas provoquer la mort de quelqu'un d'autre. Ils ne firent donc aucun bruit tandis que le feu prenait dans le profond plateau sous la cage, et que le pauvre homme éperdu, à l'intérieur, essayait de grimper aux barreaux pour échapper à la chaleur.

Ortiz assistait au spectacle comme il l'avait déjà fait bien des fois auparavant. C'était désagréable, mais nécessaire. Tous les nouveaux esclaves devaient assister à la mort en cage avant d'entrer dans les provinces contrôlées par la Seigneurie. C'était un ordre du Maître.

Maslo Inch ne comptait pas plus qu'un singe pour les soldats qui le regardaient. Après ses premiers efforts désespérés, il retomba, pris de faiblesse, et sa toge blanche prit feu. Il se recroquevilla sur le plancher de la cage, sans même pousser un cri, ce qui était rare. Mais le bruit du corps qui brûlait était suffisant. Ortiz voyait sur les visages blancs et les traits tirés des prisonniers que la leçon avait porté.

Puis un gémissement retentit, suivi d'un bruit sourd. Le jeune homme qui lui avait désobéi était tombé sur le sol, et comme les gens qui se trouvaient autour de lui n'osaient pas se baisser pour le relever, il resta par terre, apparemment évanoui. Ortiz décida qu'il était temps de passer à autre chose. Il fallait préparer la longue marche du retour vers la Seigneurie.

– Peuple d'Aramanth! cria-t-il à la foule silencieuse, sous le choc. Votre ville est détruite! Votre liberté a pris fin! Désormais, vous êtes les esclaves de la Seigneurie.

Bowman, parfaitement immobile, les yeux fixés sur la ville en feu, essayait par tous ses sens de retrouver Kestrel. Il entendait les flammes et sentait la fumée. Çà et là, il trouvait des poches de douleur ensevelies sous les cendres, qui éclataient comme des bulles au contact de son esprit, libérant les derniers cris de ceux qui gisaient là, morts mais encore chauds. Une telle tristesse s'élevait des ruines fumantes, une si grande souffrance, une si grande perte! Il eut une réaction de recul, mais il se força à continuer sa recherche. Soudain, un soldat le tira brutalement par la manche et, en se tournant, alors qu'il ne la cherchait plus, il sentit fugitivement la présence de sa jumelle, une silhouette aperçue en un éclair entre des piliers roussis dans l'air brouillé par la chaleur. Mais il savait que c'était elle. Elle était là. Elle était vivante. C'était suffisant.

Les soldats mettaient déjà les nouveaux esclaves en rang. Bowman obéit aux ordres et se laissa emmener. Il n'y faisait pas attention. Elle était vivante, et l'avenir maintenant reprenait forme. En le séparant de sa sœur, la moitié de lui-même, son ennemi avait tendu la corde qui les reliait, il l'avait tendue jusqu'à ce qu'elle vibre, comme la corde d'un arc. Ils se retrouveraient. La corde tendue se relâcherait. Puis le chasseur deviendrait celui que l'on chasse, et la flèche s'envolerait.

3

LE VENT SE LÈVE

Kestrel resta toute la journée près du Chanteur de Vent tandis que le feu ravageait la ville. À la tombée de la nuit, avec le froid, les flammes commencèrent enfin à baisser et, lentement, craintivement, elle gravit les neuf gradins des arènes pour voir si quelqu'un d'autre était encore en vie.

Aramanth n'était plus. À la lueur orange des maisons incendiées, Kestrel vit des rues dévastées, jonchées de corps au-dessus desquels des vautours tournoyaient en poussant des cris stridents. Elle appela. Doucement au début. Mais, comme elle n'entendait rien, elle se mit à appeler de plus en plus fort. Personne ne lui répondit.

La statue de Créoth, le premier empereur d'Aramanth, était toujours debout, sa pierre blanche noircie par la fumée. La fontaine ne coulait plus, mais il y avait de l'eau dans le bassin. Kess repoussa les cendres flottant à la surface et but avidement. L'eau était amère, mais elle se força à boire jusqu'à ce qu'elle n'en puisse plus.

Elle retourna jusqu'à l'immeuble où sa famille avait habité : il brûlait toujours et n'avait plus de toit. L'escalier s'était écroulé. Elle n'avait aucun moyen d'atteindre leur appartement, même si elle avait osé braver le feu. En levant les yeux, elle reconnut l'endroit qui avait été sa chambre auparavant et qui n'était plus qu'un squelette de poutres noires se détachant sur le ciel nocturne.

Elle trébucha contre une masse sombre. C'était le corps d'une femme morte. Son visage était tourné vers le sol, mais Kestrel reconnut son dos charnu. C'était Mme Blesh, leur voisine d'autrefois, quand la famille Hath vivait dans le Quartier Orange, avant les changements. Sa main étendue dans la poussière serrait toujours une médaille qui avait été remise à son fils Rufy pour un prix de poésie. Kestrel se rappelait bien cette médaille. Mme Blesh l'emportait partout avec elle et la montrait à tout le monde. Elle se souvenait aussi du poème. Il était intitulé *En attendant de sourire*, et parlait de la crainte que l'on pouvait avoir de sourire le premier. Kestrel se rappelait qu'elle avait été stupéfaite d'apprendre que le morne et studieux Rufy Blesh avait de tels sentiments, et qu'elle avait été encore plus étonnée qu'il les ait exprimés dans un poème. Sa mère n'avait pas compris le poème mais elle était ridiculement fière de sa médaille, à la grande confusion de son fils.

Kestrel détacha doucement la médaille des doigts morts et la glissa dans sa poche à côté de la voix d'argent.

« Où est Rufy, à présent ? Où sont les autres ? »

« Bo ! Où es-tu ? »

Pas de réponse.

Soudain, elle se trouva mal et comprit qu'elle allait tomber. Elle ferma les yeux et une ombre plus obscure que la nuit l'enveloppa.

Quand elle se réveilla, il faisait clair. Elle se leva et remua ses membres raides et douloureux. Elle se força à marcher dans la rue fumante. Elle traversa la ville ravagée et sortit vers la plaine. En marchant, elle reprit lentement des forces. Elle sentait la brise fraîche de l'océan sur son visage. Elle s'aperçut qu'elle avait faim. Elle commença à se poser des questions.

« Pourquoi est-ce qu'on nous a fait ça ? »

Elle se retourna pour regarder une fois encore la carcasse brûlée qui avait abrité son monde, et elle comprit que plus rien ne pourrait le lui rendre. Maintenant que sa ville avait disparu, elle se rendait compte qu'elle l'avait aimée plus qu'elle ne le croyait. À sa façon maladroite, cette ville avait essayé de leur offrir un foyer.

« Qui nous a fait ça ? »

En un éclair, elle se rappela un visage arrogant et jeune, une cascade de cheveux fauves.

« Qui es-tu ? Pourquoi cette haine ? »

L'attaque avait été si violente qu'elle avait l'impression que ses propres entrailles avaient été arrachées et qu'elle était vide à l'intérieur. Quel qu'il soit, celui qui avait fait cela avait voulu les détruire tous – et les avait peut-être tous détruits. Elle n'avait pas vu un seul être vivant depuis qu'elle avait quitté les arènes. Qui sait si elle n'était pas la seule survivante du peuple Manth ? Cet ennemi inconnu avait voulu la détruire, elle aussi.

« Pourquoi ? »

Soudain sa volonté farouche se ranima comme le feu qui couve sous la cendre. Elle se dressa de tout son être contre cet ennemi inconnu.

« Je ne te laisserai pas me détruire ! »

Elle regarda vers le sud, le grand océan gris, houleux. Puis elle se tourna vers les vestiges d'Aramanth.

Ensuite, elle regarda à l'est et comprit que c'était par là qu'ils étaient partis, les assassins, les brûleurs de ville. Les herbes drues de la côte étaient piétinées au point d'ouvrir une large voie et, non loin de là, gisaient les formes recroquevillées de nombreux cadavres.

Elle n'avait qu'à les suivre. Sa famille était peut-être morte. Son peuple était peut-être mort. Mais son ennemi était vivant. Pour cette unique raison, elle avait survécu à la destruction de sa ville. Pour cette unique raison, elle ne mourrait pas.

« Je suis la vengeresse. »

Cette idée la ranima. C'était ce qui la nourrissait, ce qui la désaltérait. À moitié ivre de passion et d'épuisement, elle leva les deux mains au-dessus de sa tête et se mit à hurler pour cet ennemi inconnu qui ne pouvait pas l'entendre, et pour elle-même qui n'oublierait jamais :

– Je te suivrai ! Je te trouverai ! Je te détruirai ! Je le jure !

Pendant ce premier jour de marche, long, épuisant, le peuple d'Aramanth put encore voir derrière lui les ruines fumantes des maisons. Au début, comme s'ils ne pouvaient s'empêcher de contempler leur bonheur perdu, les gens se retournaient souvent et pleuraient. Mais quand la ville mourante devint plus petite au loin, et qu'ils eurent versé toutes les larmes de leur corps, ils ne se retournèrent plus.

Bowman marchait avec sa famille, avançant à grands pas réguliers, sans rien voir. Concentrant tout le pouvoir qu'il possédait, tous ses sens en éveil, il était à la recherche, à l'écoute des vibrations familières de l'esprit de sa sœur. Mais il ne percevait plus rien.

Marius Semeon Ortiz, sur son cheval, longeait lente-

ment la colonne. En le voyant approcher, Bowman s'é-
veilla de son demi-sommeil et dirigea ses sens aiguisés
vers lui. C'était donc lui, l'homme qui lui avait tout pris,
qui lui avait même enlevé Kestrel ! Cet homme était son
ennemi. Avec davantage de fermeté et d'assurance, il
dévisagea l'homme aux cheveux fauves et orienta son
esprit vers lui afin de savoir qui il était.

Ortiz vit le jeune esclave le regarder fixement.
Pendant un instant, leurs yeux se croisèrent. Puis Ortiz
continua à chevaucher sans lui accorder plus d'attention. La plupart des esclaves le regardaient, tandis qu'il
passait à cheval. Ils le haïssaient, cela ne faisait aucun
doute, mais ils ne disaient rien. Il lui fallut donc un certain temps avant de se rendre compte que le jeune
homme l'avait regardé d'une façon tout à fait inhabi-
tuelle. Ortiz avançait le long de la colonne en essayant
d'éclaircir ce qu'il avait ressenti. Ce n'était pas le regard
d'un homme captif, d'un esclave, mais un regard d'égal
à égal. D'une certaine façon, pendant ce bref instant où
leurs yeux s'étaient croisés, le jeune homme avait lu en
lui. Qu'avait-il vu ?

Ortiz n'était pas très doué pour l'introspection.
C'était un homme d'ambition, un homme d'action.
Mais à présent, il était intrigué.

Il fit faire volte-face à son cheval et remonta jusqu'à
Bowman.

— Toi, dit-il, en lui tapant sur l'épaule avec son épée
rengainée, comment t'appelles-tu ?

— Bowman Hath.

Ortiz mit son cheval au pas.

— Pourquoi m'as-tu regardé ainsi ?

Bowman ne répondit pas. Mais il se tourna vers Ortiz
et le regarda dans les yeux.

Cette fois, comme Ortiz avait recherché le contact, Bowman pénétra plus profondément dans son esprit. Ortiz le regardait fixement, comme hébété. Puis il détourna les yeux, éperonna son cheval et repartit au trot.

« Comment ose-t-il ! » se demandait-il en regagnant la tête de la colonne. Il n'arrivait pas à exprimer sa pensée car il était trop troublé, mais ce qu'il avait ressenti d'une façon inexplicable, déconcertante, c'était que l'esclave nommé Bowman Hath avait compris qui il était.

Les esclaves n'étaient ni enchaînés ni attachés. Ils marchaient dans l'ordre qu'ils voulaient. Les petits enfants et les personnes âgées avaient du mal à tenir le rythme, aussi les hommes les plus robustes se relayaient-ils pour porter ceux qui n'y arrivaient pas. Il ne s'agissait pas seulement d'un acte de compassion : ceux qui restaient en arrière, qui ne pouvaient plus suivre, étaient tués par des soldats à cheval – dits « balayeurs » – qui fermaient la marche.

Mumpo portait le plus lourd fardeau de tous, et depuis longtemps. Il avançait à pas pesants et réguliers, Mme Chirish, son ancienne mère adoptive, sur son dos. Elle n'était ni trop jeune ni trop vieille pour marcher avec les autres, elle était trop grosse.

Mumpo ne se plaignit pas une seule fois ; il ne semblait pas non plus se fatiguer, mais il ne souriait plus. Il ne parlait pas tant qu'on ne lui adressait pas la parole et répondait d'une façon distante. Il ne pouvait se pardonner d'avoir causé la mort de son père.

– Mais Mumpo, tu n'y es pour rien ! lui avait dit plusieurs fois Pinto. C'est eux qui l'ont fait, pas toi.

– Ils l'ont fait à cause de moi.

– Ce n'était pas ta faute, Mumpo.

– Il avait besoin de moi, et maintenant il est mort.

Pinto l'implora, le consola, essaya de lui redonner le moral, mais tous ses efforts restèrent vains. Ce qu'elle savait, mais ne disait pas, c'est que le cœur de Mumpo avait été deux fois brisé. Il avait également perdu Kestrel.

Leur seul espoir était que Bowman persistait à affirmer que Kestrel n'était pas morte.

– Elle nous trouvera, disait-il.

Et, tous les soirs, quand ils se recroquevillaient sur le sol caillouteux pour dormir, Pinto voyait Bowman assis, les yeux ouverts, parfaitement immobile, essayant d'entendre la voix lointaine de sa sœur jumelle.

Ira Hath eut bientôt des ampoules aux pieds ; elle souffrait constamment en marchant. À mi-voix, elle maudissait les soldats qui les emmenaient et laissait échapper un flot continu de vieilles injures :

– Sac à pustules *udderbugs* ! Pourceaux *pongos* !

Ses exclamations ne signifiaient rien pour les soldats, ce qui lui évitait d'être punie. Exaspérée par sa frustration et ses pieds endoloris, elle trouva le moyen de donner libre cours à sa haine pour ses ravisseurs sans se mettre en danger. Elle les flagellait à coup de flatteries :

– Vous les géants ! Vous l'immensité ! Vous avez des cuisses de jeunes chênes ! Elles craquent dans le vent.

– Qu'est-ce qu'elle a dit ?

– La beauté de vos visages éblouit l'imprudent ! Les petites créatures bourdonnantes sont attirées par la lumière de vos yeux !

– Ne fais pas attention à elle. C'est une folle.

– Les substances que vous expulsez de votre nez sont un onguent précieux pour les fesses des bienheureux !

Vers le deuxième jour, l'humeur des prisonniers se mit à changer. La nourriture était frugale mais adaptée à leur longue marche, le rythme qu'ils devaient suivre était fatigant mais supportable. Plus personne n'était resté à la traîne et il n'y avait plus eu de tentative d'évasion depuis quelque temps. Cette vie étrange, dominée par la peur, commençait à leur devenir familière, et de nouvelles amitiés se nouaient peu à peu.

– Écoute un peu, jeune homme, dit une voix derrière Mumpo, pourquoi ne porterais-je pas cette bonne dame à mon tour ? Tu as besoin de te reposer.

Mumpo regarda autour de lui et s'aperçut que cette offre venait en toute simplicité de l'ancien Empereur d'Aramanth. Créoth VI était un grand homme barbu aux manières amicales que même les rigueurs de la marche n'avaient pas affecté.

– Non, merci. Je peux y arriver.

– Absurde ! Par la barbe de mes ancêtres ! J'ai un dos aussi fort que le tien.

Mumpo pensa qu'il ne fallait pas contredire Créoth et il posa Mme Chirish par terre.

– Ça t'ennuie, Nanny ?

– Je m'en veux d'être un fardeau, dit-elle. J'aimerais vraiment marcher, mais mes jambes vont trop lentement.

– Venez, bonne dame. Montez sur mon dos.

Mumpo ne pouvait nier qu'il était content de se reposer. Désormais, Créoth et lui portèrent Mme Chirish à tour de rôle, devenant amis par la même occasion. Mumpo trouvait que ce nouveau compagnon et ancien souverain d'Aramanth avait singulièrement bon caractère. Il était toujours content de recevoir ses maigres rations et, le soir, bénissait le sol où il allait dormir.

– J'aurais pensé qu'étant Empereur, vous auriez trouvé ça plus dur que nous, lui dit Mumpo.

– Oh, tout cela, c'est du passé, lui répondit Créoth. Je suis exactement comme vous, maintenant.

Il s'avéra que c'était ce qu'il désirait depuis long-temps. Après les changements survenus à Aramanth, il avait dit à son peuple qu'il ne voyait pas l'utilité d'un empereur et qu'il voulait mener la vie d'un citoyen ordinaire. Cependant, il était devenu rapidement évident qu'il ne possédait aucun talent ni savoir-faire et qu'il était incapable de gagner sa vie. Il était donc rede-venu Empereur uniquement pour les cérémonies. Ainsi, ces cinq dernières années, il avait été très demandé pour des parades de quartier et des remises de diplômes d'études secondaires. Il n'avait jamais demandé à être payé pour ces tâches, mais comme il y avait toujours de bons repas lors de ces manifestations officielles, il avait assez bien vécu de cérémonie en céré-monie. Au bout d'un certain temps, il avait pris l'habi-tude d'emporter un panier avec lui, qu'il remplissait de restes de façon à pouvoir manger même quand il n'avait pas d'obligations officielles.

À présent, esclave parmi les esclaves, il n'avait qu'à faire ce qu'on lui ordonnait, manger ce qu'on lui don-nait et continuer à marcher.

– Je trouve que tout est tellement plus simple ! dit-il à Mumpo.

Ainsi, il rejoignit naturellement le groupe qui man-geait et dormait avec la famille Hath. Il était le bienvenu grâce à son bon caractère ; les autres, cependant, furent abasourdis de voir qu'il était aussi cordial avec les gardes.

– Eh bien, pourquoi pas ? J'imagine qu'ils ont leurs soucis, eux aussi.

– Ce sont des assassins, dit Pinto. Je les hais.

– Moi aussi, renchérit Mumpo. Je les tuerai.

Ces mots semblèrent étranges, de la part de quelqu'un d'aussi accommodant que Mumpo. Mais ces derniers jours, il en était lentement venu à une résolution. Le chagrin et le sentiment de culpabilité que la mort de son père avait suscités en lui aboutissaient à une seule et violente aspiration : il ferait souffrir les meurtriers de son père autant que son père avait souffert.

– Est-ce que tu es capable de faire ce genre de choses ? lui demanda Créoth. Je veux dire, tuer et tout ça ?

– Je ne sais pas, lui répondit Mumpo. Je n'ai jamais essayé.

– Il faut savoir ce qu'on fait.

Créoth mima quelques coups d'épée en l'air, avec pointes et bottes.

– On m'a appris, quand j'étais jeune, mais j'ai tout oublié maintenant.

– Mumpo y arrivera très bien, dit Pinto. Il est terriblement fort. Il pourrait tuer n'importe qui.

Hanno Hath surprit ces mots.

– Mumpo ne fera rien d'aussi absurde, déclara-t-il. Nous ne voulons pas que d'autres gens soient brûlés dans les cages à singe.

Mumpo baissa les yeux sans rien dire. Pinto rougit.

– Cela signifie-t-il qu'aucun de nous ne pourra jamais rien faire ?

– Cela signifie qu'aucun de nous ne pourra rien faire tant que nous ne pourrons pas agir tous ensemble, lui répondit son père.

Au cours de la troisième nuit de marche, Ira Hath fit de nouveau un rêve. Cette fois, elle se réveilla en criant. Hanno la prit dans ses bras et l'apaisa autant qu'il le pouvait.

– Dépêchez-vous ! disait-elle en sanglotant. Plus vite ! Plus vite ! Le vent se lève !

Quand elle sortit de son rêve, elle se calma, mais pendant un moment elle fut trop faible pour parler. Puis elle dit, en respirant doucement, prudemment :

– Dis-moi que ce n'est qu'un mauvais rêve.

– Bien sûr que c'était un mauvais rêve !

– J'ai rêvé que nous revenions à la maison et que le vent se levait. Un vent terrible ! Un vent qui détruit tout ! Je savais que si nous arrivions à la maison avant que le vent nous rattrape, nous serions en sécurité, mais nous n'allions pas assez vite. Toi, Hanno, et les enfants, et tous les autres, vous marchiez trop lentement. Je vous criais de vous dépêcher, de vous dépêcher ! Mais vous n'en faisiez rien. Pourquoi est-ce que vous ne m'écoutiez pas ?

– Ce n'est rien, ce n'était qu'un cauchemar.

Elle regarda le bon visage de son mari, espérant qu'il allait la rassurer, mais elle vit au contraire qu'il était profondément inquiet.

– Je ne suis pas un vrai prophète, Hanno. Je ne le suis vraiment pas.

– Tu as sans doute raison.

Mais dès qu'il en eut l'occasion, Hanno parla à Bowman du rêve d'Ira et des pensées qui commençaient à le hanter.

– C'est peut-être le début de notre voyage, lui dit-il. Peut-être avons-nous moins de temps que nous ne le pensons.

– Mais nous sommes prisonniers. Et nous ne savons pas où aller.

– Ira le sait. Elle a le don. Je l'ai compris depuis longtemps.– Il prit la main de son fils et l'embrassa. – Toi aussi, non ?

– Oui.

– Nous devons observer, écouter, apprendre. Quel que soit l'endroit où ils nous emmèneront, les murs qui nous emprisonneront auront des portes, et les serrures des clés. Nous nous enfuirons.

Soudain, ils entendirent des ordres, appelant les rangées d'hommes et de femmes en marche à faire une pause.

– Pourquoi nous arrêtons-nous ?

C'était le milieu de l'après-midi et le soleil était toujours haut dans le ciel. Les trois jours précédents, ils n'avaient eu droit à aucun moment de repos jusqu'à la tombée de la nuit. Hanno regarda autour de lui pour s'assurer que le reste de sa famille était là et se portait bien. De tous côtés, il vit des gens se laisser tomber par terre avec soulagement et frotter leurs pieds douloureux. Bientôt des bruits de casseroles résonnèrent. Ils allaient sans doute manger plus tôt.

Hanno rassembla son petit groupe. En dehors de sa femme et de ses enfants, il comprenait Mumpo et Mme Chirish, le tailleur Miko Mimilith et sa famille, Créoth, et enfin Scooch, le pâtissier. Les rations qui furent distribuées cet après-midi-là provenaient du pillage de la boulangerie de Scooch à Aramanth. Le petit Scooch hocha tristement la tête.

– Quand ils sortent du four, ils fondent dans la bouche, dit-il. Mais ça... – il prit un biscuit rassis, fabriqué cinq jours plus tôt – ça assommerait un porcelet.

– Pas mal, dit Créoth en y goûtant avidement. Pas mal du tout. En voulez-vous un, Mme Chirish ?

– Je m'en veux d'être un fardeau, dit Mme Chirish ; et elle prit deux biscuits.

Bowman huma soudain l'air et leva la tête. Il avait perçu une vague de douleur au loin. Quelques instants plus tard, un cri strident leur parvint de la tête de la colonne. Tous l'entendirent. Bowman ferma les yeux et laissa ses sens aiguisés reconstituer la nature de la douleur.

– La peau, dit-il. De la peau qui brûle.

Soudain, ils les virent : des soldats, un peu plus loin, tiraient une sorte de tambour en fer monté sur roues. Les esclaves hurlaient de douleur.

Bowman se leva et remonta la colonne pour aller voir ce qui se passait. Il n'avait pas envie d'y aller, mais savait qu'il le fallait. C'est ainsi qu'il considérait les choses, à présent. Il se sentait obligé de tout apprendre sur leurs persécuteurs, sur leur captivité, pour se préparer au moment où Kestrel et lui se retrouveraient, et où, ensemble, ils se vengeraient.

Une femme criait. Bowman vit qu'elle se débattait, qu'elle hurlait, jusqu'à ce que des soldats la frappent pour la faire taire. Puis les hommes qui entouraient le tambour en fer lui pressèrent quelque chose sur le bras : il y eut un grand jet de fumée et une odeur de viande brûlée.

Il vit qu'un nouveau tampon de métal était inséré dans le fer à marquer et qu'il était plongé dans les charbons de bois incandescents contenus dans le tambour. Il observa les soldats tandis qu'ils attrapaient un autre esclave par le bras et posaient le fer au dos de son poignet tremblant. Il sentit la douleur du fer rouge comme s'il l'avait éprouvée lui-même.

– Toi ! Retourne à ta place !

Le soldat le repoussa. Il revint vers le groupe qui entourait son père.

– C'est rapide, dit-il, mais ça va faire mal.

– Ça m'est égal, dit Pinto.

Bowman s'aperçut qu'elle tremblait à la vue des soldats qui approchaient avec le fer rouge. Malgré toute sa fierté ombrageuse, Pinto n'avait que sept ans. Il aurait voulu la prendre dans ses bras quand le moment viendrait, mais il savait qu'elle serait trop orgueilleuse pour l'accepter. Aussi dit-il à son père :

– Si l'on faisait le vœu de la nuit, Pa ?

Hanno Hath comprit. Il ouvrit les bras.

– Viens, Pinto. Vœu de la nuit.

Pinto vint dans ses bras. Bowman les rejoignit. Pinto appela Mumpo.

– Viens, Mumpo. Tu peux faire un vœu, toi aussi.

Les yeux étincelants de colère, Ira Hath regardait venir les soldats chargés de marquer les gens au fer rouge.

– Comme ils sont braves ! dit-elle amèrement. Quels hommes virils et courageux !

– Du calme, lui dit son mari. Viens.

Mumpo se joignit de bon cœur à l'embrassade familiale, pressant sa tête contre celle des autres, sentant l'étreinte de leurs bras autour de lui. Pinto fit son vœu la première, car elle était la plus jeune.

– Je souhaite que ça ne fasse pas trop mal.

Puis Bowman dit :

– J'espère que Kestrel reviendra parmi nous.

Pinto ajouta rapidement :

– Je le souhaite, moi aussi.

Avant que personne d'autre n'ait eu le temps de parler, l'équipe de marquage arriva avec son tambour fumant et son plateau à roulettes. Un homme, tenant une liste à la main, prit le nom de Hanno Hath et lui attribua un numéro. Hanno tendit le bras et, comme il n'avait pas pu faire de vœu, il dit doucement :

– Je souhaite que Kestrel soit saine et sauve.

Le fer rouge lui brûla la peau. Il se contracta, mais n'émit aucun son. À son tour, sa femme tendit le bras en disant :

– Mon vœu aussi est pour toi, Kestrel.

Mumpo dit simplement :

– Pour toi, Kestrel.

Il ne bougea pas d'un pouce quand le fer rouge le brûla. Il ne cilla même pas.

Bowman ne dit rien. Mais, en lui-même, il parla à sa sœur pendant qu'on le marquait.

« Je t'aime, Kess. »

Puis Pinto tendit son bras mince, incapable de s'empêcher de trembler.

– Oh, Kess… dit-elle.

Le fer pressa sa jeune peau et la douleur mordit profondément sa chair, lui arrachant un sanglot. Mais il n'y en eut qu'un seul.

Cette nuit-là, tandis que Bowman, assis, essayait de percevoir un signe de Kestrel, il sentait la douleur de la brûlure à son poignet. Il n'avait pas opposé de résistance, il ne s'était pas plaint mais, au fond de lui, la colère grondait. Plus encore que l'incendie de sa ville bien-aimée, le fait d'avoir marqué au fer rouge la peau des enfants attisait sa haine envers la Seigneurie. Dans sa fureur et son impuissance, il fit ce qu'il avait déjà fait longtemps auparavant, se projetant vers l'inconnu.

« Vous qui avez déjà veillé sur moi, qui que vous soyez, aidez-moi maintenant. »

Puis, dans le froid silencieux de la nuit, il pensa qu'il ne voulait pas seulement de l'aide, mais davantage encore. « Je veux le pouvoir. Je veux le pouvoir de détruire ces gens qui cherchent à me détruire. »

« Vous qui veillez sur moi, donnez-moi le pouvoir de détruire. »

PREMIER INTERMÈDE :
LE PAPILLON

Dans l'île nommée Sirène, sous les nuages qui passent dans le ciel, trois personnes, debout entre les hautes fenêtres cintrées, chantent une chanson sans paroles. De part et d'autre de la femme qui est revenue la première se tiennent un jeune homme et un vieillard. Tous trois sont tête nue et pieds nus ; tous trois portent une simple robe de laine qui leur arrive aux chevilles, nouée à la taille par une corde. Leur chanson évoque le bruissement de l'eau qui coule, ou le murmure du vent dans les arbres, mais il y a aussi une mélodie, un motif musical, qui revient par cycles réguliers. C'est la chanson de la prescience. Tandis qu'ils chantent, leur esprit devient clair, réceptif, et commence à percevoir ce qui va arriver.

Ils voient la cruauté se répandre sur la terre. Ils voient des villes brûler et des gens en marche. Ils voient des jeunes femmes pleurer et des vieilles femmes mourantes, gisant à terre. Ils sentent la haine dans le cœur des jeunes hommes et savent que le massacre continuera jusqu'au temps de l'accomplissement.

Ils entendent un garçon les appeler, implorer leur aide. Ils voient une fille qui marche seule, qui a dans la main un instrument en argent en forme de C incurvé. Ils sentent sa colère, sa faiblesse, les dangers qu'elle encourt.

La chanson se termine. Le jeune homme brûle du désir d'agir, d'aider les faibles, de mettre fin à la cruauté. Le vieil homme sent son ardeur.

– Ils doivent trouver leur propre chemin, lui dit-il. Nous ne ferons rien.

La femme ne parle pas. Mais plus tard, dans la journée, elle se rend toute seule à l'extrémité de l'île, là où elle peut distinguer au loin le continent. Elle s'assied et, sans fermer les yeux, elle entre dans une sorte de sommeil, où, de la tranquillité, elle passe à un état de plus grand calme encore.

Au bout de quelque temps, un papillon s'approche en volant et en dansant dans l'air. Il se pose un instant sur un olivier voisin et replie ses ailes. Les ailes du papillon sont d'un bleu brillant et irisé, le bleu d'un lapis-lazuli, le bleu du jabot d'un martin-pêcheur. Elles chatoient sous la lumière de l'automne, sous la lumière miroitante que reflète le grand océan.

Puis ses ailes tremblotent, se remettent en mouvement, et le papillon danse sous les branches tordues de l'olivier. Il se pose sur une joue de la femme, sur sa haute pommette tannée, sous son œil droit. Il y reste un petit moment tandis que la femme lui parle un langage que le papillon comprend. Puis ses ailes d'un bleu scintillant tremblent de nouveau et il disparaît.

4
LA DÉLECTATION
D'UN MILLION DE REGARDS

Kestrel était couchée sur le ventre, les jambes et les bras écartés, une joue pressée contre le sol. Les yeux clos, concentrant toute son attention sur la terre contre son corps, elle répandait son énergie en ondes rayonnantes.

« Bowman. Où es-tu ? »

S'il était à portée de son appel silencieux, il lui répondrait. Mais, même s'il n'y avait pas de réponse – et il n'y en avait pas –, en restant parfaitement immobile, elle pouvait entendre, comme en écho à ses propres pleurs, qu'il était passé par là. Pas un son, aucune trace de pas sur le sol : seule une sensation lointaine et familière qui s'évanouissait rapidement mais n'avait pas disparu. À la maison, elle savait toujours, en entrant dans une pièce vide, si son frère y était passé. Sa présence persistait, sa forme restait dans l'air, comme le coussin dérangé d'un fauteuil où quelqu'un vient de s'asseoir. Sa bonté persistait. Le regard doux de ses yeux inquiets, qui savait tout ce qu'elle éprouvait sans qu'il soit nécessaire de parler, son regard aimant persistait.

« Oh, Bowman, où es-tu ? »

L'imperceptible sensation de son passage suffit à lui donner le courage de repartir. Il était vivant et il était passé par là. Elle se leva et se remit en route une fois de plus.

Elle suivait les traces de la marche des esclaves, vers l'est. Elle se levait à l'aube, marchait d'un pas régulier toute la matinée, se reposait à midi, et marchait de nouveau jusqu'au coucher du soleil. Elle dormait par terre et, en se réveillant, se remettait en chemin sans hésiter. Elle vivait des restes de la colonne, mangeant des trognons ou des épluchures de légumes et les os qui restaient des ragoûts. La terre, légèrement vallonnée, était recouverte d'une herbe sèche et piquante qui lui griffait les chevilles. Chaque fois qu'elle arrivait en haut d'une montée, elle regardait devant elle, espérant apercevoir son peuple en marche, mais elle ne voyait jamais rien qu'une autre colline ondoyant sous le ciel brumeux de l'automne.

De temps en temps, elle passait devant des cadavres, en général de personnes âgées, de gens qu'elle avait connus. Elle s'obligeait à les regarder, elle s'obligeait à voir les blessures faites par les lances qui les avaient tués, afin de nourrir la colère et la haine qui la soutenaient. Mais ensuite, elle se mit à éviter ces tas pitoyables. Elle était de plus en plus faible et devait lutter contre la tentation de s'allonger par terre, elle aussi, et de glisser dans un sommeil dont elle ne s'éveillerait plus.

Puis, un matin, il n'y eut plus de restes. Au bout de dix jours de marche, les provisions avaient évidemment diminué et tout ce qui pouvait être mangé l'avait été. Le onzième jour, Kestrel ne trouva plus rien du tout. Elle n'avait pas soif, car chaque petite vallée avait sa rivière

59

et, pendant un certain temps, en remplissant son ventre d'eau, elle pouvait oublier la faim. Mais quand la faim revenait, la douleur n'en était que plus intense.

Le douzième jour, elle commença à avoir des vertiges.

Lorsqu'elle s'arrêta pour se reposer, vers midi, ses jambes se dérobèrent sous elle, comme si elle n'avait tenu debout que grâce au rythme de la marche, un pas après l'autre. Elle se laissa tomber par terre, se recroquevilla sur le côté et perdit connaissance.

Quelques heures plus tard, elle fut réveillée par une lumière intense. Le soleil était bas dans le ciel et l'éblouissait. De nouveau, les ténèbres l'envahirent. Puis, la lumière brillante revint. Elle entendit des bruits : le roulement d'une voiture à cheval, le martèlement de sabots sur le sol. Elle se força à s'appuyer sur un coude et ouvrit les yeux.

Là, devant elle, avançant lentement au milieu d'une longue file d'attelages, de chariots et d'hommes à cheval, elle vit un ravissant carrosse monté sur de hautes roues, peint en orange et en vert, rehaussé de dorures. Une jeune fille y était assise et regardait par la fenêtre. Kestrel la dévisagea, ne sachant si elle rêvait ou si elle était éveillée. La jeune femme la fixa à son tour. Puis elle se mit à crier :

– Elle me regarde ! Elle me regarde !

L'immense colonne de voitures à cheval s'arrêta. Des hommes de haute taille saisirent Kestrel, la soulevèrent et l'amenèrent devant un homme vêtu d'une grande cape dorée, qui lui dit des choses qu'elle ne comprenait pas. Puis elle perdit de nouveau conscience.

Kestrel se réveilla en entendant des voix. L'une d'entre elles, celle d'un homme en colère, était impatiente, comme si ses propos devaient être évidents pour tout le monde :

– Il faut la mettre à mort, la mettre à mort !

L'autre voix, hautaine, était celle d'une jeune fille.

– Cela n'a pas de sens, Barzan. Il faut lui faire comprendre ce qu'elle a fait, et donc lui arracher les yeux. Tout le monde le sait.

– Mais, Votre Splendeur, nous ne pouvons pas le faire jusqu'à ce qu'elle se réveille. Et nous sommes déjà en retard.

– Qui a dit qu'il fallait attendre ? Vous n'avez qu'à la porter dans mon carrosse ; Lunki veillera sur elle.

– Dans votre carrosse, Votre Splendeur ?

L'homme qui se nommait Barzan parut très surpris.

– Pourquoi pas ? Elle m'a déjà vue. Et c'est simplement une fille, après tout.

Kestrel n'avait pas ouvert les yeux, aussi les personnes inconnues qui se disputaient à son sujet la croyaient-elles toujours inconsciente. Elle se sentit soulevée par plusieurs mains et portée dans un endroit sombre, qu'elle supposa être la voiture de la jeune fille. On l'allongea sur un lit moelleux et elle sentit le roulement des roues du carrosse sur le sol inégal. Le choc qu'elle avait subi après tout ce qui lui était arrivé, la douceur du lit, les cahots de la voiture, tout se conjugua pour la plonger dans un profond sommeil.

Lorsqu'elle se réveilla pour la deuxième fois, elle ouvrit les yeux un bref instant et vit, dans la lumière tamisée par les rideaux du carrosse, deux femmes, l'une corpulente et l'autre mince. Celle qui était mince avait à

61

peu près son âge et était incroyablement belle. Kestrel referma les yeux et écouta leur conversation, espérant comprendre leurs intentions.

Elle entendit que l'une des deux femmes revenait près de son lit et s'asseyait pour l'observer. C'était la plus jeune, celle qui était belle, avec la voix hautaine. Au bout d'un moment, elle dit, sur un ton approbateur :

– Elle n'est pas grosse du tout.

– Cette pauvre créature meurt de faim, dit la femme corpulente.

– Ce ne sera pas drôle pour elle d'avoir les yeux arrachés, n'est-ce pas ?

Il n'y eut pas de réponse. La jeune fille prit clairement ce silence pour une critique.

– Elle n'aurait pas dû me regarder, pauvre chérie. Tu le sais aussi bien que moi.

– Oui, mon ange. Mais mon petit cœur aurait dû porter son voile.

– Quoi qu'il en soit, elle m'a regardée C'est trop tard, maintenant.

– Je me demande ce qu'elle a pensé.

– Moi aussi, j'aimerais bien le savoir.

Il y eut un silence, puis la jeune fille reprit :

– Tu sais, Lunki, à part toi, maman et papa, personne n'a vu mon visage depuis que j'ai sept ans.

– Et c'est bien ainsi. Mon petit cœur ne doit pas montrer son visage jusqu'à son mariage.

– Oui, je sais, dit la jeune fille d'une voix morne.

Kestrel sentit des doigts toucher avec curiosité ses cheveux coupés court.

– Réveille-la, chérie. Secoue-la un peu.

– Il y aurait mieux à faire, mon cœur. Cette fille a besoin de manger.

– Donne-lui à manger, alors. Tout de suite. Immédiatement.

– Mais elle dort.

– Fais-lui ingurgiter la nourriture, dit l'impérieuse jeune fille.

Kestrel entendit celle qui s'appelait Lunki, et qui était manifestement une servante, fouiller dans un placard. Elle se dit qu'il valait mieux ouvrir les yeux avant qu'on ne lui introduise quelque substance bizarre dans la bouche. Mais elle entendit la jeune fille battre des mains en s'écriant :

– Du miel ! Comme tu es maligne, Lunki !

Kestrel sentit l'odeur du miel dans une cuiller, puis les gouttes fraîches sur ses lèvres. Feignant toujours d'être à moitié endormie, elle sortit le bout de sa langue et lécha le liquide poisseux et sucré. Il avait le goût du trèfle sauvage dans les prairies, l'été.

– Elle l'a mangé ! Donne-lui-en encore !

Une goutte de miel après l'autre, Kestrel sentit ses forces lui revenir. Au bout d'un moment, elle estima qu'il était temps d'admettre qu'elle avait repris connaissance. Elle cligna des paupières et les ouvrit, puis regarda les deux femmes penchées au-dessus d'elle.

– Elle est réveillée ! Regarde, Lunki, elle est réveillée !

La belle jeune fille battit des mains encore une fois.

– Est-ce qu'elle peut parler ? Fais-lui dire quelque chose.

Kestrel décida qu'il valait mieux qu'elle parle.

– Merci, dit-elle tranquillement.

– Oh, comme elle est mignonne ! Est-ce que je peux la garder ?

– Et pour ses... ? demanda la grosse servante en montrant ses yeux.

– Oh ! dit la jeune fille, choquée, je ne peux absolument pas les laisser lui arracher les yeux. Ce serait trop horrible.

Kestrel écoutait en silence. Elle avait décidé d'en dire le moins possible tant qu'elle ne saurait pas qui étaient ces gens.

– Elle peut devenir ma servante. Mes servantes ont le droit de me regarder. C'est ton cas, tu le sais bien, Lunki.

Elle se tourna vers Kestrel et lui parla comme à un petit enfant.

– Que préférez-vous : devenir ma servante, ou avoir les yeux arrachés par des broches chauffées au rouge ?

Kestrel ne répondit pas.

– Elle réfléchit. C'est à elle de choisir, après tout, dit la jeune fille.

Son regard vif aperçut soudain le C en argent qui pendait à une ficelle autour du cou de Kestrel. Elle le prit dans sa main et l'examina.

– C'est joli, dit-elle. Je le veux. Donnez-le-moi.

– Non, dit Kestrel.

– Non ?

Stupéfaite, la jeune fille se tourna vers Lunki.

– Elle m'a dit non. Mais, je le veux, moi ! Elle doit me le donner.

Elle se tourna vers Kestrel :

– Vous devez me donner ce que je veux.

– Non, répéta Kestrel, et elle reprit la voix d'argent de la main fine et blanche de la jeune fille.

Celle-ci la dévisagea.

– Comment osez-vous !

Elle gifla Kestrel. Sans hésiter, Kestrel la gifla à son tour, aussi fort qu'elle le put. La jeune fille éclata en sanglots. La servante était atterrée.

– Mon petit cœur ! s'exclama-t-elle. Oh, mon pauvre petit cœur !

– Vous avez été bonne pour moi, dit Kestrel, et vous êtes très belle, mais si vous recommencez à me frapper, je vous tuerai.

La jeune fille suffoqua de surprise.

– Oh, vous serez horriblement punie ! Vous allez pleurer ! Je vais vous faire pleurer, moi ! Oh, mauvaise créature !

Elle prit la main de Kestrel dans la sienne, qui tremblait violemment, elle la tira et la tordit, tandis qu'une avalanche de mots incohérents sortaient de sa bouche.

– Pourquoi n'avez-vous pas peur de moi ? Est-ce que je vous ai fait mal ? Je suis désolée, si ça fait mal, mais vous n'allez pas… vous n'allez pas… (Elle porta la main de Kestrel à ses lèvres et l'embrassa.) Pourquoi êtes-vous si méchante avec moi ? Est-ce que vous pensez vraiment que je suis belle ? Comment pourriez-vous me tuer ? Comment se fait-il que vous n'ayez pas peur ?

Kestrel retira doucement sa main. La jeune fille se calma. Ses grands yeux couleur d'ambre regardaient Kestrel et ses jolies lèvres douces tremblaient.

– S'il vous plaît, dites-moi, suis-je réellement belle ?

– Je n'ai jamais vu personne d'aussi beau de toute ma vie.

– Oh, je suis contente.

Elle était vraiment sincère. On aurait dit que le fait d'être belle était une nécessité pour elle. Kestrel le comprit aussitôt : cette jeune fille avait peut-être beaucoup de défauts, mais elle n'était pas vaniteuse.

Les gifles avaient été oubliées des deux côtés

– Qui êtes-vous ? lui demanda Kestrel.

– Qui je suis ? Vous ne le savez pas ?

– Non.

– Je suis la Johdila Sirharasi de Gang, la Perle de la Perfection, la Splendeur de l'Orient, et la Délectation d'un Million de Regards.

– Oh...

Kestrel ne voyait pas ce qu'elle aurait pu ajouter.

– Je vais à mon mariage.

– Avec qui ?

– Je ne sais pas exactement.

– Alors, comment savez-vous que vous voulez vous marier avec lui ?

– Je dois me marier avec lui, que je le veuille ou non.

– Je ne le ferais pas, moi.

– Vous ne le feriez pas ?

Kestrel comprit que personne ne lui avait jamais parlé ainsi, de toute sa vie. Elle avait l'air abasourdi, comme si on avait tiré un rideau et qu'elle découvrait un monde nouveau et passionnant.

Lunki aussi s'aperçut de ce qui se passait et commença à s'inquiéter.

– Fais attention, mon petit cœur ! N'oublie pas que nous ne savons rien d'elle.

– Elle n'a qu'à nous dire qui elle est, alors.

Elle se tourna vers Kestrel.

– Racontez-nous.

– Vous raconter quoi ?

– Qui vous êtes. Ce que vous faites.

– Je m'appelle Kestrel. Je cherche ma famille.

– Pourquoi ? Où est-elle ?

– Si je le savais, je ne serais pas obligée de la chercher.

De nouveau, Kestrel vit la surprise se peindre sur le visage de la jeune fille.

« C'est une princesse, pensa-t-elle, elle obtient toujours ce qu'elle désire. Personne ne lui a jamais répondu ainsi auparavant. »

– Vous n'avez vraiment pas peur de moi ? lui demanda la Johdila.

– Non, lui dit Kestrel. Pourquoi voudriez-vous me faire du mal ?

– Je n'en ai pas l'intention. Au début, oui. Mais plus maintenant.

– Alors, nous pouvons devenir amies.

C'était une proposition assez banale de la part de Kestrel, mais elle parut faire beaucoup d'effet sur la jeune princesse.

– Amies ? Je n'ai jamais eu d'amis.

Elle observa Kestrel avec beaucoup d'attention.

– Pourquoi portez-vous des vêtements aussi laids ?

– Pour que personne ne me regarde.

La Johdila resta perplexe. Puis :

– J'ai décidé de vous garder, déclara-t-elle.

– Vous ne pouvez pas me garder. Je ne suis pas un animal domestique.

– Mais je le veux.

– Alors, il faut me demander si je suis d'accord.

– Vous le demander ? Mais si vous me dites non ?

– Alors vous n'aurez pas ce que vous voulez.

– Mais ce n'est pas… ce n'est pas…

Elle voulait manifestement dire : « Ce n'est pas juste », mais quelque chose dans l'expression de Kestrel la fit hésiter.

– Mais je serai triste.

– Pas pour longtemps.

– Est-ce que je peux vous garder ? S'il vous plaît ?

Kestrel ne put s'empêcher de sourire. Elle se sentait tellement mieux maintenant qu'elle avait mangé ! Et la Johdila avait l'air si drôle, avec son joli visage tout plissé, prêt à pleurer.

– Je resterai peut-être jusqu'à ce que je me sente de nouveau bien, dit-elle. Si vous le désirez.

La Johdila regarda le sourire de Kestrel avec étonnement.

– Que voulez-vous que je vous donne ?

– Rien.

– Alors, pourquoi m'avez-vous souri ?

– Vous êtes drôle. Voilà ce qui m'a fait sourire.

La Johdila la contempla gravement.

– C'est ainsi que des amies se sourient ? Pour rien ?

– Oui.

La Johdila lui rendit alors son sourire.

– Oh ! s'exclama Kestrel, surprise par l'éclat de son sourire, comme vous êtes jolie !

5
REGARDER, ÉCOUTER, APPRENDRE

Ozoh le Sage sortit le poulet sacré de son panier et saupoudra soigneusement ses pattes de craie en poudre. Non loin de là, son souverain, le Johanna de Gang, Seigneur d'un million d'âmes, et père de la Johdila Sirharasi, descendit de son carrosse royal, installa son énorme corps sur une chaise pliante et poussa un grognement sourd.

– Tais-toi, Foofy. Tu vas déranger le poulet, lui dit sa femme, la Johdi de Gang, Mère des Nations.

Bien que son peuple l'appelât affectueusement « Petite Mère », elle était aussi massive que son mari, et sa corpulence semblait plus imposante encore à cause des vêtements raides, en forme de cône et chargés de lourdes broderies qu'elle portait.

Le Johanna grognait car il avait faim. Il dormait mal en voyage et, lorsqu'il ne dormait pas, il pensait à manger. Dans son palais, s'il se réveillait la nuit, ce qui ne lui arrivait jamais, il pouvait se faire apporter toute la nourriture qu'il désirait, mais en voyage, s'il se réveillait la nuit, ce qui ne manquait pas de lui arriver, il devait supporter sa faim. Sa femme avait introduit une règle stricte établissant qu'aucun petit déjeuner ne serait servi à la cour tant que les signes du jour n'auraient pas été déchiffrés. En effet, avait-elle fait remarquer, si la lecture des signes déterminait qu'un jour de jeûne était nécessaire et qu'ils avaient déjà mangé, qui sait quelles conséquences cela pourrait avoir ?

L'augure royal tenait le poulet sacré au-dessus du petit tapis révélant les signes, qui avait été déroulé par terre, sur une surface plane. Le poulet était blanc, gras, ébouriffé, avec des plumes hérissées autour de ses yeux roses et fous. Ozoh était mince, chauve et nu à partir de la taille, pour que tout le monde puisse voir le réseau de motifs bleus et verts qui ondulait sur tout son corps, et qui était la preuve, selon lui, que l'une de ses grands-mères avait été un serpent. Il portait le pantalon flottant traditionnel de Gang, aussi était-il impossible de savoir si ces motifs recouvraient aussi son postérieur ; mais nombreux étaient ceux qui se posaient la question.

– Oh ! Ah ! marmonna-t-il, en faisant descendre avec force précautions le poulet sur le tapis.

Toute la cour s'immobilisa, tendue, pour voir ce que le poulet allait faire. Deux hommes regardaient avec une attention particulière. Le Grand Vizir Barzan, sinistre, voûté, se tenait derrière le Johanna, à sa droite, et épiait chaque mouvement du poulet. L'autre homme, un grand et beau soldat, ne quittait pas l'augure royal des yeux. Il s'appelait Zohon, et était Commandant des gardes de Johjan.

Le poulet fixa l'assistance, puis, secouant la tête par saccades, il sortit majestueusement du tapis et se dirigea vers son assiette de grains.

– Aaaah ! s'exclama la cour.

En partant, le poulet avait laissé sur le tapis les

petites traces blanches de ses pattes. L'augure les observa de près.

– Parfait.

Tout le monde se détendit. Cela signifiait qu'ils auraient un petit déjeuner.

– Comme Son Excellence a pu le voir, les signes sont entrés par Fang et sont sortis par Yanoo.

– Ils me paraissent assez clairs, dit le Johanna.

– En effet. Il n'arrivera rien de fâcheux aujourd'hui.

– Tout est bien, alors.

Le Johanna commença à se lever.

– Enfin… ajouta l'augure, tout ira bien tant que les membres de la famille royale accompliront leur devoir de bon cœur.

– Ah ! dit le Johanna en regardant sa femme.

– Et sinon ? demanda la Johdi, en pensant aussitôt à sa fille, la Johdila Sirharasi, qui dormait toujours dans son carrosse.

Sisi n'était pas très attachée à l'accomplissement de son devoir.

– Sinon, déclara gravement l'augure, cela aura des conséquences.

– Oh, mon cher, gémit la Johdi, c'est inquiétant.

Heureusement, Ozoh le Sage comprit aussitôt ce qui la préoccupait.

– La Johdila, bien sûr, n'a pas de devoirs, dit-il. Pas au sens strict du terme. Puisqu'elle n'est pas encore mariée.

– Oh ! Ah ! Pas au sens strict du terme, dit la Johdi, très soulagée.

– Et en matière de signes, comme le sait Votre Gracieuse Majesté, seul compte le sens le plus strict des termes.

71

– Tout est bien, alors, dit de nouveau le Johanna. Apportez les crêpes chaudes au beurre.

La Johdila Sirharasi ne prit pas son petit déjeuner dans la tente-à-manger avec le reste de la cour. Son repas lui fut apporté dans sa propre voiture-lit, par deux serviteurs qui avançaient les yeux bandés. Craignant de laisser tomber leurs plateaux lourdement chargés, ils progressèrent très lentement de la voiture-restaurant jusqu'au carrosse de la Johdila. Lorsqu'ils arrivèrent, le beurre fondu sur les crêpes avait formé une croûte jaune et figée. Il en était ainsi tous les matins mais personne ne pensait à arranger les choses, car la Johdila ne s'en était jamais plainte. Elle ne s'en était jamais plainte, car elle n'avait jamais touché à son petit déjeuner. Il était mangé plus tard, en secret, par sa servante Lunki. La règle, à la cour, était que les domestiques n'avaient pas le droit de manger tant que leurs maîtres n'étaient pas rassasiés, et comme la Johdila passait parfois plusieurs jours sans se nourrir, Lunki avait appris à saisir les occasions que le destin mettait sur son chemin.

Les deux serviteurs finirent par arriver en tâtonnant dans la première pièce du carrosse de la Johdila, où Kestrel avait à présent une couchette à côté de celle de Lunki. Ils remirent les plateaux et repartirent à l'aveuglette. Tout homme regardant le visage non voilé de la Johdila aurait les yeux arrachés par des broches chauffées au rouge.

– Le petit déjeuner, mon cœur ! roucoula Lunki à travers le rideau qui séparait les deux pièces.

– Fais-moi bouillir un verre d'eau, chérie.

Kestrel ne participait pas au rituel matinal de la

Johdila. Elle s'était glissée hors du carrosse après le départ des deux serviteurs et, après avoir trouvé un espace libre entre les attelages à l'arrêt, elle s'était allongée face contre terre. C'était plus difficile là, au milieu des bruits de sabots des chevaux qui paissaient et des vibrations des pas des soldats qui passaient, mais elle resta immobile, sondant le sol, jusqu'à ce qu'elle parvienne à percevoir les souvenirs inscrits dans la route. Oui, la poussière avait gardé sa trace. Il était passé par là. Son frère, sa sœur, ses parents, le peuple Manth étaient bien passés par là.

Elle entendit des pas. Les pas s'arrêtèrent. Quelqu'un se tenait près d'elle et l'observait.

Elle se releva. Un soldat très grand et très beau la regardait avec une franche curiosité. Il portait un uniforme bien coupé de drap violet foncé bordé d'un galon doré, qui mettait en valeur sa taille fine et sa poitrine musclée. Il avait à la main un marteau d'argent au manche effilé qu'il balançait avec nonchalance, frappant régulièrement la paume de son autre main.

– Ainsi, vous êtes celle qui a vu la Johdila sans voile, lui dit-il.

– Oui, répondit Kestrel.

– Est-elle belle ?

– Oui, dit Kestrel.

– Savez-vous que, selon la loi, on aurait dû vous brûler les yeux ?

– C'est une loi stupide.

Le soldat haussa l'un de ses sourcils bruns et sourit.

– Oui, peut-être, dit-il. Par bonheur, il semble qu'elle se soit prise d'affection pour vous.

Kestrel ne répondit pas. Elle estima qu'il valait mieux qu'elle rentre dans le carrosse. Mais le beau soldat tendit son marteau d'argent pour la retenir. Elle remarqua alors que le manche se terminait par une lame fine et pointue.

– Savez-vous qui je suis ?

– Non.

– Je suis Zohon, Commandant des gardes de Johjan. Après le Johanna lui-même, je suis l'homme le plus puissant de tout le royaume de Gang.

Il regarda autour de lui pour s'assurer que personne n'était assez près d'eux pour surprendre ses paroles et baissa la voix.

– Si vous m'aidez, je vous aiderai.

– Vous aider à quoi ?

– La Johdila est emmenée dans un pays connu sous le nom de Seigneurie. Elle doit épouser le fils du souverain.

Un rictus tordit les lèvres de Zohon.

– Un parfait gentilhomme qui passe son temps à piller, incendier et capturer des esclaves. Son fils fera un joli mari pour la fille du Johanna de Gang, qu'en pensez-vous ?

– Ils prennent des esclaves ?

– La richesse de la Seigneurie repose sur les esclaves.

Kestrel revit les hommes à cheval faisant irruption dans les arènes d'Aramanth, et les gens qui s'enfuyaient en hurlant devant leurs épées. Elle frissonna.

– Comment peut-on donner la Johdila à des gens pareils ?

– N'est-ce pas ? renchérit Zohon, en voyant l'horreur se peindre sur le visage de Kestrel. Il faut empêcher ce mariage.

Il y eut soudain un remue-ménage le long de la caravane. Les voitures allaient repartir. Un serviteur passa près d'eux, portant le poulet sacré dans sa cage. Zohon vit l'augure royal qui suivait, et il sut qu'Ozoh l'avait vu.

– Nous en reparlerons plus tard, souffla-t-il à Kestrel.

Et, se détournant d'elle, il s'éloigna d'un pas nonchalant vers ses hommes.

Quand Kestrel rejoignit le carrosse de la Johdila, elle trouva Sisi sortie de son lit, assise devant sa petite table de toilette. Cette coiffeuse avait six miroirs placés de telle façon que la princesse puisse se voir sous tous les angles. Lunki se tenait derrière elle et toutes deux s'occupaient à réparer les ravages de la nuit.

– Où étiez-vous ? demanda Sisi en apercevant Kestrel dans l'un de ses miroirs.

– Je suis allée faire un tour, lui répondit Kestrel.

– Faire un tour ? En plein air ? Votre peau va se dessécher.

Et elle reporta son attention sur sa propre peau crémeuse et satinée.

– C'est tellement injuste, se plaignit-elle, de devoir poser ma tête sur un oreiller pendant que je dors ! Je ne peux pas m'empêcher de me retourner la nuit, et je tiens pour certain que cela donne des rides. Regarde, chérie ! Cette ligne n'était pas là hier.

– Nous pouvons l'enlever par un petit massage, mon ange. Lunki va l'enlever à son petit cœur.

Lunki était aussi profondément concernée par l'apparence de Johdila que la princesse elle-même. Il était entendu entre elles que Sisi était belle pour elles deux. Dans un sens plus large, Sisi était belle pour tout le Royaume de Gang, comme l'indiquaient ses titres : Perle de la Perfection, Splendeur de l'Orient, et Délectation d'un Million de Regards.

– Mon cou a grossi. J'en suis sûre.

– Non, mon ange. C'est simplement l'ombre qui te donne cette impression.

Lunki massa la peau de sa maîtresse avec des huiles douces.

– Et maintenant, pourquoi mon petit cœur ne boirait-il pas un verre de lait ?

– Ne me persécute pas, chérie. J'ai l'impression qu'aujourd'hui va être un jour gras.

La Johdila était si mince et avait un corps si souple que Kestrel avait du mal à croire qu'elle était la fille de ses parents. Sisi lui affirma que sa mère avait été aussi mince qu'elle avant son mariage.

– C'est le mariage qui fait grossir. Ça, et avoir des enfants. Je ne pense pas que j'en aurai. Lunki n'a qu'à les avoir pour moi. Tu feras ça pour moi, Lunki, ma chérie ? Dis-moi que tu le feras.

– Ce n'est pas la peine de s'en préoccuper maintenant, mon trésor. Tu dois d'abord te marier.

– Oui, je sais.

– Quel genre d'homme allez-vous épouser ? lui demanda Kestrel qui s'interrogeait sur ce que la Johdila savait vraiment.

– Oh, quelqu'un, je ne sais qui, dit Sisi distraitement. Mais que font vraiment les femmes mariées, Lunki ?

– Que veux-tu dire, mon ange ?

– Elles doivent bien faire quelque chose pour être si grosses.

– Ah, mon poussin, ce n'est pas tant ce qu'elles font que ce qu'elles ne font pas. Tu as vu tous les soins que demande ta beauté ? Eh bien, une fois que tu seras mariée, tu n'auras plus besoin d'être belle, n'est-ce pas ?

– J'imagine que non.

– Alors, naturellement, tu cesseras de t'occuper de ta

beauté. Et avant de t'en apercevoir, tu seras aussi grosse qu'un blaireau.

– Quel effet ça fait d'être gros, Lunki ?

– Oh, ce n'est pas si désagréable une fois qu'on s'y habitue. On n'a pas aussi froid qu'avant. Et tu serais surprise de voir tout le temps libre que ça laisse dans la journée.

Quand la minutieuse toilette du matin fut terminée, que les longs cheveux de Sisi furent tressés et torsadés, Lunki et elle jetèrent un dernier regard à leur création commune, soupirèrent d'admiration, et baissèrent le voile. Pendant tout ce temps, le carrosse, comme le reste de la caravane, avançait à un rythme régulier. Mais maintenant que la Johdila était prête, Lunki tira le cordon d'une petite cloche et la longue file de voitures s'arrêta une fois de plus en cahotant. C'était l'heure de la leçon de danse de Sisi.

La tente de danse était dressée sur le côté de la route. Le maître à danser, Lazarim, s'approcha du carrosse de la Johdila, puis frappa respectueusement à la porte. La Johdila apparut alors, enveloppée des pieds à la tête dans des volutes de soie bleu et argenté, si fines qu'elles flottaient autour de ses formes mystérieuses comme de la fumée. Kestrel l'accompagnait, dans son rôle de servante et d'amie officieuse. Lazarim les escorta jusqu'à la tente, qui, bien que sans fenêtres, était ouverte, laissant apparaître le ciel de midi. Et là, sur la musique d'un joueur de pipeau et d'un joueur de tambour aux yeux bandés, il apprit à la Johdila une danse nommée tantaraza.

Kestrel s'aperçut rapidement que Sisi n'était pas douée pour la danse. La tantaraza était difficile à apprendre. Elle exigeait de l'attention, de la concentration, pour se souvenir de suites de pas compliqués. Il fallait aussi s'exercer consciencieusement pour transformer la reproduction mécanique des enchaînements en un rythme fluide. Personne n'avait jamais demandé à Sisi de se concentrer sur quoi que ce soit ; quant aux exercices, si elle arrivait à faire quelque chose la première fois, cela l'ennuyait ensuite et elle s'en désintéressait.

Lazarim mourait d'envie de lui botter le derrière. Il mourait d'envie de la pincer jusqu'à ce qu'elle crie ou qu'elle pleure, ou fasse n'importe quel bruit autre que ses sempiternelles jérémiades :

– Dois-je vraiment le faire ? Je suis si fatiguée ce matin. Soyez un gentil lutin et ne m'ennuyez pas trop.

– Mais vous devez apprendre la danse, Votre Splendeur. Votre père désire vous marier, et pour vous marier, vous devez danser.

– Oui, je sais, mon cher. Ne me persécutez pas. Mais j'imagine que je ne devrai pas beaucoup danser ? Une seule fois suffira, non ?

– Une seule fois suffira, mais cette fois-là devra être parfaite. Les gentilshommes et les dames de la Seigneurie devront dire : « Rien au monde n'offre un spectacle plus beau, plus gracieux que la Johdila de Gang. »

– Mais il devrait en être ainsi, cher Lazarim, que je danse ou pas.

– Si votre souhait est de ne pas danser, Votre Splendeur, je ne dis plus rien. Mais si vous désirez danser, vous devez le faire bien.

– Oh, bon. Essayons de reprendre et de faire quelques pas. Mais il ne faut pas m'embrouiller.

Tandis que Kestrel, tranquillement assise, les regardait avec un intérêt croissant, Lazarim emmena la

Johdila pour refaire la même séquence : les pas de côté, le salut, les trois pirouettes, la pause, le jeu de talon-pointe sous le roulement du tambour jusqu'à ce que les deux partenaires se rejoignent, l'étreinte et le tourbillon. La tantaraza était une danse sublime, la danse des danses, et, pour Lazarim c'était un art et une passion, l'amour et la religion, la vie et la mort. Ce petit homme exquis était un véritable maître de ses mystères, et de tout son être il aspirait à être libéré de la torture de l'enseignement pour se perdre dans l'extase de la danse. Malheureusement, il était là, à rabâcher les mêmes pas, piétinant comme un estropié.

– Non, Votre Splendeur, non ! Les pirouettes sont rapides, très rapides, comme une toupie, vous vous rappelez ? Puis la pause est soudaine. Comme ça ! Vous voyez comme mes jupes s'envolent sans moi ?

– Vos jupes, Lazarim ? dit Sisi en pouffant. Ne me faites pas rire, petit lutin. Chaque sourire laisse une ride.

– Encore une fois, s'il vous plaît !

Lorsque la leçon de danse fut terminée, Kestrel accompagna Sisi vers la voiture royale, où elles devaient déjeuner avec le Johanna et son épouse.

Désormais, les deux jeunes filles se tutoyaient quand elles étaient seules ou avec Lunki.

– Tu as de la chance de ne pas être obligée de danser, Kess.

– Je croyais que c'était amusant.

– Amusant. Comment peux-tu dire ça ? C'est difficile, ennuyeux, et pas drôle du tout.

Le carrosse royal était surveillé par les gardes de Johjan. En approchant des marches surmontées d'un baldaquin, Kestrel vit que Zohon, leur commandant, se trouvait avec ses hommes. Il regardait autour de lui et ses yeux croisèrent les siens un bref instant. Il lui lança un regard qui signifiait : « nous nous comprenons ». Puis ses yeux s'attardèrent un moment sur la Johdila voilée. Il dit alors quelque chose à l'un de ses hommes, lui tapa sur l'épaule avec un rire bruyant et insouciant, tourna le dos et s'éloigna de son pas nonchalant. Ce rire forcé, cette indifférence affichée et exagérée en dirent beaucoup sur lui à Kestrel. Un homme si attentif à montrer son manque d'intérêt devait être fort intéressé.

Les jeunes filles entrèrent dans le carrosse royal. Le déjeuner était déjà servi, et le Johanna était impatient de commencer. Ni lui ni son épouse ne firent attention à Kestrel. Tous deux désapprouvaient sa présence, tout d'abord parce qu'ils pensaient qu'elle avait l'air bizarre, et ensuite parce qu'il était inconvenant pour une princesse d'avoir une amie. Ils avaient fait part de leur jugement à leur fille. Sisi leur avait vertement répondu :

– Kestrel est mon amie et elle va là où je vais.

Ils avaient fait un compromis, cependant, et lorsqu'elle se trouvait dans le carrosse royal, Kestrel ne mangeait pas avec eux, mais toute seule à une petite table. Cela lui convenait très bien, car elle s'était rendu compte que les autres convives l'oubliaient très vite et parlaient comme si elle n'était pas là.

– Comment va mon trésor aujourd'hui ? demanda le Johanna à sa fille, en relevant son voile et en regardant son visage avec orgueil.

– Oh, papa ! soupira Sisi. J'aimerais bien être à la maison.

Le Johanna soupira à son tour. Il détestait le voyage sous toutes ses formes. Lui aussi aurait voulu être de retour dans sa cité d'Obagang, dans son palais, avec ses chiens et ses chevaux, et dormir la nuit dans son bon vieux lit à l'odeur familière.

– Il faut faire ce voyage, mon trésor.

D'humeur mélancolique, il s'apprêta à déguster son pâté en croûte.

– Je ne comprends pas pourquoi tu devrais faire quelque chose, papa, si tu ne l'as pas décidé toi-même.

– Mange, lui dit sa mère. Tu n'as pas très bonne mine.

– C'est mon devoir envers mon peuple, commença le Johanna.

Puis il s'interrompit pour avaler une autre bouchée.

Ce n'était pas facile à expliquer. La terre lointaine qu'on appelait la Seigneurie n'était que l'une des nombreuses nations satellites qui tournaient autour du grand soleil de Gang. Mais, peu à peu, comme un géant vieillissant, le puissant royaume de Gang s'était affaibli, tandis que la Seigneurie s'était renforcée, et que son souverain, le Maître, annexait à présent des fiefs dont les propriétaires avaient autrefois fait acte d'allégeance au royaume de Gang.

On frappa à la porte. Le Johanna fronça les sourcils et fit signe à sa fille de remettre son voile.

– Entrez !

Le Grand Vizir apparut et s'inclina profondément. Le Grand Vizir Barzan était le seul de ses sujets qui osait interrompre ses repas. Ses intrusions étaient fréquentes, toujours urgentes, toujours accompagnées de menaces de catastrophes, toujours annoncées d'un ton respectueux et d'une voix d'outre-tombe.

– Nos espoirs sont jetés au vent, Majesté, psalmodiat-il. Le chef de caravane a fini ses calculs. Si nous continuons à avancer à notre rythme actuel, nous arriverons avec un mois entier de retard.

– Un mois de retard ! Nous ne pouvons pas arriver avec un mois de retard. Cela serait pris comme une insulte. De qui est-ce la faute ? Il faut punir quelqu'un.

– Naturellement, Majesté, je vais voir cela moi-même. En attendant, afin de résoudre le problème, pourrions-nous envisager la possibilité de ne plus arrêter la caravane pendant la leçon de danse, ou pendant le déjeuner, ou pendant la sieste après le déjeuner, ou encore pendant le dîner ?

– Vous avez raison, Barzan, il faut se dépêcher.

– Il faut s'arrêter pendant ma sieste, objecta la Johdi. Je ne peux pas me reposer dans un carrosse qui roule.

– Bien sûr, ma chérie, bien sûr.

– Et tu sais que si l'on mange en voyageant, on a mal à l'estomac.

– Tu as raison. Il faut nous arrêter pendant les repas. La leçon de danse, alors. Il faut continuer à avancer pendant la leçon de danse.

– La Johdila devrait danser dans une voiture en marche, Excellence ?

– Ah !

– Les leçons de danse doivent continuer, Sire. Ce mariage est la dernière chose qui reste entre la guerre et nous. Et s'il y a une guerre…

– Oui, oui, dit le Johanna en s'énervant. Alors, qu'allons-nous faire ?

Le Grand Vizir soupira.

– L'escorte, Majesté…

– Je ne vous laisserai pas renvoyer mes gardes, Barzan. Vous dites cela uniquement pour contrarier Zohon, vous le savez bien. Je n'arriverai pas dans une ville étrangère accompagné de quelques domestiques. Je ne veux pas être la honte de mes ancêtres.

– Mais Majesté, trois mille hommes tous lourdement chargés, et dont la plupart font le chemin à pied ! Rien d'étonnant à ce que nous avancions trop lentement.

– Le Johanna de Gang est toujours escorté de ses gardes de Johjan. C'est la tradition. Non, Barzan, ce n'est pas la solution. Nous voyageons trop lentement, eh bien cherchez les responsables. Punissez-les. Voilà ce qu'il faut faire.

– Comme vous voudrez, Sire.

Le Grand Vizir s'inclina d'un air sombre et se retira.

– J'espère vraiment que Barzan et Zohon vont cesser de se quereller, se plaignit le Johanna. Ils sont aussi jaloux l'un de l'autre que deux écolières.

– Papa, dit Sisi, en relevant son voile, comment mon mariage pourrait-il éviter une guerre ?

– Je te l'ai déjà dit, mon trésor. Une fois que tu seras mariée, ton époux deviendra notre fils et notre héritier. Son père ne pourra faire la guerre contre nous si son seul fils et héritier est également notre fils et héritier.

– Mais cela ne signifie-t-il pas qu'il obtiendra tout ce qu'il voudra sans les ennuis d'une guerre ?

Le Johanna contempla longuement sa fille d'un air pensif.

– Ce sont des affaires d'État, Sisi. Tu ne peux pas comprendre.

Kestrel, que tout le monde avait oubliée, avait écouté cette conversation et glané de nouvelles informations à ajouter à celles qu'elle emmagasinait peu à peu. À partir des fragments de phrases qu'elle avait surpris, de ses observations et de ses suppositions, elle commençait à élaborer un plan. Et le Commandant des gardes de Johjan était au cœur de ce plan.

6

LE MARTEAU DE GANG

Sisi et ses parents se reposaient toujours après le déjeuner. Kestrel profita de l'occasion pour longer toute la caravane. Au début, elle compta le nombre de voitures et de chariots qu'elle dépassait, mais il y en avait trop et, après le quarantième véhicule, elle cessa de les compter. Outre les carrosses dorés de la cour royale, il y avait de simples voitures à cheval pour les personnages officiels et de plus simples encore pour les serviteurs de rang supérieur. Elle vit des chariots avec des tuyaux de poêle pour faire la cuisine, d'autres avec des fentes pour laisser passer les flèches des soldats. Il y avait des fourgons transportant le ravitaillement, d'autres la nourriture des chevaux, des chariots recouverts d'une tente, d'autres remplis de tapis de couchage, et bien d'autres encore pour transporter les biens nécessaires à cette grande ville roulante. Vers l'arrière de la colonne, elle tomba sur les chevaux attachés des gardes de Johjan et aperçut un peu plus loin, à l'ombre d'un rideau d'arbres, les tables où les soldats devaient manger. Non loin de là, les trois mille hommes de la force armée, disposés en rangs réguliers, faisaient leur entraînement quotidien.

Kestrel s'arrêta, se mit à l'abri de leurs regards derrière les chevaux qui paissaient tranquillement et les observa. C'était un spectacle impressionnant. Tous étaient grands, robustes et bronzés par le soleil. Ils ne portaient que des caleçons noirs moulants, et leurs cheveux étaient tirés en arrière et noués sur la nuque. Ils faisaient leurs exercices tous exactement en même temps. Les longues rangées d'hommes se baissaient puis se relevaient, se baissaient de nouveau puis se relevaient encore, sans effort apparent, en dehors des gouttes de sueur qui coulaient sur leurs bustes puissants.

À leur tête, leur faisant face, vêtu comme eux mais plus grand encore et plus magnifiquement musclé, se tenait Zohon, leur jeune chef. Il ne donnait pas d'ordres. Il exécutait des mouvements et, comme son reflet dans des milliers de miroirs, ses hommes l'imitaient. Il était silencieux et ils l'étaient aussi. Kestrel, en les regardant, comprit qu'une force aussi disciplinée pouvait largement rivaliser avec les groupes de combat de la Seigneurie.

La série d'exercices se terminait et Kestrel s'apprêtait à se montrer lorsqu'elle vit Barzan approcher de l'autre côté. Les sentinelles insistèrent pour fouiller le Grand Vizir et vérifier qu'il ne portait pas d'armes cachées, provoquant ainsi sa fureur.

– À la vérité, Commandant, protesta-t-il, si je voulais vous assassiner, je pourrais le faire sans venir près de vos gardes.

Zohon, magnifique et immobile, sa puissante poitrine se soulevant régulièrement, fixait Barzan avec une extrême concentration.

– Montrez-moi comment.

– Eh bien, par exemple, avec un arc et des flèches.

– Et où iriez-vous, pour me viser ?

– Eh bien, là, derrière les attelages.

Zohon sourit et battit des mains. Sortant de partout, de derrière les voitures, d'entre les branches d'arbres, de l'herbe haute dans laquelle ils s'étaient cachés, des gardes apparurent. Heureusement pour Kestrel, ils regardaient tous leur Commandant et aucun d'eux ne la découvrit.

– Vous seriez mort, mon ami, avant même d'avoir mis une flèche à votre arc, lui dit Zohon.

Barzan prit une profonde inspiration, essayant de maîtriser l'irritation qui commençait à monter en lui.

– Commandant, j'aimerais bien que vous m'expliquiez qui pourrait vous attaquer, là, dans votre propre pays, entouré de vos hommes ?

– C'est bien la différence entre vous et moi, mon ami. Vous n'imaginez pas qu'il puisse y avoir une attaque tant qu'elle ne se produit pas. Puis vous y croyez. Mais alors vous êtes mort. Moi, je crois que l'attaque viendra avant qu'il y ait la moindre menace d'agression. Et j'y crois d'autant plus quand il n'y a aucune raison pour qu'une offensive ait lieu. Voilà pourquoi je suis toujours en vie.

– Oui, mais moi aussi, je suis en vie.

– Ah, mon ami, faites très attention !

Il sourit et fit signe à son ordonnance qui s'avança, portant une cuvette d'eau. Il la lui prit des mains, la vida sur sa tête, éclaboussant le Grand Vizir. Son ordonnance lui tendit une serviette rêche et il s'essuya.

Barzan chassa d'une chiquenaude impatiente les gouttes d'eau qui étaient tombées sur sa robe dorée.

– J'ai cru comprendre que vous vouliez me parler, Commandant. Je suis extrêmement occupé.

– Trop occupé pour assurer la sécurité du Johanna ? Je ne pense pas.

– Le Johanna est tout à fait en sécurité.

– Pour le moment, oui. Mais après ?

– Quand ? De quoi parlez-vous ?

– Cette ville, dit Zohon avec un calme exaspérant, cette fameuse Seigneurie, ce fameux Haut Domaine, n'a, paraît-il, qu'une seule entrée.

– Et alors ?

– Qu'est-ce qui n'a qu'une seule entrée, à part le Haut Domaine ?

– Je ne sais pas.

– Un piège ! dit Zohon. Une fois que nous serons attirés dans cette ville à une seule porte, ils n'auront qu'à refermer les grilles et nous serons pris dans la nasse.

Le Grand Vizir se passa la main sur le front.

– Pourquoi voudrait-on nous piéger ?

– Pour forcer le Johanna à céder tout son pouvoir.

– Commandant, le Johanna va donner sa fille unique en mariage au fils unique du souverain de cette ville dans laquelle vous craignez d'entrer. Quelle raison pourrait pousser ce souverain à utiliser la force alors qu'on lui donnera librement ce qu'il veut ?

– Pour un vrai souverain, dit Zohon, en enfilant la veste de son magnifique uniforme, l'usage de la force est une fin en soi. Si le roi et sa suite doivent entrer dans cette ville sans issue, j'insiste pour que les gardes de Johjan accompagnent le Johanna, toutes forces déployées.

– Toutes forces déployées ! Trois mille hommes armés à une noce ! C'est impossible !

Désormais complètement habillé, superbe dans sa tunique violette chamarrée d'or, Zohon tendit la main et son ordonnance lui remit son marteau d'argent. Le Grand Vizir le regardait avec une aversion évidente.

– Je n'offenserai pas notre hôte avec une suggestion aussi blessante, dit-il.

Zohon balança son marteau d'avant en arrière.

– Je considère qu'il est de mon devoir d'avertir le Johanna de ce danger.

– Mais bien sûr, Commandant, faites donc. De mon côté, j'ai l'intention d'avertir le Johanna du danger qu'il y aurait à autoriser une force importante de butors imbéciles à piétiner la ville exquise de notre hôte.

Il fit demi-tour et s'éloigna à grands pas. Zohon le regarda partir, un sourire aux lèvres.

– On verra bien, mon ami, on verra bien.

Kestrel sortit de son abri et laissa les sentinelles la découvrir.

– Vous, là-bas ! Halte-là ! Restez où vous êtes !

Elle fit ce qu'on lui disait. En entendant le cri du soldat, Zohon se retourna et la vit. Il fit signe à la sentinelle de lui amener Kestrel.

– Faites rompre les rangs, ordonna-t-il à ses officiers.

Les hommes, qui étaient restés raides et immobiles pendant tout ce temps, se dispersèrent puis se rassemblèrent autour des tables, impatients de prendre leur repas. Zohon, les yeux fixés au loin, parla à Kestrel sans la regarder.

– Que voulez-vous ?

– Vous avez dit que vous m'aideriez, répondit Kestrel.

– Pourquoi voulez-vous que je vous aide ?

– Je suis seule. Je n'ai personne pour me protéger.

Zohon hocha la tête, évitant toujours de la regarder.

– Faites ce que je vous demande, dit-il, et vous serez sous la protection du Marteau de Gang !

Il frappa un tronc d'arbre avec son marteau d'argent.

– Je ne parle pas de ça, dit-il en montrant son marteau, mais de moi-même. Je suis connu sous le nom de Marteau de Gang. Sous ma protection, personne n'osera vous faire de mal.

– Merci, dit Kestrel.

– Mais si je vous aide, vous devez m'aider aussi.

Il se tourna vers elle et la fixa de ses yeux durs.

– Je pense que ce mariage est une erreur. Pire encore, un désastre. Pourquoi la Johdila devrait-elle épouser un homme qu'elle n'a jamais vu ? Qui est cet homme ? Un pygmée avec un gros ventre et des dents noires ? Un vieux débris chauve et qui louche ? C'est bien possible. Nous ne savons rien de lui. Et l'on devrait vendre à un tel monstre l'être le plus adorable, le plus merveilleux, le plus parfait au monde, uniquement parce que son père n'a pas le cran d'affronter un petit dictateur ?

Le commandant criait presque. Se rendant compte qu'il faisait trop de bruit, il se calma et continua à mi-voix :

– Elle devrait épouser quelqu'un de son espèce. Elle devrait épouser un beau jeune homme sain, respecté par son peuple, et assez puissant pour la protéger. Ne mérite-t-elle pas cela et mieux encore ? N'est-elle pas la plus belle jeune fille au monde ?

Cette question semblait exiger une réponse.

– Elle est très jolie, dit Kestrel.

– Ah ! soupira Zohon dont le regard devenait vague. Je le sais dans mon cœur ! Je n'ai jamais vu son visage, mais son charme – comment l'expliquer –, son charme me pénètre.

En parlant du charme de la Johdila, il pensait aussi à la beauté de son propre regard. Les deux images étaient liées dans son esprit.

– Dans notre royaume, dit-il, il y a un étang retiré au plus profond des bois où je vais me baigner. Après avoir nagé, je reste sur la rive et laisse l'eau ruisseler sur mon corps. J'attends que la surface de l'étang soit immobile, puis je baisse les yeux et je contemple mon reflet.

Il se tut, absorbé par le souvenir de sa forme virile. Puis il se tourna vers Kestrel.

– Que pensez-vous de moi ? Petit ? Grand ? Quelconque ? Beau ? Soyez franche.

– Grand, dit Kestrel. Beau.

– Je ne cherche pas de compliments, vous savez. Je veux des faits. De simples et indéniables faits. Je pense être un beau type d'homme. J'ai vingt-neuf ans. Je suis le Commandant des gardes de Johjan. Ce sont des faits. Ne diriez-vous pas, si on les considère, que je ferais un époux convenable pour la Johdila ?

– Oh si !

– Vous l'a-t-elle dit, elle aussi ?

– Non.

– Mais elle pourrait peut-être. Si vous le lui demandiez. Si vous ameniez la conversation sur le mariage, les maris, le fait que cela aurait pu être arrangé de façon plus satisfaisante, sur les jeunes gens qu'elle connaît et sur celui qui lui conviendrait le mieux. Vous me suivez ?

– Oui, dit Kestrel. Vous voulez savoir si elle accepterait de vous épouser.

– Chut ! s'exclama Zohon, un peu choqué de l'entendre dire aussi crûment ce qu'il avait en tête. Certaines choses doivent être comprises en silence. Ce sont des sujets dangereux

· Mais il est sans doute trop tard.

– Nous verrons ça.

Il fit les cent pas d'un air maussade, en faisant osciller son marteau.

– Il faut d'abord que je connaisse son cœur. Et c'est là que vous pouvez m'aider.

– Que dois-je faire ?

Kestrel le savait très bien mais elle avait intérêt à faire croire à Zohon que c'était lui qui organisait tout.

– Parlez-lui. Voyez si elle redoute ce mariage. Parlez-lui de moi. Puis venez me raconter ce qu'elle vous a dit.

Des cors sonnèrent à la tête de la caravane. Les attelages allaient bientôt s'ébranler de nouveau.

– Partez maintenant. Gardez mon secret. Si vous me trahissez… – il leva son marteau et l'abattit, coupant net un bouquet de feuilles au bout d'une branche basse – je n'aurai aucune pitié.

Tandis que les feuilles voltigeaient vers le sol, Zohon, le regard toujours aux aguets, surprit un mouvement à l'autre bout de la rangée d'arbres. C'était Ozoh, l'augure royal, qui se hâtait de rejoindre sa voiture à cheval, le regard rivé au sol.

– Et ne vous fiez pas à l'homme-serpent, ajouta Zohon.

Ozoh le Sage était préoccupé. Il pensait que l'habitude d'épier tout ce qui se passait autour de lui, même les détails les plus anodins, faisait partie de ses fonctions, et il avait remarqué que la nouvelle servante de la Johdila traitait d'obscures affaires avec Zohon.

Il décida qu'il aurait intérêt à faire part de ses soupçons à Barzan. Le Grand Vizir, son ami et son maître, lui avait promis une propriété sur les collines près des lacs du Sud, avec son propre vignoble, une fois que le mariage royal se serait heureusement conclu.

– Je viens de voir le Commandant…

– Ce petit morveux, cet intrigant, cette crotte d'écureuil !

– Il semble se lier d'amitié avec la nouvelle servante de la Johdila.

– J'aurais dû commencer une guerre quelque part pour être débarrassé de lui.

– Je me demandais si vous vous en étiez aperçu.

– Bien sûr que je l'ai remarqué, dit Barzan, qui ne voulait pas avoir l'air de manquer d'esprit d'observation. Et alors ?

– Je me demandais simplement de quoi ils pouvaient parler.

– Ozoh, soupira le Grand Vizir, Zohon est un jeune homme viril. À sa façon, cette servante est une personne attirante. Ai-je besoin de continuer ?

– Ah, vous croyez que c'est ça.

– C'est ce qui se passe en général.

– Vous pensez donc que ce n'est pas la peine de s'inquiéter ?

– Au contraire. Si Zohon s'intéresse à cette fille, tant mieux. Il a beaucoup trop tendance à jouer aux soldats avec ses hommes. Il n'y a rien de tel qu'une femme pour sortir ce genre de jeux de la tête d'un homme.

Ozoh le Sage retourna pensivement vers sa voiture. Dans sa cage, le poulet sacré gloussa. Ozoh ouvrit la cage, prit le poulet sur ses genoux et caressa ses plumes blanches en réfléchissant à la situation.

– Que dois-je faire, ma colombe ? murmura-t-il. Que dois-je faire, mon doudou ?

Le poulet gratta son pantalon flottant et roucoula de contentement.

L'immense caravane roulait vers le nord-ouest, à travers les royaumes soumis au Johanna, puis vers les régions frontalières. Des premiers cavaliers des gardes de Johjan jusqu'au dernier chariot de bagages, la colonne mettait bien une heure à défiler. Les paysans et les commerçants qui se trouvaient sur le chemin de la caravane royale prenaient soin de se prosterner jusqu'au sol lorsqu'elle passait, et d'embrasser la poussière. Beaucoup d'entre eux restaient à plat ventre, les yeux fermés, et s'endormaient pendant que des milliers de bottes au pas et des centaines de roues grondant sur le sol passaient lentement. Il valait mieux s'endormir que risquer un coup d'œil sur les splendides carrosses, au cas où la légendaire Johdila regarderait par la fenêtre. Les paysans, des hommes simples, pensaient qu'un seul regard de ses yeux lumineux était un avant-goût du paradis, mais ils croyaient aussi qu'un regard vers elle incendierait leurs propres yeux et les ferait fondre. Sages à leur façon, ils préféraient dormir dans la poussière et laisser passer le paradis

7

DANS LA SEIGNEURIE

Marius Semeon Ortiz et son long défilé de prisonniers arrivèrent aux abords de la Seigneurie le vingt-
cinquième jour, exactement comme il l'avait prévu.
Aucun mur n'entourait ce pays d'esclaves ; il y avait
simplement deux grosses bornes de chaque côté de la
route. La seule chose qui indiquait qu'ils étaient passés
dans un autre royaume, c'était la campagne autour
d'eux. Hanno Hath et sa famille s'en rendirent compte
avec stupéfaction : d'un côté des bornes, une terre
aride, battue par le vent, où seules les plantes les plus
résistantes – ajoncs, bruyère et aubépine – s'accrochaient au sol caillouteux ; de l'autre, des champs
labourés, dont plusieurs, de couleur fauve, étaient
encore couverts du chaume d'une moisson tardive ; des
prés séparés par des haies et traversés par un enchevê-
trement de cours d'eau canalisés par de profondes rigo-
les. Çà et là, des groupes de paysans conduisaient
des chevaux de labour ou arrachaient des pommes de
terre. Ils s'arrêtèrent de travailler en voyant la longue
colonne passer et la regardèrent, surpris. Ortiz, le corps
endolori par tant de jours en selle, remarqua leur étonnement avec satisfaction. Personne n'avait jamais

ramené autant d'esclaves en si bon état et en une seule rafle.

Il fit signe à l'un de ses chasseurs qui chevauchait à côté de lui.

– Pars en avant, lui dit-il. Présente mes compliments au Maître. Dis-lui que je lui amène le peuple Manth pour qu'il s'agenouille à ses pieds.

Les prisonniers regardaient autour d'eux en marchant. Ils étaient épuisés et soulagés à l'idée d'arriver. Plus ils découvraient ce nouveau pays, plus ils s'étonnaient. La route sur laquelle ils marchaient à présent était pavée de pierres lisses et, quand elle croisait un fossé ou un cours d'eau, un pont de pierre récent et bien construit la prolongeait sans interruption. Des deux côtés, ils voyaient des bâtiments agricoles couverts de toits en pente qui touchaient presque terre ; de belles maisons en bois et en torchis, avec des cours sablées soigneusement balayées, se dressaient au milieu de pâturages où paissait du bétail bien nourri. De la fumée s'échappait des hautes cheminées. Des voix d'enfants récitant leurs leçons sortaient des nombreuses fenêtres d'une école. Une carriole à deux roues les dépassa sur la route, transportant un groupe de jeunes gens assis dos à dos, qui criaient et riaient. Les esclaves ne voyaient pas de prison, pas de barreaux, pas de chaînes, pas de gardes. Ils ne savaient pas où on allait les mettre mais, de toute évidence, ce ne serait pas là.

Bowman avançait d'un pas régulier à côté de son père. À sa droite marchait un gros soldat au visage rond, de rang inférieur, pour lequel le long chemin depuis Aramanth avait été presque aussi dur que pour les prisonniers. Il s'appelait Joll et était un Loomus, originaire de la région côtière de Loom. Les Loomus étaient pour la plupart des pêcheurs, des gens lents dans leurs mouvements et dans leurs pensées, peu enclins à parler. Bowman s'était lié d'amitié avec Joll ces derniers jours, et il se tourna vers lui.

– Tous ces gens. Où vont-ils ?

Plus ils marchaient, plus il devenait évident que d'autres personnes allaient dans la même direction qu'eux. Elles venaient de différents chemins, des champs, et formaient une foule de plus en plus importante qui montait sur la colline vers un rideau d'arbres au loin.

– Ils vont au manaxa, répondit Joll.

Et, désignant du menton la silhouette à cheval d'Ortiz, en tête de la colonne, il ajouta :

– Il est malin celui-là. Il apporte son butin le jour du manaxa.

– Qu'est-ce que c'est que le manaxa ?

– Le manaxa ? Eh bien, ça ne ressemble à rien si ce n'est au manaxa lui-même. Comment tu expliquerais ça, Tell ?

Tell était un autre garde Loomus, qui marchait juste devant Joll.

– Le manaxa ? dit Tell. Je dirais que c'est une espèce de danse.

– Et une sorte de meurtre, ajouta Joll.

– Ce n'est pas tous les jours qu'on a un meurtre, reprit Tell. Il ne faut pas donner de faux espoirs à ce garçon.

– C'est bien vrai, c'est bien vrai. La plupart du temps, le perdant s'en sort en sautant.

– Il y a meurtre, expliqua Tell à Bowman, quand les combattants sont de force égale, et qu'aucun des deux ne cède. Là, c'est quelque chose ! Je ne te dis pas ! Ça donne vraiment le frisson !

– Est-ce qu'on les force à se battre ? demanda Bowman.

– Les forcer ? Pourquoi faudrait-il les forcer ? C'est un honneur d'être un manac. Un honneur et une gloire. Je dis bien, Joll ?

– Bien sûr, Tell. Un honneur et une gloire. Et puis, il y a la façon de faire, tu sais. Le manaxa, c'est très dangereux, c'est vrai, mais c'est très beau. Je dis bien, Tell ?

– Bien sûr, Joll. Dangereusement beau. C'est tout à fait ça, en deux mots.

Ils étaient arrivés sous les arbres et, pendant un petit moment, ils cheminèrent à l'ombre des feuillages. Les longs jours de marche avaient épuisé le peuple Manth et usé son esprit de résistance. Même Ira Hath s'était calmée. Ses ampoules étaient passées de l'état de plaies ouvertes à celui de durillons, et sa douleur avait diminué à mesure que ses pieds s'endurcissaient. Ortiz avait pris soin de ne pas forcer l'allure et de pas faire marcher les prisonniers trop d'heures à la fois. De plus, en rationnant attentivement la nourriture, les vivres avaient été suffisants. Dans l'ensemble, il avait bien évalué les choses. Les esclaves avaient besoin de manger et de se reposer, mais ils n'étaient pas brisés. Sachant qu'ils n'arriveraient pas dans le centre de tri avant le soir, il demanda qu'on leur distribue les dernières provisions dès qu'il donnerait l'ordre de s'arrêter.

La famille Hath restait groupée, comme elle l'avait été tout au long de la marche. Ira Hath et Pinto suivaient de près Hanno et Bowman. Mumpo, dont c'était le tour de porter Mme Chirish, était un peu plus loin derrière. Sous le couvert des arbres, il n'y avait pas grand-chose à voir, et chacun d'eux revint aux pensées qui l'obsédaient. Hanno craignait qu'on ne les disperse à l'arrivée. Ira revoyait sa cuisine dans leur ancien appartement du Quartier Orange, où Pinto, encore bébé, riait tandis que Bowman la ballottait, la faisant rouler par terre. Bowman pensait à Kestrel. Elle lui manquait. Et Pinto, qui avançait avec obstination sur ses petites jambes, rêvait qu'elle accomplissait un acte héroïque qui les sauverait tous des griffes de leurs ennemis. Elle ne savait pas très bien comment elle s'y prendrait, aussi était-elle rapidement passée, dans son imagination, au moment où les siens l'acclameraient et s'émerveilleraient de devoir leur liberté à une enfant de sept ans.

En sortant du petit bois, ils furent donc tous abasourdis de découvrir la vue qui se présentait à eux. La Seigneurie s'étendait dans une large vallée ombragée qui bordait un lac immense : c'était un paysage d'une grande beauté.

La route descendait doucement entre les champs, passait devant des fermes, des villages et de grands domaines, pour aboutir aux rives du lac. Une chaussée sur pilotis s'élevait à partir du rivage, traversant l'eau sur un kilomètre environ jusqu'à une île où se dressait un palais fortifié, ou peut-être une ville, qui semblait n'être fait que de lumière et de couleurs. Il y avait des maisons, pressées les unes contre les autres, mais leurs milliers de toits paraissaient flotter, comme portés par des ombrelles légères et chatoyantes. Les rayons du soleil déclinant tombaient en biais sur la ville et les toits en coupole, qui semblaient les boire, gorgés de lumière, scintillaient de reflets rosés, vert émeraude, rouge sang.

Tout autour de la ville, des remparts de pierre d'un

blanc crème s'élevaient directement de l'eau du lac sur une dizaine de mètres de haut. Et pourtant cet édifice massif était construit de telle façon qu'il paraissait léger : la maçonnerie de la partie supérieure, en devenant plus fine à mesure qu'elle s'élevait, était percée d'ouvertures qui dessinaient des motifs compliqués, de sorte que, vus de loin, les grands remparts n'avaient pas plus d'épaisseur qu'un rideau de dentelle ambré.

Marius Semeon Ortiz vit l'émerveillement sur le visage des esclaves et il éprouva de nouveau, comme toujours lorsqu'il revenait à la Seigneurie, un regain d'admiration et de gratitude pour le Maître.

– Voici le Haut Domaine, dit-il. La plus belle ville qui ait jamais été construite par l'homme.

Tandis que les esclaves marchaient, Hanno cherchait du regard les prisons ou les baraquements entourés de fils barbelés où on les garderait, mais il n'apercevait que des fermes et des villages, et la ville scintillante au milieu du lac. Et partout, il voyait des gens qui se dirigeaient, en bandes joyeuses, vers un grand rassemblement qu'ils distinguaient désormais en dessous d'eux. D'immenses arènes avaient été creusées à flanc de coteau. C'était un grand travail de terrassement que seuls des milliers d'esclaves avaient pu faire. Mais où étaient ces esclaves, à présent ? Ce n'étaient certainement pas tous ces gens qui affluaient sur les gradins herbeux, et qui semblaient si animés, si heureux, si libres !

Mumpo poursuivait son chemin derrière les autres, le poids de Mme Chirish sur son dos l'obligeant à se courber et à garder la tête baissée. Mme Chirish, sachant qu'il ne pouvait pas voir grand-chose, remédiait à cet inconvénient en lui faisant un commentaire détaillé du paysage qui se déployait devant elle.

– Oh, mon cher, je n'ai jamais rien vu de pareil !.. tu ne pourrais pas imaginer tant de… Oh, les couleurs ! Ça me fait penser à un bocal de bonbons acidulés, sauf qu'on n'en fait plus d'aussi jolis de nos jours… Oh, tu serais content de voir ça, mon Mumpy… Ils s'installent… C'étaient des bonbons comme des joyaux, on pouvait voir à travers… Oui, je crois qu'ils vont nous laisser nous reposer, et bientôt… Il y a une sorte de, comment ça s'appelle ? Là où les gens regardent des gens… Ce n'est plus très loin maintenant, et l'herbe est douce, on dirait… Ils sortent des paniers, il va y avoir du pain… Tant de gens, ils viennent tous regarder, mais regarder quoi, je serais bien incapable de le dire… Oui, ils vont nous laisser nous reposer, et dans pas longtemps.

Mumpo s'arrêta enfin et déposa doucement la bonne dame par terre. Les esclaves avaient été autorisés à se reposer sur un grand terrain juste au-dessus des arènes. Mme Chirish tapota le bras de Mumpo avec gratitude.

– Tu es gentil avec ta vieille Nanny, Mumpy.

Mumpo regardait les gradins où se pressait la foule. Malgré sa fatigue, il sentit un frisson le parcourir en sentant l'excitation générale. Tout autour de lui, il entendait des voix parler de manaxa, et bien qu'il n'eût jamais entendu ce mot auparavant, il comprit qu'un combat allait se dérouler dans les arènes.

Les gradins descendaient jusqu'à un sol sablonneux où s'élevait un monticule au sommet plat, également recouvert de sable. Ce monticule avait une vingtaine de mètres de long et ses côtés abrupts atteignaient la hauteur d'un homme. Il était clair que cette simple estrade allait servir de scène au manaxa. De l'autre côté de ce monticule aplati au sommet, on pouvait voir l'entrée sombre d'un tunnel, creusé sous les gradins. Ce tunnel ressortait un peu plus loin en bas de la colline, près du lac. Sur le gradin qui se trouvait juste au-dessus de l'entrée du tunnel était plantée une tente rouge et or à l'intérieur de laquelle on voyait un serviteur arranger des chaises.

Des acclamations montèrent. Mumpo leva les yeux et vit que les portes des remparts du palais-cité s'ouvraient et qu'un cortège d'hommes à cheval traversait la chaussée.

Ta-tara! Ta-tara! Des cors de chasse retentirent au-dessus de l'eau, annonçant les jeunes nobles de la Seigneurie qui chevauchaient deux par deux en tête du cortège. Leurs grandes capes aux couleurs éclatantes flottaient derrière eux tandis qu'ils avançaient sur leurs chevaux au petit trot, tous en cadence, martelant le pont en bois. Derrière eux venait une autre double rangée d'hommes à cheval qui, à cette distance, semblaient être nus. Enfin suivait un groupe de hauts dignitaires, de gardes et de serviteurs, qui entouraient un personnage vêtu d'une cape cramoisie.

Bowman regardait, oubliant de porter à sa bouche le morceau de pain qu'il tenait à la main. Les cavaliers se rapprochaient rapidement et Bowman sentit la peur monter en lui. Il percevait quelque chose de plus redoutable encore que chez les soldats, avec leurs lances acérées et leurs épées tranchantes. Il y avait là un pouvoir qui pénétrait le cœur et l'esprit, un pouvoir qui irradiait de l'homme à la cape cramoisie.

Il était imposant, plus grand et plus robuste que ceux qui l'entouraient, et sous sa cape flottante brillait une cuirasse dorée. Il portait un heaume d'où tombait un rideau de chaînes d'or qui lui arrivaient sur la nuque et les épaules. Auréolé de cette crinière dorée et flottante, étincelant sous les rayons du soleil, il avançait, immense et droit, sur son grand cheval noir, annoncé par les cors.

– Le Maître ! criaient des voix de toutes parts. Le Maître !

Marius Semeon Ortiz, qui regardait le cortège avec la même intensité que n'importe lequel de ses prisonniers, sentit monter en lui la bouffée de chaleur qui le submergeait toujours quand le Maître approchait. Instinctivement, il s'entendit murmurer le serment d'allégeance, les mots magnifiques qui lui donnaient toujours un sentiment de force et de tranquillité.

– Maître, tout ce que je fais, je le fais pour vous.

Le cortège entrait maintenant dans le tunnel et il fut bientôt hors de vue.

Les nobles réapparurent ensuite à pied dans la tente rouge et or, tandis que les hommes nus sortaient du tunnel, gagnant avec raideur le centre de l'arène. Un par un, ils entourèrent le monticule, les bras tendus, sous les applaudissements de la foule. C'étaient des hommes vigoureux, aux corps balafrés et aux yeux méfiants. Ils n'étaient pas entièrement nus, mais portaient un morceau d'étoffe étroitement drapé autour des hanches. Leurs cheveux longs étaient torsadés et maintenus sur la nuque par un filet. C'étaient les manacs, les hommes qui allaient danser et lutter : les combattants les plus implacables du monde.

Mumpo contemplait les manacs avec une profonde concentration. Le frisson qu'il avait ressenti dès qu'il avait vu l'arène s'était transformé en un tremblement qui lui secouait la poitrine. Il observait la façon dont les manacs se tenaient, leur manière de bouger, de recevoir les acclamations de la foule ; et, sans se rendre compte de ce qu'il faisait, lui aussi étendit les bras et inclina légèrement la tête d'un côté puis de l'autre.

Quand les manacs eurent fait tout le tour du monticule, ils se rangèrent en face de la tente. Les nobles reculèrent et se partagèrent en deux groupes. Les acclamations venant des gradins cessèrent et un étrange silence tomba. Puis, comme obéissant à un ordre muet, les manacs tombèrent à genoux. Les nobles, sous la tente, tombèrent à genoux. Et il en fut de même pour Marius Semeon Ortiz, tous les spectateurs des arènes et tous les soldats qui surveillaient les esclaves. En un long mouvement ondoyant, la grande foule se baissa et s'agenouilla en silence.

Le Maître apparut alors, seul. Il sortit de la tente et se dirigea lentement vers la balustrade. On pouvait voir, à présent, que c'était un homme à la carrure impressionnante, avec un gros ventre, un torse puissant et une tête énorme. Il avait relevé son heaume et laissait voir une longue crinière blanche et hirsute qui encadrait un visage buriné. Il restait silencieux et regardait son peuple en souriant, ses yeux pétillants parcourant les gradins. Tous ceux qui étaient effleurés par ce regard bienveillant étaient sûrs que le Maître les avait vus, les connaissait, leur avait envoyé un signe muet et particulier d'approbation.

Il leva une main gantée d'or et, dans un long bruissement, les nobles qui l'entouraient, les manacs dans l'arène, la foule immense se relevèrent.

Bowman n'avait pas quitté le Maître des yeux. Alors que les autres voyaient son estomac bedonnant et son sourire aimable, Bowman sentait le pouvoir qui était en lui. Ce n'était pas le pouvoir du Morah que le garçon avait connu il y a si longtemps. Il n'était pas lié à cette sensation enivrante qui l'avait alors submergé, ou à ce sentiment d'être invincible. Mais c'était quand même un immense pouvoir et, à sa façon plus tranquille, il s'exerçait à présent sur les milliers de personnes rassemblées là pour voir le manaxa.

Les cors sonnèrent de nouveau. Ta-tara ! Ta-tara !

Deux des manacs sortirent du tunnel en courant. Sous les acclamations sauvages de la foule, ils escaladèrent le monticule, jusqu'à la surface plane du sommet.

À présent ils étaient armés, et chaque homme portait des jambières d'acier. En haut de ces protections, au niveau du genou, une courte lame pointait. Leurs avant-bras étaient également couverts, du coude à la main, par des brassards d'acier qui se terminaient par de courtes lames au-dessus des poignets. Sur la tête, ils portaient un casque ajusté, en haut duquel sortait une cinquième lame. En dehors de ces parties protégées par des pièces d'armure, leur corps était nu et exposé aux coups.

Ils saluèrent la foule, arpentant le monticule, levant les bras pour recevoir les applaudissements de leurs partisans. L'un semblait plus fort que l'autre et, à voir le réseau de cicatrices qui couvraient son torse et ses cuisses, il était clair qu'il avait déjà survécu à de nombreux combats. L'autre, plus mince et plus jeune, recueillit moins d'applaudissements.

Mumpo, qui avait rejoint la famille Hath, sentit Pinto venir vers lui et lui entourer la taille de ses bras.

– Qu'est-ce qu'ils vont faire tous les deux, Mumpo ?

– Ils vont se battre, lui répondit-il.

– Est-ce qu'ils vont se tuer ?

– L'un vivra et l'autre mourra, dit Mumpo, sans faire très attention à ce qu'il disait.

Il était fasciné par les manacs.

Tandis qu'il les regardait, les lutteurs se retirèrent de part et d'autre de l'estrade, et restèrent là, la tête baissée, immobiles. Le silence se fit dans la foule. Mumpo éprouvait une étrange sensation dans tout son corps : il avait l'impression de savoir comment les lutteurs allaient bouger. Cela commencerait lentement, comme des chats qui s'étirent et qui rôdent.

Et il en fut ainsi. Le Maître donna le signal. Pas à pas, les manacs se rapprochèrent, mais en gardant une grande distance entre eux, et ils se mirent à danser. Il n'y avait pas d'autre mot pour désigner ce qu'ils faisaient. Ils se dressaient, plongeaient, arrondissaient les bras au-dessus de leur tête, arquaient les jambes, déroulaient leur corps avec mille contorsions, et avançaient l'un vers l'autre comme s'ils étaient reliés par des fils invisibles. Les deux hommes étaient très forts, et l'on ne pouvait qu'admirer la lenteur et la maîtrise extraordinaire de leurs mouvements. Mais ce qui donnait un côté poignant à la beauté de cette danse, c'était de savoir que bientôt ces membres rapides feraient couler le sang

Pinto détourna les yeux pour ne pas voir le moment où ils se feraient mal. Son père sentait son propre cœur battre d'excitation et il avait honte de se laisser prendre à ce point. Le regard de Bowman passa du Maître aux combattants, et il comprit aussitôt que l'esprit du manaxa était l'esprit du Maître : c'était lui qui avait voulu cette élégance terrifiante. Beauté et sang, danse et mort se rejoignaient devant leurs yeux en quelques instants de concentration totale.

Le plus jeune des deux manacs frappa le premier, essayant d'atteindre la gorge de son adversaire avec une de ses lames de poing. Celui-ci recula d'un pas vacillant et, presque dans le même mouvement, reportant son poids sur son pied droit, il leva son genou gauche et frappa à son tour. La lame de son genou s'enfonça dans le flanc du jeune homme et un sang étincelant commença à ruisseler.

La foule criait le nom de son héros : « Dimon ! Dimon ! »

Soudain le combat s'accéléra. Le jeune manac était rapide, très rapide. Bien qu'il fût blessé, il avait reculé et esquissé un mouvement tournant si rapide que sa lame de poing étincela sous la garde de Dimon et lui effleura la cuisse. Cette deuxième blessure faisait pencher la balance en sa faveur. Mais Dimon sembla alors exploser. Dans un tourbillon de membres qui volaient de toutes parts, il fit reculer son adversaire de plus en plus, tout au bord de l'estrade, ses genoux et ses poings frappant sans arrêt, parant les coups avec ses brassards, bondissant dans les airs, forçant le plus jeune à se défendre, jusqu'à ce qu'un nouveau coup le projette à bas du monticule.

Une grande clameur monta de la foule. Dimon leva haut le bras en signe de victoire. Le manac vaincu, qui s'était relevé, restait immobile, haletant. Dimon baissa le bras. Le perdant regarda alors la foule qui le couvrit de sarcasmes et de railleries. Il s'éloigna lentement sous les sifflements et disparut dans le tunnel.

Pinto était horrifiée.

– Il a fait de son mieux. Pourquoi tout le monde se moque de lui ?

– Il a perdu, dit un garde qui se trouvait près d'elle.

Mumpo vibrait de tout son être. Il avait l'impression de brûler à l'intérieur.

– Je pourrais le faire, dit-il.

– Quoi, perdre ? s'exclama le garde en riant. Ah, oui, ça, nous pourrions tous y arriver.

Mumpo ne répliqua pas, mais ce n'était pas ce qu'il voulait dire. Il voulait dire qu'il pourrait danser cette danse mortelle et qu'il pourrait gagner. C'était son corps qui le lui criait. Son corps avait compris.

Un autre combat commença entre deux nouveaux manacs, et celui-ci aussi se termina par la chute de l'un des deux adversaires au bas du monticule. Mumpo se rendit compte, en regardant le spectacle, qu'il n'y avait qu'un nombre limité de mouvements, et que tout l'art de la lutte consistait à les combiner et à les parer. Les deux combattants sachant comment allait se dérouler un mouvement, l'art du combat consistait à créer des figures attendues et à les modifier au dernier moment. Les meilleurs combattants pouvaient changer de trajectoire, même au milieu d'une suite de figures très rapides. Les mouvements les plus brillants, ceux que le public admirait le plus étaient ceux qui représentaient aussi le plus grand risque.

Le troisième combat mit en scène un manac qui, de toute évidence, était le préféré du public.

– Le voilà ! dit le garde à Pinto. C'est Arno. Maintenant, tu vas vraiment voir ce que c'est que le manaxa.

Celui qu'il appelait Arno était grand et lourd. Il était assez peu probable qu'une telle masse de chair puisse échapper aux lames de son adversaire, plus souple. Mais, une fois que le combat eut commencé, la maestria d'Arno s'imposa à tous. Pivotant sur la pointe d'un seul pied, se baissant très bas et se détendant très haut, il donnait l'impression de ne plus avoir de poids. Ses mouvements étaient si rapides et si gracieux qu'ils semblaient n'exiger aucun effort. D'une manière presque nonchalante, il portait des coups au corps de son adversaire en sillonnant sa peau de minces lignes sanglantes. Lui-même avait la poitrine couturée de cicatrices mais, cette fois, le manac semblait n'avoir aucune chance d'en ajouter une. D'un geste négligent – c'est tout au moins ainsi que les spectateurs le ressentirent –, il le poussa au bord du monticule, et là, presque avec douceur, il lui porta un coup avec sa lame de poing : c'était sa manière d'indiquer au perdant qu'il ferait mieux de sauter. Il relâcha alors sa concentration un bref instant. L'autre, saisissant sa chance, plongea et frappa, enfonçant profondément la lame de son genou dans la cuisse d'Arno.

Pinto hurla. Arno poussa un grand cri d'orgueil blessé. Son poing gauche vola, son bras droit cuirassé para l'attaque, tandis que son bras gauche jaillissait sur le côté pour retourner le coup. Il baissa la tête et fonça en avant. Avec un bruit d'os brisés, sa lame frontale s'enfonça profondément dans la poitrine de son adversaire. Pendant un moment, les deux combattants restèrent immobiles, figés dans une étrange étreinte. Puis Arno recula. Un sang foncé jaillit de sa blessure. Le manac qui venait d'être frappé tomba à genoux, puis il roula par terre, et le sang ruisselant de son cœur forma une profonde flaque rouge sur le sable.

Arno resta immobile, son propre sang coulant le long de sa cuisse sans qu'il parût s'en apercevoir. Puis, lentement, il leva son bras droit en signe de victoire et en hommage au Maître. Les acclamations qui le saluèrent firent trembler les arènes, tandis que des milliers de voix hurlaient leur joie devant le meurtre.

– Il aurait dû sauter avant, dit le garde, en hochant la

tête, tandis que les garçons de l'arène emportaient le mort.

– C'est horrible, dit Pinto d'une voix tremblante, en regardant la foule qui hurlait et tapait des pieds.

– Oui, dit Mumpo. Mais c'est beau.

Plus personne ne mourut au combat, cet après-midi-là. Lorsque le manaxa prit fin, les prisonniers choqués et excités à la fois furent félicités par leurs gardes.

– C'est votre premier jour dans la Seigneurie, et non seulement vous assistez à un manaxa, mais en plus vous avez une mise à mort ! Quelqu'un veille sur vous !

Ira Hath murmura à son mari :

– Quel genre de peuple est-ce donc ? Pour faire d'un meurtre un spectacle ?

– Des gens comme nous, dit Hanno tristement. Des gens comme nous.

Marius Semeon Ortiz donna un ordre ; les soldats se rangèrent et commandèrent aux esclaves de se lever. Après cette heure de repos sur l'herbe douce, il était d'autant plus dur de se remettre en marche.

– C'est encore loin, Pa ? demanda Pinto.

– Je ne sais pas, ma chérie. Tu veux que je te prenne sur les épaules ?

– Non, ça va.

Pinto n'avait pas demandé une seule fois à être portée. Au tout début de la marche, elle avait été sur le point de le faire. Quand ses jambes étaient si fatiguées que ses muscles tremblaient même au repos, elle s'était dit : « Je vais bientôt demander qu'on me porte. » Mais le simple fait de savoir qu'elle pouvait le faire lui avait suffi et elle s'était battue seule. Maintenant, elle savait qu'elle ne le demanderait jamais.

La colonne d'esclaves descendit la route en pente,

puis avança dans une sorte de tranchée entre de hauts talus avant de passer sous un tunnel. Soudain, ils entendirent le bruit de la foule et virent la lumière du soir sur le sable, devant eux. Ils comprirent alors qu'ils marchaient dans l'arène même.

Les spectateurs étaient restés sur les gradins, car le Maître n'avait pas encore quitté la tente. Marius Semeon Ortiz chevauchait en tête de la colonne ; il éperonna son cheval pour gravir le monticule. Là, il fit face au Maître, aussi immobile qu'une statue, tandis que le peuple Manth remplissait l'arène, entourant comme deux bras de fleuve le monticule sur lequel Ortiz se dressait.

Tandis que les prisonniers passaient, la foule des spectateurs applaudissait. Le Maître regardait. Son large visage bienveillant rayonnait de satisfaction, comme si tous ces étrangers épuisés étaient venus lui rendre hommage de leur plein gré. Bowman, qui suivait son père, leva les yeux vers la tente rouge et or et, pendant un très bref instant, son regard croisa celui du Maître. Le visage barbu et paternel souriait, mais ses yeux restaient durs. En un éclair, Bowman saisit chez lui une volonté implacable et, sous son air souriant, une indifférence glaciale à l'égard du trafic humain qui se déroulait devant lui. Cette impression se transforma rapidement en une constatation : cet homme n'a pas besoin d'amour. Il le perdit de vue en entrant sous le tunnel voûté qui sortait de l'amphithéâtre, et il suivit son père dans les sous-sols où étaient aménagées les coulisses des arènes.

En traversant cet espace voûté et sombre, les prisonniers virent les manacs qui s'étaient battus un peu plus tôt. À présent, ils étaient allongés sur des bancs, où l'on panserait leurs blessures et masserait leurs muscles.

Mumpo s'attarda plus longtemps que les autres, regardant avec envie ces corps couturés et luisants. Ils passèrent également devant le corps du manac mort, recouvert d'un drap. Puis ils sortirent de nouveau en plein air et la longue colonne se déroula, descendant la route en pente jusqu'à plusieurs centres de tri.

Ortiz resta immobile sur son cheval jusqu'à ce que le dernier esclave ait quitté les arènes. Alors il salua le Maître très bas, releva la tête, regarda le visage qu'il connaissait, qu'il aimait, et déclara d'une voix forte et claire :

– Maître ! Tout ce que j'ai fait, je l'ai fait pour vous !

Le Maître inclina légèrement la tête.

– C'est bien, lui dit-il de sa voix basse et douce. Vous m'avez comblé.

Ortiz rougit de plaisir. C'était plus, beaucoup plus que tout ce qu'il avait osé espérer. Une inclination de la tête, un sourire peut-être lui auraient suffi. Mais le Maître avait carrément dit, et en public, qu'il était comblé ! Il allait sûrement le faire appeler bientôt pour lui dire le mot qu'Ortiz désirait tant entendre : le mot qui ferait de lui son fils.

Le cœur content, sa fatigue oubliée depuis longtemps, Ortiz éperonna son cheval, descendit du monticule et sortit des arènes.

Les nouveaux esclaves étaient déjà cantonnés dans toute une série de cours communicantes, construites exprès pour eux. Là, dans les granges ouvertes qui se trouvaient dans chaque cour, ils mangeaient des bols de soupe chaude et épaisse, se lavaient dans de longs abreuvoirs, et faisaient la queue pour les latrines. Cette nuit-là, ils dormiraient par terre pour la dernière fois.

Le lendemain, on leur attribuerait un logement et ils commenceraient à travailler.

Les membres de la famille Hath s'allongèrent tout habillés avec les autres. Hanno et Ira dormaient côte à côte, en se tenant par la main, comme d'habitude. Pinto se blottit contre sa mère, et Bowman s'étendit près de son père. Trop épuisés même pour faire un vœu de la nuit, ils se sentaient proches les uns des autres et s'endormirent rapidement.

Tous, sauf Bowman. Allongé, les yeux fermés, il revoyait le visage souriant et barbu du Maître, sentant le pouvoir de sa volonté illimitée.

« Viens vite, Kess. Je ne peux pas y arriver sans toi. »

Sa sœur lui manquait plus intensément qu'il ne voulait le faire savoir à sa famille. C'était la nuit, quand les occupations de la journée ne faisaient plus diversion, que la douleur revenait avec le plus d'acuité. Il n'avait jamais été séparé d'elle plus de quelques heures depuis le jour de leur naissance. Il était tellement habitué au jaillissement désordonné des pensées de sa jumelle, et à la violence de ses désirs, que le silence dans lequel il vivait à présent lui était presque insupportable. Sans Kestrel, il n'était qu'à moitié vivant : et moins qu'à moitié, car elle avait toujours été ce qu'il y avait de plus vivant en lui. L'esprit toujours en mouvement de Kess, sa vivacité, lui manquaient terriblement.

« Où es-tu, Kess ? Reviens-moi. Je ne peux pas vivre sans toi. »

Il donna libre cours, dans la nuit silencieuse, à son désir d'être près d'elle, essayant de le faire parvenir aussi loin que ses forces le lui permettaient. Mais où qu'elle fût, elle était encore trop éloignée, et aucune voix ne lui répondit.

DEUXIÈME INTERMÈDE : L'ERMITE

Le grand if se dresse seul, presque en haut d'une colline dont la crête le protège des vents dominants de nord-ouest. Personne ne sait depuis quand il est là, cela fait si longtemps, sans doute plusieurs centaines d'années. Il garde une petite source d'eau claire qui, d'après ce qu'on dit, ne se tarit jamais.

Dogface a choisi le vieil if à cause de sa position isolée et des réserves d'eau douce. Il mange très peu, mais il boit beaucoup. L'arbre a d'autres vertus : comme il ne perd jamais ses feuilles, il sert d'abri en hiver et donne de l'ombre en été. Ses plus grosses branches forment une fourche au-dessus du tronc principal où Dogface a pu se construire une cabane, petite mais sûre. Et la vue vers le sud est spectaculaire.

Dogface est un ermite, et donc, par définition, il ne possède rien. Il occupe une petite maison douillette dans l'arbre, recouverte d'un toit de chaume, mais elle ne lui appartient pas. Il se sert d'un seau d'eau au bout d'une longue corde, mais ne le possède pas. Et un long chat gris, mince et sinueux, nommé Mist, lui tient compagnie, mais il n'est pas à lui non plus. Là, de toute façon, aucun doute n'est possible : Mist n'appartient à personne.

Ce matin-là, le matin où tout change, commence de la même manière que n'importe quel autre jour. Quand Dogface se réveille à l'aube, Mist est là, comme d'habitude, assis sur le rebord de la fenêtre sans vitre, et il le regarde d'un air légèrement désapprobateur.

– Je me demande vraiment, dit Dogface en se redressant, en s'étirant et en secouant sa chemise de nuit, pourquoi tu t'obstines à rester avec moi. Tu sembles goûter si peu ma compagnie !

– Je ne reste pas avec toi, lui répond Mist. Je suis là. C'est toi qui es dans mon entourage.

– C'est ce que tu dis, Mist, c'est ce que tu dis.

Dogface se fraie un chemin jusqu'au trou de son arbre-maison à travers lequel il se soulage. Une étroite ligne de feuilles marron, juste en dessous, dans l'if, témoigne de la cascade quotidienne, de même qu'un cercle d'herbe jaunie sur le sol.

– Et pourtant, poursuit l'ermite, moi je crois que tu m'aimes bien, sinon tu choisirais une autre compagnie.

– Tu crois ça ? s'exclame Mist. Et pourquoi ?

– Je ne dis pas qu'il y a une raison pour ça.

Dogface n'est pas un homme vaniteux. Il sait qu'il est terriblement laid, avec ses longs traits tombants, comme certains chiens, et son œil abîmé. Il sait qu'il sent mauvais, non qu'il s'en aperçoive lui-même, mais parce qu'il ne s'est pas lavé depuis qu'il s'est installé dans l'arbre, c'est-à-dire depuis trois ans, huit mois et onze jours. En outre, il sait qu'il n'a rien à offrir au chat pour la bonne raison qu'il n'a rien. Mais le chat choisit quand même de rester.

– J'en suis venu à la conclusion, dit-il, en déroulant la

corde au bout de laquelle pend son seau, que ta gentillesse avec moi, que je n'ai absolument pas méritée, vient sans doute de ta nature affectueuse.

– Ma nature affectueuse ? – Mist regarde l'ermite qui fait descendre son seau jusqu'à la petite mare, au pied de l'arbre. – Tu sais très bien que je suis incapable d'affection.

– C'est ce que tu dis, Mist. C'est ce que tu dis.

Dogface remonte régulièrement la corde et ramène le seau lourd et vacillant, qui dégouline d'eau, dans l'arbre-maison. Il le tend au chat. Mist saute du rebord de la fenêtre et boit trois ou quatre gorgées dans le seau plein à ras bord. Quand il a fini, c'est au tour de Dogface de boire, longuement, calmement. Puis il s'éclabousse la figure avec le reste. Rafraîchi, il respire à fond et s'installe pour chanter sa chanson du matin.

Si un promeneur était passé par là, mais ce n'est pas le cas, car il n'y a ni route ni chemin à perte de vue, il n'aurait rien entendu de la discussion entre l'ermite et le chat. Cette conversation a eu lieu, mais en silence. Dogface a vécu seul si longtemps qu'il a oublié qu'il existe une sorte de langage qui produit des vibrations dans l'air. Quant à Mist, ainsi que tous les chats, il ne peut pas parler. Mais de toutes les autres manières, à l'exception du son, Mist et Dogface ont des conversations ordinaires, comme n'importe qui. Et si Dogface y songeait un instant, il comprendrait que c'est là sa qualité principale aux yeux du chat. Les espèces animales les plus réfléchies apprécient grandement de converser avec les humains, mais très peu d'êtres humains savent comment faire. Mist trouve que Dogface est ridicule et que son choix de vie est incompréhensible mais, au moins, il répond quand on lui parle. Du point de vue de

Mist, on ne peut pas savoir quels sont les humains qui ont ce don. Tout ce qu'on peut faire, c'est s'adresser à eux et voir s'ils vous entendent. « Ce n'est pas étonnant, pense Mist, vu l'absurdité générale de cette existence, que le seul être humain qui sache répondre soit un ermite borgne vivant dans un arbre. »

La conversation entre l'homme et le chat s'est déroulée en silence. Mais le chant de Dogface n'est pas silencieux. C'est un autre lien qui attache Mist à l'ermite. Il a appris à aimer ses chansons. Celle du matin, en particulier, lui donne envie de s'étirer doucement, tandis que la mélodie sans mots murmure et bourdonne autour de l'arbre-maison, évoquant la vie, la vigueur et la joie d'un jour nouveau. Dogface a des douzaines de chants. Il y a celui du repas, celui du coucher, des chants pour les jours de pluie et des chants pour le soleil, des chants pour les crampes et d'autres pour les indigestions, et des chants pour la solitude. Mist les connaît tous, à présent.

Quand la chanson du matin touche à sa fin, le chat sort de l'arbre-maison et marche sur l'une des grandes branches de l'if. Là, il choisit sa place et s'allonge, immobile et silencieux, en attendant son petit déjeuner.

Dogface finit sa chanson, se lève, s'étire si haut qu'il pousse le dessous du toit de chaume de la paume de ses deux mains, puis il secoue sa robe de jour. C'est le vêtement le plus simple qu'on puisse imaginer : une tunique à longues manches bouffantes, en laine grossière, écrue, et qui traîne presque par terre. Dogface ne la lave jamais, mais tous les matins il la secoue violemment par la fenêtre, espérant ainsi en chasser la poussière.

Lorsqu'il secoue sa robe de jour, c'est comme un signal pour les oiseaux. Ils quittent aussitôt les divers endroits où ils sont perchés, virevoltent dans l'air, puis

116

vont se poser sur les branches qui entourent la porte de l'ermite. Dogface passe sa robe par la tête, l'enfile d'un seul coup et sort sur la grosse branche qu'il appelle sa véranda. Là, à douze mètres au-dessus du sol, il s'assied sur une protubérance qui lui offre un siège confortable, usé et poli par son derrière, tandis que tous les oiseaux viennent se percher sur lui.

Les oiseaux adorent Dogface ; surtout les petits, les mésanges, les rouges-gorges et les chardonnerets. Un couple de pics-verts habite dans l'arbre et ne manque jamais de venir le saluer. Il se pose toujours à la même place, sur son épaule gauche. Les étourneaux viennent chaque matin, comme des voyous bagarreurs, mais ils ne restent jamais longtemps. Les merles aiment se percher sur sa tête, et les moineaux sautillent sur ses cuisses et ses genoux.

– Bonjour, les oiseaux, dit Dogface en levant un doigt noueux pour lisser les plumes de la gorge d'un pinson. Les jours raccourcissent. Les martinets vont nous rejoindre d'un jour à l'autre.

Les oiseaux lui répondent en pépiant, penchent la tête de côté quand il parle, puis pépient de nouveau. Leur cerveau est trop petit pour soutenir une conversation, mais ils comprennent assez bien l'ermite et trouvent que tout ce qu'il dit est intéressant. Ils sont fiers qu'il soit venu dans leur arbre. L'assemblée du matin leur donne matière à penser toute la journée et apporte de la variété à leur vie. Dogface le sent, aussi essaie-t-il de dire au moins une chose nouvelle par jour, comme un calendrier sur lequel une pensée pleine de sagesse est imprimée sur chaque page. Mais tout d'abord, il reçoit ses cadeaux.

Il tend les mains et les oiseaux emplissent l'air de

leurs ailes battantes en lui apportant leurs offrandes. Depuis le temps que Dogface est avec eux, ils ont appris à connaître ce qu'il aime et ne lui offrent plus de vers de terre ni de scarabées. Maintenant, chaque matin, ses mains sont remplies de baies, de grains et de graines, de noix et de noisettes soigneusement sorties de leur coque. Dogface attend qu'une main soit pleine, met de côté certaines de ces offrandes pour ses provisions d'hiver, et introduit le reste dans sa bouche. Il mâche tout à la fois les graines et les fruits, puis tend de nouveau la main pour en avoir davantage. C'est son seul repas de la journée, et il lui est entièrement fourni par ses amis les oiseaux. En hiver, ils ne le nourrissent pas, car ils ont du mal à trouver de la nourriture pour eux, aussi hiberne-t-il, mourant à moitié de faim, jusqu'au printemps. Heureusement, il connaît un chant pour la faim qui chasse presque toute la douleur.

Une fois que la dernière offrande des oiseaux est reçue et mangée, ils se posent de nouveau sur lui, le recouvrant complètement, et écoutent sa pensée du matin.

– Ma mère, dit Dogface, m'a toujours affirmé que j'étais un beau bébé. Elle m'a fait un joli petit bonnet bleu.

Les oiseaux ne voient rien de drôle dans ce que Dogface leur dit. Ils ne savent pas qu'il est laid. Ils ne savent pas non plus ce qu'est un bonnet. Cela rend ses paroles beaucoup plus intéressantes.

Mist, sur sa branche, entend tout, mais il ne fait aucun commentaire, car il est occupé à hypnotiser un moineau. Le malheureux oiseau a croisé le regard de Mist et il n'arrive plus à en détacher les yeux. À présent, le chat rampe vers lui, et l'oiseau, figé sur sa brindille, ne pousse qu'un tout petit cri quand il se jette sur lui.

Dogface entend le chat bondir et le voit s'enfuir avec

l'oiseau dans sa gueule ; il marque sa réprobation d'un hochement de tête. Quand Mist revient quelques minutes plus tard, l'ermite le gronde gentiment.

– C'est vraiment dommage, Mist. Je t'avais déjà demandé de ne pas manger mes amis.

– Mais ce ne sont pas mes amis, répond Mist en s'installant sur les genoux de l'ermite pour digérer son petit déjeuner.

– Tu ne pourrais pas manger des souris ou quelque chose comme ça pour me faire plaisir ?

– Pourquoi devrais-je te faire plaisir ?

– Allons Mist, tout ça c'est de la pose. Tu sais très bien que je suis ton ami.

– L'amitié n'est rien de plus qu'un mélange d'habitudes et de commodités.

– Regarde-toi ! Tu n'es pas bien, là, en train de ronronner sur mes genoux ?

– Le corps humain est une source de chaleur.

– Le corps humain ! Tu veux dire mon corps ! Mon corps à moi !

– Oui, tu es la personne disponible la plus proche.

– Alors que feras-tu quand je mourrai et que mon corps sera froid ?

– Je m'arrangerai.

Dogface hoche de nouveau la tête d'un air sceptique et caresse le dos du chat d'un mouvement ferme, comme Mist aime. Au début, quand ils ont fait connaissance, l'ermite ne caressait pas bien. Mais Mist l'a dressé. Maintenant, être caressé par lui est un vrai plaisir. Dogface le frotte dans le bon sens, à un rythme régulier, en appuyant juste ce qu'il faut.

– Est-ce que tu as l'intention de mourir bientôt ? demande Mist.

– Quand l'heure viendra, répond Dogface.

– Oh, je vois. Juste le cours normal des choses. – Le chat perd tout intérêt pour cette question. – Continue à me caresser !

Dogface n'ajoute rien, car il ne veut pas faire de peine à son ami, mais lorsqu'il dit : « quand l'heure viendra », il ne se réfère pas à l'ordre courant des choses. Dogface, l'ermite des arbres, fait partie du Peuple du Chant, et comme tous ceux de son peuple, il attend l'appel. Ces derniers temps, il a senti des frémissements venant de loin, des changements et des tressaillements dans l'air qui le rendent plus vigilant que d'habitude. L'appel est pour bientôt, il en est sûr.

Tandis que le chat fait un petit somme sur ses genoux, l'ermite fait ses exercices d'oubli. Il commence par les extrémités de son corps en prenant conscience de ses pieds nus, qui pendent de la branche et se balancent dans l'air frais. Puis, il bouge les chevilles et oublie ses pieds : il les repousse hors de son esprit, et ils n'existent plus. Il sent ses tibias et ses mollets, que chatouille le bas de sa robe, puis il les oublie à leur tour. Ses cuisses et ses fesses, comprimées entre la branche de l'arbre et le chat endormi ; son estomac qui digère doucement des baies et des noix ; ses poumons qui respirent l'air doux ; son cœur qui bat lentement ; ses bras, dont l'un bouge et l'autre est immobile ; il sent chaque partie de son corps, l'identifie, puis s'en débarrasse. Finalement son visage, la caresse de la brise, le froissement des feuilles, la lumière dans son œil qui voit, et le cerveau qui sait toutes ces choses, tout disparaît et est oublié. Il atteint un calme parfait.

Le papillon d'un bleu brillant arrive en dansant près

des grandes branches de l'if et s'arrête sur l'appui de la fenêtre de la maison de l'ermite. Il reste là quelques instants, ses ailes scintillant au soleil. Puis, il volette de nouveau, tourne autour de la tête endormie de l'ermite et se pose tout doucement sur son oreille.

Dogface se réveille en sursaut et tombe presque de l'arbre. Le chat saute à bas de ses genoux en crachant, le dos arqué.

– Qu'y a-t-il ? demande l'ermite en regardant autour de lui. Qui est là ?

Il sent alors un léger chatouillis sur son oreille gauche. Il baisse la tête et devient silencieux, comme s'il écoutait quelque chose. Puis il acquiesce d'un hochement de tête.

Mist le regarde avec inquiétude. Quelque chose d'inhabituel est en train de se produire. Le chat déteste les changements, surtout les changements sans avertissement ni explication. Il voit le papillon bleu s'envoler loin au-dessus de la plaine sans arbres. Il voit les nuages passer dans le ciel et s'amonceler à l'horizon. Il voit les oiseaux tournoyer, croasser, un vol de corbeaux. Rien d'extraordinaire dans tout cela. Mais l'ermite s'agite bien avant l'heure habituelle.

Dogface se lève et retourne dans son arbre-maison. Il empaquette sa chemise de nuit, son seau et sa corde. Mist l'observe d'un air surpris et irrité.

– Qu'est-ce que tu fais ?

– Je dois partir, lui dit l'ermite.

– Partir ? Partir où ?

– Il faut que je remette un message.

Il ressort sur la branche qui lui sert de véranda et appelle les oiseaux.

– Les oiseaux ! Je dois vous quitter !

Ses mots se propagent rapidement parmi les oiseaux. Ils viennent tous se poser sur les branches qui entourent l'ermite.

– Je m'en vais, leur dit-il. Merci pour votre gentillesse. Je vous le rendrai à ma façon.

Il quitte alors sa branche et flotte lentement jusqu'au sol. Cela ne surprend pas les oiseaux, qui savent tous voler, mais le chat n'en revient pas. Ébahi, Mist regarde l'ermite atterrir doucement sous l'arbre. Le chat descend rapidement le long du tronc rugueux de l'if pour suivre Dogface. Les oiseaux aussi le suivent.

– Comment as-tu fait ça ? Les humains ne savent pas voler.

– Certains y arrivent, dit Dogface, s'efforçant maladroitement de marcher pour la première fois depuis presque quatre ans.

– Très bien, dit Mist, en courant derrière lui. Là, je l'avoue, ça m'intéresse.

Les oiseaux le suivent en un long vol au-dessus de sa tête, s'appelant les uns les autres et interpellant l'ermite. Certains lui disent au revoir, d'autres lui posent des questions, mais ils ne parlent toujours pas d'une façon qu'il puisse comprendre. Dogface est un Chanteur et il pourrait établir le contact avec eux s'il le voulait vraiment, mais tout ce qu'il entendrait, après un long effort, serait : « Qu'est-ce qu'un bonnet bleu ? »

De toute façon, pour l'instant son esprit est ailleurs. Il est tout excité. Si le moment est venu de remettre le message, alors l'autre moment, celui pour lequel il s'est entraîné avec tant d'assiduité, celui qu'il attend depuis si longtemps, doit enfin approcher. Combien de temps faudra-t-il encore attendre ? Cela ne peut plus être qu'une question de semaines, désormais. Il lui faudra plusieurs jours pour trouver l'enfant du prophète ; puis beaucoup d'autres jours avant de rejoindre les autres. Il regrette à moitié d'avoir choisi d'être un ermite des arbres. Ses jambes n'ont pas pris assez d'exercice dans l'if, et elles lui font déjà mal. Il se rend compte qu'il n'arrivera jamais à finir son voyage à temps en marchant. Normalement, aucun Chanteur ne se sert de ses pouvoirs pour ses commodités personnelles, mais Dogface estime qu'il s'agit d'un cas particulier.

– Mist, dit-il au chat qui gambade à côté de lui, tu viens avec moi ?

– Tu vois bien, lui répond le chat.

– Alors, il vaut mieux que tu montes sur mes épaules. Je vais aller trop vite pour toi.

– Je ne vais peut-être pas rester avec toi très longtemps.

– Si tu veux descendre, il suffit que tu me le dises et je m'arrêterai pour te laisser partir.

Mist grimpe et s'installe sur l'épaule droite de l'ermite.

– Tiens-toi bien !

Dogface se concentre intensément et se met à fredonner un chant que le chat n'a jamais entendu auparavant. Il s'élève bientôt en l'air, à quelques centimètres du sol, se penche en avant, pour trouver une bonne inclinaison et plane au-dessus du sol. Au début, il va lentement. Puis, il prend de la vitesse, sans gagner d'altitude. Bientôt, il file aussi vite que les nuages qui passent dans le ciel.

Mist, toutes griffes dehors, s'agrippe à la robe de l'ermite, mais une fois qu'il s'est habitué à la vitesse du voyage et qu'il a trouvé son point d'équilibre, il sent l'excitation le gagner.

– Ça, c'est quelque chose, s'écrie-t-il. J'adore ça !

Il tend son museau fourré en avant, sent la vitesse lui ébouriffer les moustaches et se demande comment ce serait s'il pouvait voler. Il imagine les mulots fouinant dans l'herbe, ignorant qu'il plane au-dessus d'eux. Il se voit flottant dans l'air dans un silence absolu, sans être vu ni entendu. Il se voit fondant sur une proie, portant une attaque parfaite et implacable.

– Tu dois m'expliquer comment on fait, dit-il à Dogface. Ça, il faut que je l'apprenne.

– Ce serait trop long, lui répond l'ermite. Nous devons aller trop loin. Et finalement, ça ne t'apporterait pas ce que tu cherches.

« Il ne veut pas partager son secret, se dit le chat, sans grande surprise. Mais je le découvrirai. Et alors là… ce sera la fin de l'arrogance des oiseaux ! Ils pourront toujours battre de leurs ailes imbéciles et s'échapper en volant ! Je bondirai, je m'élèverai et hop, tout en haut ! Et plus haut encore ! J'irai les attraper jusque dans les nuages ! »

Mist a trouvé son rêve. Il ira partout où il devra aller, il fera tout ce qu'il faudra faire, mais un jour, il sera un chat volant.

8
KESTREL APPREND À DANSER

Les vêtements noirs de Kestrel, délavés par le voyage, furent emportés et brûlés. À présent, elle portait le costume des servantes de la Johdila, une robe simple, vert pâle, avec une petite coiffe blanche sur la tête. La voix du Chanteur de Vent se balançait autour de son cou, contre sa peau.

– Maintenant, tu ressembles à Lunki, lui dit Sisi. Tu es simplement plus mince.

Toutes deux passaient la plupart du temps dans le carrosse de la Johdila, tandis qu'il traversait les plaines et les collines en cahotant. Mais dès que Sisi sortait, Kestrel l'accompagnait. Les autres membres de la cour s'étaient habitués à sa présence et la considéraient uniquement comme une servante de plus.

– Tu ne dois pas y faire attention, chérie. Ils ne comprennent rien à l'amitié. Si on essayait de leur expliquer, ça ne ferait que leur embrouiller les idées.

– Je n'y fais pas attention.

Quand Kestrel n'était pas occupée avec la Johdila, elle s'asseyait et regardait par la fenêtre de la voiture.

– Pourquoi regardes-tu sans arrêt par la fenêtre ? lui demanda Sisi.

Ce n'était pas une objection. Elle voulait simplement savoir. Tout ce que faisait Kess la fascinait.

– Parce que mon peuple est passé par là.

Chaque jour, Kess voyait des signes de leur passage. Leur caravane suivait bien la même route que la marche.

– Oh! dit Sisi, surprise. Tu t'inquiètes toujours pour ton peuple?

– Oui.

– Mais tu ne te soucies pas plus d'eux que de moi, n'est-ce pas? Je suis incroyablement gentille avec toi. Lunki dit que je te gâte trop.

– Si, je me soucie plus d'eux que de toi. Exactement comme pour toi, ton père et ta mère comptent plus que moi.

Sisi réfléchit. Elle aimait beaucoup ses parents, vraiment beaucoup, mais ils n'étaient pas intéressants du tout et, s'ils lui étaient arrachés, comme c'était arrivé à Kestrel, elle n'était pas sûre qu'ils lui manqueraient à ce point.

– Mais ton peuple a disparu, ma chérie, insista-t-elle. Et moi, je suis là. C'est pourquoi je pense vraiment et réellement que maintenant, c'est moi la plus importante.

Kestrel posa ses grands yeux noirs sur elle et Sisi sentit l'émotion qu'elle éprouvait toujours devant la force et le mystère de son amie. Elle sentait qu'elle pourrait regarder Kestrel très longtemps, mais qu'elle n'arriverait jamais à voir jusqu'au fond de son être.

– J'ai un frère, lui dit Kestrel, un frère jumeau, qui est aussi proche de moi que je le suis de moi-même. Il sait ce que je ressens sans que j'aie besoin de le lui dire. S'il mourait, je mourrais. Mais il est vivant. Chaque jour, je me rapproche de lui. Nous serons bientôt ensemble de nouveau, comme nous l'avons toujours été depuis le jour de notre naissance.

En entendant l'histoire de Kestrel, Sisi en eut les larmes aux yeux.

– J'aurais bien aimé avoir un frère jumeau, dit-elle.

– Non, ce n'est pas bon d'être aussi proche de quelqu'un.

– Pourquoi ?

– On a l'impression de ne plus avoir besoin des autres.

– Et alors ? Quel mal y a-t-il à ça ?

– Oh, Sisi, lui dit Kestrel, comment vas-tu affronter ce mariage ?

Sisi haussa les épaules. C'était un sujet qu'elle préférait ne pas aborder.

– On me dira ce qu'il faut faire, et je le ferai. C'est ça, la vie de princesse.

Kestrel détourna les yeux, regarda une fois de plus par la fenêtre, et lui demanda de la façon la plus naturelle possible :

– Tu ne préférerais pas épouser quelqu'un de ton peuple ?

– Quelqu'un de mon peuple ? – Sisi était étonnée par cette question. – Qui ?

– Je ne sais pas. Il doit bien y avoir un jeune homme qui attire ton regard.

– Non, je ne vois pas. Qui pourrait-il bien y avoir ?

– Eh bien…

Kestrel ne voulait pas que Sisi découvre ses intentions, et elle se creusa la tête pour trouver quelques candidats plausibles. Ce ne fut pas facile.

– Ozoh l'augure ? proposa-t-elle enfin.

Ozoh ? Il est à moitié serpent !

– Barzan ?

– Vieux, sinistre et marié.

– Zohon ?

– Il sourit toujours sans raison. Et, de toute façon, il n'aime que lui-même.

Kestrel était impressionnée. Elle ne s'était pas rendu compte que Sisi était aussi perspicace

– Et puis, il y a autre chose, chérie. reprit Sisi. Tous ces gens me sont inférieurs, puisque je suis une princesse, et mon mari doit m'être supérieur. Il doit donc venir d'ailleurs.

– Je ne vois pas pourquoi il devrait t'être supérieur.

– Est-ce que tu épouserais un homme qui te serait inférieur ? Ne sois pas bête, chérie. Ça ne marcherait pas du tout.

– Il pourrait être supérieur sur certains points, et tu pourrais l'être sur d'autres.

Sisi réfléchit.

– Oui, si on voit les choses ainsi, pourquoi pas ? Je pense que ça me plairait assez. Mais de toute façon, il n'y a personne, n'est-ce pas ? Alors autant épouser l'homme que mes parents ont choisi pour moi.

– Eh bien, dit Kestrel, sentant qu'elle avait fait tout ce qu'elle pouvait, je suis contente de ne pas être princesse.

Après un bref silence, Sisi dit d'une voix calme :

– Ce n'est pas du tout ce que les gens croient. Personne ne me dit jamais rien. Je ne vais jamais nulle part. Je ne rencontre jamais personne. Je suis censée être meilleure que n'importe qui d'autre, mais en fait, je suis comme une poupée dans une maison de poupée.

Kestrel fut touchée.

– Tu pourrais toujours cesser d'être princesse.

– À quoi d'autre suis-je bonne ? Je n'ai jamais rien appris. Tout ce que je sais faire, c'est être belle.

– Oh, Sisi.

– Ne répète à personne ce que je t'ai dit. On ne comprendrait pas. La princesse-poupée est censée être rayonnante, heureuse, et…

Elle fit un drôle de sourire à Kestrel, puis détourna son visage.

Pendant qu'elles parlaient, la longue colonne d'attelages s'était arrêtée dans un grondement. C'était l'heure de la leçon de danse de la Johdila. Elles entendirent bientôt Lazarim frapper à la porte, et Sisi baissa son voile en maugréant.

Kess l'accompagna dans la tente sans toit. Le petit maître de danse était dans un état de grande excitation nerveuse.

– Dix jours, Votre Splendeur ! Il paraît que nous arriverons dans dix jours !

– Oui, lutin, je sais. Cet horrible voyage continue et continue encore. Mais il finira bien par se terminer, vous savez.

– Vous ne m'avez pas compris, Princesse. Il ne nous reste plus que dix jours, et vous ne maîtrisez pas les figures de cette danse. Ce sera un désastre. Je serai blâmé. Je serai puni.

– Oui, je pense que vous le serez. Après tout, vous êtes mon professeur de danse.

– Mais, Votre Splendeur, plaida pitoyablement Lazarim, vous n'essayez pas. Comment pourrais-je vous enseigner les différentes figures, si vous n'essayez pas ?

– C'est une danse très difficile, n'est-ce pas, Kess ?

– Oui, dit Kestrel. C'est difficile, mais c'est beau.

Lazarim lança un regard reconnaissant à Kestrel.

– Exactement, Votre Splendeur ! Difficile, mais beau ! Si Votre Grâce voulait faire plus d'efforts et s'exercer un peu, les difficultés disparaîtraient et il ne resterait plus que la beauté.

– Bon, dit Sisi, sans conviction. Je vais essayer un peu. Mais ne m'ennuyez pas.

Elle se mit en position, le pied gauche en avant, le bras droit levé. Lazarim alla se placer à côté d'elle. Le joueur de pipeau et le tambour se mirent à jouer, et Lazarim se déplaça légèrement sur sa gauche. Sisi, qui fit un pas à droite, le heurta de plein fouet.

– Non, Princesse, non ! Le pied gauche recule et glisse sur le côté, comme ça !

– Ah oui ! Je m'en souviens, maintenant.

Ils recommencèrent. Cette fois, ils réussirent à enchaîner les pas de côté, le salut et les pirouettes, mais Sisi n'arrivait pas à s'arrêter quand il le fallait. Elle continuait à virevolter jusqu'à ce qu'elle s'arrête naturellement.

– Non, Votre Splendeur. Il faut tournoyer un moment, puis vous arrêter. Écoutez les battements du tambour. Comme ça !

Il fit une démonstration, tourbillonnant sur la pointe d'un pied, puis s'arrêtant, figé à mi-course, apparemment sans effort, comme si son corps n'avait pas de poids.

– Vous voyez comment je courbe mon corps, Princesse ? En tournant, la courbe du corps contrebalance le mouvement tournant du corps, de sorte qu'il suffit de se redresser juste au bon moment, et...

Il lui montra de nouveau. Kestrel le regardait, fascinée. Elle mourait d'envie d'essayer elle-même.

– C'est facile pour vous, lutin, dit Sisi avec humeur, avec votre corps tout courbé. Je ne crois pas que mon corps se courbe comme ça !

Kestrel ne put résister davantage.

– Je pourrais peut-être vous montrer, dit-elle à Sisi, qu'elle vouvoyait en public.

– Vous pourriez, chérie ?

Sisi eut l'air surpris mais pas du tout offensé.

Lazarim ne fut que trop heureux d'abandonner un moment son élève si réticente.

– Cela pourrait vous aider de regarder les pas plusieurs fois, Princesse.

– Oh, très bien. Je préfère regarder, ça me convient beaucoup mieux. Kess, vous êtes un amour.

Lazarim prit la main de Kestrel qui se mit en position pour commencer à danser la tantaraza. Elle avait regardé le maître de danse plusieurs jours de suite, et sans avoir essayé un seul pas elle-même, elle connaissait par cœur chacun des mouvements qu'il avait montrés pendant les répétitions. Elle tint légèrement Lazarim par la main et tout son corps se mit à vibrer. Elle ne l'avait pas dit à la Johdila, mais en les regardant, elle avait attrapé la fièvre de la tantaraza et n'avait plus qu'une envie : danser !

– Maintenant, dit Lazarim, nous commençons par trois pas à gauche, puis trois pas à droite.

– Je sais, dit Kestrel, mais c'est à la fin que je risque de ne plus très bien vous suivre.

Elle se mit en équilibre sur les pointes, et dès que Lazarim lui toucha sa main, il en eut la certitude : c'était une danseuse. La joie le submergea. Il oublia que son élève était la Johdila et que cette fille n'était qu'une servante. Il voulait danser.

Contrôlant son excitation, maîtrisant son souffle, il monta lui aussi sur les pointes et claqua la langue en regardant les musiciens. Les roulements de tambour commencèrent, puis s'éleva la douce mélodie du pipeau. Il s'élança, elle s'élança avec lui. Il se retourna, et elle était là, souple et confiante. Le salut ne fut pas parfait, mais charmant. Et elle tournoyait, tournoyait, tournoyait encore, lorsque soudain, dans un battement de mains, ses hanches ondulant comme un fouet qui claque, elle s'arrêta. Aussi immobile qu'une statue, elle croisa le regard de Lazarim, un regard brillant, que la danse avait chargé d'une lueur électrique, et click-click-clack ! Click-click-clack ! Elle se rapprocha, le rejoignant par toute une série de pas, puis ils s'éloignèrent aussitôt. Lazarim oublia sa tâche quotidienne, la Johdila, et tout le Royaume de Gang. Il s'abandonna entièrement à la danse.

Kestrel vola avec légèreté dans ses bras. Au début, elle essayait de retrouver les pas qu'elle avait regardés si souvent mais, à présent, c'était comme s'il n'y avait plus de pas, mais simplement des mouvements qui lui venaient aussi naturellement que la respiration. Elle répondait aux incitations du maître de danse sans se rendre compte qu'ils étaient passés au-delà de la stricte forme de la tantaraza, pour se lancer dans les figures rares et très prisées dites de vol libre. Les musiciens jouaient comme s'ils étaient en transe, leurs yeux éblouis suivant chaque mouvement des danseurs, leur rythme de plus en plus rapide poussant la danse à la fois vers la perfection formelle et vers la liberté totale. Sisi regardait, époustouflée, et elle ressentit un élan de tendre admiration pour cette amie extraordinaire.

Quant à Kestrel, elle se sentait comme un oiseau qui

a passé toute sa vie en cage et qui déploie ses ailes pour la première fois, s'élevant sans entraves dans le vent. Elle faisait entièrement confiance à son partenaire et se détendait donc complètement, s'abandonnant sans crainte à la danse. Son cœur battait, ses joues étaient toutes rouges, et pourtant au fond d'elle-même, elle se sentait calme et assurée. Plus rien n'existait que la danse. Elle n'avait plus qu'un souhait : que cela dure, encore et encore !

Lazarim savait mieux que Kestrel que la perfection de la tantaraza, la danse des danses, venait en partie de ce qu'elle tendait vers un point culminant. Il changea de pas, et les musiciens l'entendirent : le tambour se mit à jouer le rythme final, appelé l'ascension. Lazarim n'avait jamais essayé ces figures avec la Johdila, et Kestrel n'avait jamais eu l'occasion de les étudier. Elle sentit aussitôt le changement de pas, et fit de son mieux pour suivre le maître de danse, mais elle perdit inévitablement le rythme. Il la prit des deux mains et la fit tourner gracieusement jusqu'à ce qu'elle s'arrête, puis il s'inclina devant elle.

Elle riait, hors d'haleine, pleine de vitalité et d'une beauté que Sisi n'avait pas remarquée jusqu'alors.

– Excusez-moi, dit-elle, je ne connais pas ces figures.

Lazarim lui prit la main et la baisa en silence. Ses yeux la remerciaient avec une passion sans réserve. Sisi applaudit de ses longues mains, pas trop fort pour ne pas les abîmer.

– Chérie, comme vous êtes belle !

Elle était sincèrement contente. C'était comme si Kestrel était soudain devenue un compagnon d'armes. Elles pouvaient être belles ensemble.

Lazarim revint vers elle.

– Voilà, Princesse, ce qu'est la tantaraza.

– Oui, lutin, j'ai vu. Kess était vraiment formidable, non ?

– Pensez-vous que vous pourrez apprendre cette danse, vous aussi, Princesse ?

– Oh non ! Et vous, croyez-vous que je le pourrais ?

Lazarim soupira. Non, il ne pensait pas qu'elle y arriverait, même au bout de mille ans. Et pourtant, il le fallait bien, d'une manière ou d'une autre.

– Si la servante de Votre Splendeur peut apprendre ces pas…

– Ne soyez pas idiot, lutin ! Kestrel est différente. Vous le voyez bien !

Sisi trouvait que la vie était vraiment mal faite. Elle devait se marier et, pour se marier, elle devait danser ; or, la danse, elle le savait à présent, n'était pas une chose qui lui convenait naturellement. D'autre part, Kestrel dansait comme si elle était née pour ça, mais ce n'était pas elle qui devait se marier.

– Si seulement Kestrel pouvait danser à ma place, dit-elle, je pense que je pourrais me débrouiller avec le reste.

– Sans aucun doute, dit Lazarim. Mais votre futur époux doit épouser une femme, pas deux.

– Vous m'avez dit vous-même qu'une seule danse suffisait.

– En effet, Votre Splendeur.

– Eh bien, comment pourrait-il le savoir ?

– Savoir quoi, Votre Splendeur ?

– Je dois être voilée, lutin. Je ne vous l'apprends pas. Kestrel ne pourrait-elle pas porter mes vêtements et mes voiles et danser à ma place ? Personne ne s'apercevrait de rien !

Kestrel écouta cette proposition en silence. Son esprit travaillait à toute vitesse ; elle se demandait où était son propre intérêt.

Lazarim fit non de la tête.

– Votre père ne le permettrait jamais.

– Je ne vois pas pourquoi on devrait le lui dire.

Le maître de danse la regarda fixement. Elle avait raison. Qui d'autre pourrait le savoir ? Le plan pouvait fonctionner. C'était follement dangereux, bien sûr. Mais ça pouvait marcher.

Sisi aussi fut soudain enthousiasmée par son idée. Elle se tourna impatiemment vers Kestrel.

– Vous feriez ça pour moi, Kess, ma chérie ? Dites-moi que vous le feriez ! Vous savez bien que je peux m'exercer autant qu'on le voudra, jamais je n'arriverai à danser cette stupide tantaraza. Or, si je ne danse pas, je ne pourrai me marier, et si je ne me marie pas, tout ira horriblement mal, il y aura des guerres ou je ne sais quoi et mon père sera furieux !

Kestrel regarda Sisi, puis le maître de danse. Est-ce que cela avancerait son propre plan si elle mettait la robe de mariée de la Johdila et si elle dansait à sa place ? Pour le moment, elle ne voyait pas clairement en quoi. Par ailleurs, si elle disait oui, elle serait mêlée à un secret dangereux, et les secrets étaient toujours une source de pouvoir.

– S'il vous plaît, ma chérie ! Vous seriez si belle dans ma robe de mariée !

Sisi l'observait anxieusement.

Kestrel se rendit compte qu'elle n'avait toujours pas donné de réponse.

– Et eux ? demanda-t-elle en désignant les musiciens du regard.

– Comment, eux ?

– Ils pourraient parler.

La Johdila se tourna vers les musiciens.

– Si jamais vous dites quoi que ce soit sur ce que vous avez entendu ici, vous aurez la langue arrachée, des têtes de lapin enfoncées dans la bouche, et les lèvres cousues.

Les musiciens hochèrent la tête, trop terrifiés pour répondre quoi que ce soit.

– Et vos yeux seront arrachés et brûlés avec des broches chauffées au rouge, ajouta la Johdila, pour ne pas manquer à la tradition.

– Ils ne diront rien, Votre Splendeur, affirma Lazarim.

– Voilà. Personne d'autre que nous trois ne le saura jamais.

Il sembla à Sisi que le problème inextricable qui pesait sur eux depuis le début du voyage était désormais résolu. Elle se sentit fière d'elle.

– Est-ce que les amis disent à leurs amis qu'ils ont fait quelque chose d'intelligent, si c'est le cas ?

– Oui, dit Kestrel.

– C'est le cas, non ? N'est-ce pas une bonne idée ?

– Si, c'est une bonne idée.

Kestrel regarda Lazarim, et leurs yeux posaient la même question inexprimée : « Est-ce que nous y arriverons ? » Pour Lazarim, c'était un don du ciel, la délivrance d'un désastre annoncé. Pour Kestrel, ce n'était qu'une chance supplémentaire que le destin lui offrait. Et bien sûr, cela signifiait qu'elle devrait danser.

– Si je dois danser, dit-elle, il vaudrait mieux que j'apprenne à le faire correctement.

9

L'OMBRE DES CAGES À SINGE

Au lendemain de son arrivée dans la Seigneurie, le peuple Manth fut réveillé par les grincements et les bruits de ferraille des chariots de ravitaillement. Le petit déjeuner consistait en tasses de thé fort et en quiches au lard. Le thé était merveilleusement stimulant et les tartes riches, moelleuses et nourrissantes. Tous sentirent leurs forces revenir.

Bowman et Mumpo firent le tour du centre de tri, repérant les points faibles des murs qui les entouraient. Il y en avait beaucoup. Ils trouvèrent des planches branlantes qu'ils pourraient écarter et des endroits où ils pourraient escalader la palissade en bois. Des soldats montaient la garde à l'autre bout du camp, mais ils n'étaient pas très nombreux et ne semblaient pas très vigilants. Bowman et Mumpo eurent l'impression qu'avec un peu de persévérance, il devrait être possible de forcer les grandes portes barrées de l'extérieur.

– Nous pouvons sortir de là, dit Mumpo.

– Ils nous poursuivraient, dit Bowman. Ils ont des soldats à cheval.

Une autre voix se fit entendre derrière eux.

– Nous pourrions nous cacher.

Ils se retournèrent et virent que Rufy Blesh les avait suivis, qu'il les écoutait. Son regard était farouche.

– Vous pensez la même chose que moi, n'est-ce pas ? leur dit-il. Les soldats ne sont pas très nombreux. Nous pourrions courir jusqu'aux arbres.

– Nous tous ? Les enfants et les vieux aussi ?

Rufy détourna les yeux.

– Non, pas tous. Mais quelques-uns, c'est mieux que rien.

– Non, dit Bowman. Nous devons partir ensemble.

Il fut surpris d'entendre l'autorité qui émanait de sa voix, mais il savait qu'il avait raison. Le peuple Manth devait rester uni.

– Alors, nous ne pourrons jamais nous en aller. – La voix de Rufy était cassante. – Vous ne voyez pas ce qui se passe ? Notre peuple est comme un chien battu. Ils ont tous peur, à présent. Ils feront ce qu'on leur demandera. Ils choisiront d'être des esclaves. Vous verrez.

– Pas moi, dit Mumpo. Je me battrai.

– Alors, viens avec moi, Mumpo ! lui cria Rufy. Tu es comme moi, tu n'as plus de famille. Nous pouvons dormir dehors la nuit et nous cacher dans la forêt.

– Et après ? lui demanda Bowman.

– Quoi après ? La liberté !

– Ça ne suffit pas.

Pinto les rejoignit en courant.

– Il faut venir, leur dit-elle. Il y a une réunion.

– Bien sûr, dit Rufy Blesh avec amertume. Quoi qu'il arrive, le peuple Manth a toujours une solution : la réunion !

Hanno et Ira Hath assistaient avec tous les autres à la réunion qui avait été convoquée par M. Greeth. Celui-ci était l'un des rares hauts fonctionnaires de la vieille Aramanth qui avait supporté les changements avec dignité.

– Jessel Greeth est un homme de bon sens, dit Hanno à sa femme, mais je ne pense pas qu'il comprenne ce qui nous arrive, ni pourquoi.

– Il vaut mieux être un esclave vivant, dit Ira Hath, que d'être libre et mort.

Hanno Hath se tourna vers elle, stupéfait.

– Qu'est-ce que tu as dit ?

– Je ne sais pas exactement, dit Ira en rougissant un peu. J'ai dit quelque chose ?

– Oui. – Hanno la dévisagea d'un air pensif. – Ça ne fait rien.

M. Greeth était debout sur un chariot de ravitaillement, prêt à s'adresser à l'assistance.

– Mes amis, dit-il. Il est temps pour nous de regarder en face notre véritable situation. Notre ville bien-aimée est détruite. Il n'y a pas de retour possible. Nous sommes prisonniers, esclaves, exilés dans une terre étrangère. Que pouvons-nous faire ? Lutter pour notre liberté, alors que nous n'avons pas d'armes ? Essayer de nous échapper alors que nous n'avons nulle part où aller ?

– Lâches ! s'écria Rufy Blesh, du fond de l'assemblée. Voulez-vous vivre et mourir comme des esclaves ?

M. Greeth fronça les sourcils. Hanno Hath s'aperçut qu'il savait déjà ce que M. Greeth allait dire.

– Il vaut mieux être un esclave vivant, déclara ce dernier, que d'être libre et mort.

Hanno se tourna vers sa femme. Ira Hath cligna des yeux et hocha la tête d'un air consterné.

– Lâche, lâche, lâche ! répéta Rufy.

– Je suis peut-être un lâche, dit M. Greeth, sans élever la voix. Tu es peut-être plus courageux que moi. Mais regarde autour de toi. Regarde ton peuple. Vas-tu leur demander à tous de choisir la mort ? Et pour obtenir quoi ?

– Pour l'honneur du peuple Manth !

– Tu leur demandes de choisir l'honneur plutôt que la vie ?

– Plutôt qu'une vie d'esclaves, oui !

Il y eut quelques murmures d'approbation.

– Ne faisons rien dans la précipitation, reprit Jessel Greeth. L'hiver arrive. Nous ne savons pas encore ce que va être notre vie ici. Si elle se révèle insupportable, nous pourrons toujours nous ranger à l'avis de notre fougueux ami. Il sera alors temps de combattre et de mourir. Pour le moment, je propose d'attendre et de voir. Nous avons tout à gagner et rien à perdre en restant jusqu'au printemps.

Il y eut un silence. Puis Miko Mimilith, le tailleur, demanda :

– Je voudrais savoir ce qu'en dit Hanno Hath.

Hanno Hath, bien que simple bibliothécaire, jouissait d'une grande considération ; quant à sa femme, certains disaient qu'elle avait le vrai don de prophétie.

– Je dois vous dire, dit Hanno de sa voix tranquille, qu'à mon avis nous avons moins de temps que vous ne le pensez. Quelque part, mais pas ici, notre pays nous attend. Je pense qu'il faut le chercher avant qu'il ne soit trop tard.

Ses mots déclenchèrent un tumulte.

– Trop tard pour quoi ? Qu'est-ce qui va se passer ? Où est ce pays ? Comment le savez-vous ?

Jessel Greeth tourna les choses de façon qu'il soit presque impossible d'y répondre.

– Vous proposez de partir d'ici, ce qui risque de nous coûter la vie, pour chercher un pays dont vous ignorez où il se trouve et échapper à un destin que vous ne connaissez pas, c'est bien ça ?

– Oui, dit Hanno.

– J'imagine que cette révélation vient de votre femme, notre bonne prophétesse ?

Jessel Greeth ne voulait pas se moquer d'Ira Hath, mais il y avait comme un sourire dans sa voix.

– Oui, dit Hanno.

– Que dit-elle exactement ?

Hanno hésitait, lorsqu'il croisa le regard de son fils. Bowman le regardait calmement.

– Dis-leur, Pa, l'encouragea-t-il.

– Elle dit que le vent se lève.

Jessel Greeth se mit alors à rire ouvertement.

– Le vent se lève ?

Ira Hath bondit, à bout de patience.

– Je ne suis pas votre bonne prophétesse ! s'écria-t-elle. Je ne suis pas prophétesse du tout ! Faites ce que vous voulez. Personne n'a besoin d'écouter ce que je dis.

Au même moment, les portes du centre de tri s'ouvrirent et une troupe de soldats entra, escortant des équipes d'employés aux écritures, avec de grands livres sous le bras. L'assemblée se dispersa. Ira Hath, qui avait envie de frapper quelqu'un, frappa son époux. Elle le repoussa en bourrant ses épaules et sa poitrine de petits coups de poing.

– Ne fais pas ça ! Ne recommence jamais ça !

Hanno Hath ne riposta pas. Il attendit qu'elle se calme pour lui dire :

– Tu sais que c'est la vérité.

– Non !

– Tu savais exactement les mots que Greeth allait prononcer.

– Je devinais.

– Non, ce n'est pas vrai.

– Ça ne sert à rien, Hanno ! Ils n'écouteront pas. Pourquoi leur transmettre les choses ?

– Parce que c'est la vérité.

Elle resta silencieuse, mais elle avait l'air effrayé.

– C'est la vérité, n'est-ce pas ? Quelque chose de terrible va arriver.

Elle acquiesça d'un lent hochement de tête.

Les employés se glissaient parmi les prisonniers, leur attribuant un travail en fonction de leurs compétences. L'un d'eux, son grand cahier à la main, s'approcha d'Hanno Hath.

– Numéro d'esclave ? demanda-t-il.

– Comment ?

– Sur votre poignet.

Hanno releva sa manche et l'employé nota le numéro qui y était marqué au fer rouge.

– Compétence ? demanda-t-il.

– Compétence ?

– Que savez-vous faire ?

– Je suis bibliothécaire.

– Bibliothécaire ? Vous vous occupez de livres, c'est bien ça ? Vous pouvez travailler à l'entrepôt. Ils ont des livres là-bas. Vous !

– Moi ? demanda Ira Hath.

– Numéro. Compétence.

Ira croisa le regard de son mari, tandis qu'elle répondait :

– Prophétesse

– Qu'est-ce que c'est que ça ? demanda l'employé, surpris.

– C'est quelqu'un qui dit ce qu'on ne veut pas entendre.

– Ça sert à quoi ?

– Ça ne sert pas à grand-chose.

– Avez-vous d'autres capacités ?

– Je sais dévisager quelqu'un, dit Ira, en commençant à froncer le nez. Je sais bouger la main doucement de droite à gauche…

– Elle sait coudre, se hâta d'ajouter Hanno, en voyant que les choses tournaient mal. Elle est bonne en couture.

– Couture, dit l'employé, en écrivant dans son livre. Raccommodages de base. Blanchisserie.

Il s'en alla.

– Je n'irai pas, déclara Ira.

– Juste quelques jours, lui dit Hanno. S'il te plaît.

Scooch, qui avait été le meilleur pâtissier d'Aramanth, fut affecté dans l'une des grandes boulangeries. Miko Mimilith fut envoyé chez un fabricant de vêtements pour les couper. Créoth, l'ancien Empereur, ne fut pas facile à placer. Il affirma aux employés qu'il n'avait aucune compétence.

– Vraiment aucune ?

– Rien du tout.

– Le temps doit vous sembler long.

– Oui, répondit Créoth, en effet.

– Eh bien, vous avez l'air en bonne santé. Vous feriez bien de travailler dans une ferme.

Mumpo dit à l'employé qu'il voulait devenir manac. Pinto l'entendit, horrifiée.

– Non, Mumpo ! C'est impossible ! Ils te tueront !

Mais Mumpo resta inébranlable.

– Je peux le faire. Je le sais.

– Nous n'avons jamais eu d'esclave qui veuille devenir manac jusqu'à présent, dit l'employé. Vous savez qu'ils ne prennent que les meilleurs lutteurs ?

– Ils me prendront.

Les employés se consultèrent.

– Eh bien, je pense qu'on peut toujours l'envoyer là-bas. Ils décideront.

Bowman demanda à être gardien de nuit. La raison en était simple. La nuit, quand tout le monde dormait, il pourrait essayer d'entendre Kestrel.

– Gardien de nuit, écrivit l'employé dans son livre.

Une fois que la liste fut complète, les esclaves furent emmenés vers leurs nouvelles affectations. En sortant du centre de tri, des soldats armés se promenèrent parmi eux et séparèrent quelques esclaves de leurs groupes d'amis ou de parents. Pinto fut choisie dans le groupe de la famille Hath et mise à l'écart.

– Où l'emmenez-vous ? demanda Ira Hath.

Les soldats restèrent muets, mais la réponse vint bien assez vite. Des deux côtés de la route pavée s'allongeait une file de cages à singe, les portes ouvertes, et dont certaines étaient déjà pleines. Une vingtaine de personnes furent entassées dans chaque cage. L'espace qui se trouvait sous les grilles qui servaient de plancher était bourré de fagots de petit bois. Pinto se mit à trembler violemment. Hanno lui cria, avant d'être repoussé par les gardes :

– Il ne t'arrivera rien, ma chérie. Je viendrai te chercher à la fin de la journée.

Il n'y eut ni menaces ni explications. Tout le monde avait compris la fonction des cages en fer. Bowman et

Mumpo devinrent pensifs. À présent, ils savaient que les murs qui les entouraient étaient impossibles à percer, impossibles à franchir, même s'ils étaient invisibles. Toute tentative d'évasion, le moindre acte de désobéissance et ceux qu'ils aimaient seraient brûlés vifs. Dorénavant, ils allaient vivre dans l'ombre des cages à singe.

Hanno sentit que sa femme bouillait de colère.

– S'il te plaît, Ira, l'implora-t-il, contrôle-toi, pense à Pinto.

Puis ils se séparèrent, chacun rejoignant l'endroit où il devait travailler.

Mumpo, debout devant l'entraîneur en chef de l'école de manaxa, attendait que celui-ci lui dise quelque chose. Lars Janus Hackel était assis derrière son bureau et le détaillait des pieds à la tête.

– Ah! grogna-t-il, peu impressionné par le physique de Mumpo.

Il se leva et palpa les muscles du jeune homme de ses mains énormes. Autrefois, à l'époque de sa carrière dans l'arène, il avait été une grande masse de muscles. À présent, il n'était plus qu'un gros tas de graisse. Les cicatrices qui sillonnaient toutes les parties visibles de son corps s'étaient froncées et avaient tourné au violet, ce qui lui donnait l'air d'une saucisse crue qu'on aurait essayé de faire passer dans un filet.

– Tu es mou, dit-il à Mumpo.

Il n'y avait rien dans ce garçon au visage rond et aux bras ballants qui témoignât de quelque disposition que ce fût pour le manaxa. Hackel n'était pas intéressé par les rêveurs romantiques qui se faisaient hacher en morceaux dès le premier round. Le manaxa était un art, pas une exécution. Il se détourna, prêt à le congédier.

– Va-t'en.

– Je peux y arriver, dit Mumpo.

– Va-t'en.

– Mon corps sait ce qu'il faut faire.

– Va-t'en. – Hackel se retourna. – Qu'est-ce que tu as dit ?

– Mon corps sait ce qu'il faut faire.

Hackel le regarda longuement. Bien des années auparavant, lui-même avait eu exactement la même sensation et il avait prononcé les mêmes mots. Pendant neuf ans, il avait été un champion invincible. Se pouvait-il que ce gamin empoté ait la grâce ?

Il se laissa retomber sur sa chaise, grognant sous l'effort, et réfléchit.

– Très bien, dit-il enfin. Je vais voir ce que tu peux faire.

Hackel était un homme raisonnable. Ce n'était pas la peine de tuer ce garçon uniquement parce qu'il caressait un rêve insensé. Il appela l'une de ses recrues les plus récentes, un bon lutteur, solide, qui s'appelait Benz.

– Mets tes protections pour l'entraînement. Je veux essayer un nouveau.

Mumpo se déshabilla et enfila les jambières et les brassards ; à la différence de ceux qui étaient portés dans l'arène, les lames aux genoux, aux poignets et sur le casque étaient remplacées par de grosses bosses de métal. Il fut emmené sur un ring d'entraînement où un plancher en bois surélevé remplaçait le monticule sablonneux de l'arène. Son adversaire lui donna une tape amicale sur un bras et lui dit :

– Ne t'inquiète pas, je ne te ferai pas mal.

– Tu ne me toucheras pas, lui répondit Mumpo.

L'assurance de Mumpo étonna l'entraîneur. Soit ce garçon était très fort, soit il était très bête.

Pour Mumpo lui-même, qui faisait les exercices d'assouplissement préparatoires, c'était très simple. Il sentait qu'il pourrait se battre dans le style du manaxa, mais surtout, il en mourait d'envie. Il y avait une violence en lui, comme un moteur qui l'entraînait, et que Hackel percevait vaguement, sans en comprendre l'objet. Mumpo voulait apprendre à être manac pour retourner ensuite son pouvoir meurtrier contre ses maîtres.

L'entraîneur alla s'asseoir sur un banc au bord du ring et fit signe à Benz de commencer. Benz sortit en dansant, selon la coutume du manaxa. Mumpo le suivit des yeux et imita ses mouvements. Hackel émit un grognement approbateur. Le garçon bougeait gracieusement. Benz se courba alors en se rapprochant de son adversaire pour une attaque genou-poing-genou, mais Mumpo semblait l'avoir prévu. Il bloqua chaque coup par des mouvements nets et rapides ; soudain, il passa derrière Benz et, décrivant un arc de cercle, son poing lui égratigna le dos. Hackel gloussa. C'était un simple tourné-levé, mais c'était bien fait.

Benz se rendit compte qu'il devrait y aller plus fort. Revenant vers Mumpo, il passa à l'attaque dite du marteau-pilon, une volée de coups en levant haut les genoux, destinés à anéantir les défenses de l'adversaire. Mumpo sut instinctivement comment réagir : il se pencha en arrière, puis fonça en avant en portant un seul coup de poing à la tête de Benz. Le choc ne fut pas très puissant, mais il fit perdre l'équilibre au lutteur. Mumpo se rapprocha et, par une série de coups de genou et de poing, il fit tomber son adversaire à terre.

– Stop ! Stop ! Stop !

Hackel était ébahi par la férocité de Mumpo.

– Ce n'est pas la peine de le tuer !

Mumpo recula, sautillant toujours d'un pied sur l'autre, tellement chargé d'agressivité qu'il continuait à donner des coups de poing en l'air, devant lui. Son adversaire se releva, étourdi et tout endolori. Hackel s'approcha de lui, examina son visage et sa poitrine.

– Va t'allonger.

Benz s'éloigna en boitillant. L'entraîneur revint vers Mumpo.

– Eh bien, lui dit-il lentement. Qu'est-ce que ça signifie ?

– Je veux me battre.

– Oui, je vois.

Hackel ne montra pas à Mumpo à quel point il était impressionné. Il valait mieux que ces garçons n'aient pas une trop haute opinion d'eux-mêmes.

– Vous allez m'apprendre ? lui demanda Mumpo.

Hackel pencha la tête de côté, feignant de devoir prendre une décision difficile.

– Tu frappes comme un bébé, lui dit-il. Et tu n'as pas la moindre idée de la façon dont il faut construire une attaque. Mais je ferai quand même de toi un manac.

Dans la cage, la journée de Pinto passait lentement. Ses premières terreurs disparurent rapidement quand elle vit que les autres se plaignaient davantage de l'ennui que du danger. Un groupe, deux cages plus loin, se mit à chanter des chansons jusqu'à ce que ses voisins protestent. La plupart des prisonniers bavardaient ou somnolaient. Des bribes de nouvelles passaient de cage en cage et étaient vivement discutées, tandis que les gardes bâillaient et spéculaient sur ce qu'il y aurait à manger. Pinto restait très sage, craignant d'attirer l'attention de quelque manière que ce soit et de les faire tous brûler. Pour s'occuper, elle pensait à Mumpo, au moment où elle aurait quinze ans et serait assez grande pour l'épouser ; il aurait alors vingt-trois ans, serait beaucoup plus adulte, mais pas vraiment différent. Pas différent du tout.

Hanno Hath fit une brève apparition, juste avant le déjeuner, pour voir comment elle réagissait. Elle lui tint la main à travers les barreaux et lui sourit pour qu'il ne s'inquiète pas pour elle.

– Ce n'est vraiment pas dur, lui dit-elle. C'est simplement ennuyeux.

– Ce sera bientôt fini, ma chérie, l'encouragea-t-il. Il ne t'arrivera rien de mal.

– Je me demande ce qu'ils font quand il pleut.

– J'imagine qu'ils laissent les gens se mouiller sous la pluie.

– Non, je veux dire qu'ils ne doivent pas pouvoir allumer leurs feux.

Son père la regarda avec fierté.

– Tu es la fille la plus courageuse du monde, lui dit-il.

Hanno Hath avait été envoyé dans un immense entrepôt bourré de tous les objets imaginables. À moitié hangar à brocante, à moitié île au trésor, c'était là que s'entassait le produit des innombrables pillages, y compris celui de la récente attaque d'Aramanth. Les chariots qui avaient transporté le butin n'avaient pas encore été déchargés, et il retrouva des livres de sa propre bibliothèque, calés entre des piles de meubles comme du matériel d'emballage.

L'administrateur de l'entrepôt jeta un regard las sur les chariots qui venaient d'Aramanth.

– Pourquoi nous rapportent-ils toute cette camelote ? Des esclaves, ça je veux bien, ils peuvent se transporter tout seuls. Mais qui va transporter et ranger tout ça ? Votre serviteur, bien sûr.

– Que voulez-vous que je fasse ? lui demanda Hanno.

– Voyons. – Il lut la qualification d'Hanno. – Ainsi, vous êtes bibliothécaire. Il vaudrait mieux que vous vous occupiez des livres.

– Qu'est-ce que je dois en faire ?

– Sortez-les des chariots. Mettez-les en piles. Voilà ce qu'on fait, ici. Les chaises avec les chaises, les tableaux avec les tableaux. Les livres avec les livres. Vous apprendrez vite.

– Qu'arrive-t-il aux piles ?

– Ce qui arrive à tout le reste. Elles se dégradent et meurent.

Il balaya d'un geste ample le grand espace bondé dans lequel ils se trouvaient, et reprit :

– Il faut voir ce dépôt comme le monde. Que faisons-nous sur cette terre ? Nous remuons un bout de temps, puis nous mourons.

Hanno s'aperçut qu'on l'avait laissé seul. Pendant un moment, il empila des livres, comme on le lui avait dit. Puis, voyant que l'administrateur ne revenait pas vérifier ce qu'il faisait, il se mit à récupérer certains des ouvrages qui avaient été volés dans sa bibliothèque.

Les livres avaient été sortis en hâte des étagères et jetés en vrac dans les chariots ; plusieurs d'entre eux étaient tombés ouverts et avaient été comprimés sous d'autres objets. Hanno ne pouvait supporter de voir un livre dont le dos était écrasé et les pages froissées. Il prit chaque exemplaire et le remit soigneusement en ordre, lissant les pages épaisses, de couleur crème, jusqu'à ce que leurs bords soient de nouveau alignés. Ce faisant, il jetait un coup d'œil çà et là sur les textes et il commença inévitablement à lire.

Il était si profondément plongé dans des chroniques anciennes Manth qu'il resta sourd aux pas qui approchaient.

– Vous pensez être là pour quoi faire ?

Cette question fut aboyée par une voix tonitruante. Le propriétaire de cette voix, cependant, était un tout petit homme qui portait un chapeau à très large bord.

Hanno se leva d'un bond.

– Je me reposais juste un peu…

– Donnez-moi ça !

Le petit homme tendit impérieusement la main. Hanno lui donna le livre, se maudissant lui-même, terrifié à l'idée que Pinto pourrait souffrir de son manque de vigilance. L'administrateur de l'entrepôt arriva d'un air affairé.

– Professeur Fortz ! Je n'ai pas trouvé d'idée !

– Bien sûr que vous n'avez pas trouvé d'idée ! Vous n'êtes qu'un bouffon ridicule ! Quand avez-vous eu une idée pour la dernière fois ?

Il s'adressa ensuite à Hanno d'un ton accusateur :

– Ce livre est écrit en vieux Manth. Personne ne sait lire le vieux Manth.

– Moi, je sais, lui dit Hanno.

– Vraiment ?

Le petit professeur le regarda avec intérêt.

Il se tourna vers l'administrateur de l'entrepôt.

– Vous n'avez pas besoin de lui, n'est-ce pas ? Vous

ne faites absolument rien ici, je ne vois donc pas pourquoi vous devriez être deux à ne rien faire.

– Eh bien, professeur, je trouve au contraire…

– Ne trouvez pas. Faites simplement ce qu'on vous dit, mon cher.

Il se tourna vers Hanno et l'examina.

– Je parie que vous êtes Manth vous-même.

– Oui.

– Des gens intéressants. Une histoire intéressante. Tout cela est fini, maintenant, bien sûr. Aramanth a brûlé, c'est bien ça ?

– Oui, répondit Hanno.

– Ne me regardez pas avec cette agressivité, mon bon monsieur. Ce n'est pas moi qui l'ai brûlée. Soyez sans crainte, nous ne gâcherons pas vos talents ici. La Seigneurie sait comment utiliser les gens. Bonne journée à vous.

Il fit demi-tour et s'en alla, marchant à une vitesse considérable étant donnée la petitesse de ses jambes. L'administrateur de l'entrepôt courut derrière lui.

– Professeur, que dois-je faire de lui ?

– Rien, lui répondit la voix tonitruante. Je le ferai venir le moment venu. Continuez à ne rien faire, mon cher, comme d'habitude.

À la fin de la journée, les cages à singe furent ouvertes et les prisonniers relâchés. Une nouvelle fournée d'esclave fut mise en rang pour les remplacer. Des petits tapis leur tiendraient chaud pendant la nuit. Hanno et Ira Hath étaient là pour assister à la libération de Pinto, et Bowman aussi. Le long de la chaussée, les gens s'embrassaient et s'étreignaient, tandis que leurs proches leur étaient rendus sains et saufs. D'autres, au même moment, regardaient avec davantage de calme et de tristesse leurs proches monter dans les cages, et les portes de fer se refermer sur eux.

Pinto laissa sa mère la serrer fort contre elle et l'embrasser, mais elle ne pleura pas. Les longues heures passées dans la cage avaient produit leur effet.

– Ce sont des gens mauvais.

Ce fut tout ce qu'elle dit.

– C'est vrai, ma chérie, c'est vrai.

C'était au tour de Mme Chirish de passer la nuit dans la cage. Mumpo était là pour l'aider.

– Je viendrai te voir demain matin, Nanny.

– Tu es un bon garçon, Mumpo.

– Tu n'as rien d'autre à faire que t'allonger et dormir.

– Je n'aime pas gêner les autres, dit Mme Chirish en regardant autour d'elle, mais je suis du côté le plus large et j'ai l'impression de ne pas avoir assez de place.

– Mais si. Tu n'as qu'à te serrer contre les barreaux, là.

– Ah oui. Ça va aller. Alors, bonne nuit, Mumpy. Amis dans les rêves.

– Bonne nuit, Nanny.

En revenant sur la route, Pinto demanda à Mumpo ce que Mme Chirish avait voulu dire par « amis dans les rêves ».

– Quand j'étais petit, j'étais toujours triste, parce que je n'avais pas d'amis. Alors, tous les soirs, quand Nanny venait me border dans mon lit, elle me disait : « Ne t'en fais pas, tu te feras des amis dans tes rêves. »

– Oh Mumpo ! Et c'est arrivé ?

– Oui, quelquefois.

– Mais maintenant, tu nous as nous, n'est-ce pas ?

– Oh oui, ça va bien maintenant… – puis il se rappela
– sauf pour Kess.

– Nous la trouverons, dit Bowman. Ou bien, c'est elle
qui nous retrouvera.

En revenant au centre de tri, ils virent de nouveau les
employés avec leurs grands cahiers et ils apprirent
qu'on leur avait attribué de nouveaux quartiers d'habi-
tation. Ils allaient dormir dans des baraquements spécialement construits pour eux, de petites constructions
de deux étages dispersées dans toute la campagne et
aux abords des villages. La famille Hath fut emmenée,
avec beaucoup d'autres, au quartier d'esclaves n° 17, en
bas de la colline, près du lac.

La longue baraque était divisée en plusieurs pièces
plus petites, chacune donnant sur un passage ouvert.
C'étaient des pièces simples, sans rideaux aux fenêtres
ni tapis sur le sol, mais elles offraient quand même la
possibilité d'avoir une certaine vie privée, et surtout des
lits. Ceux-ci étaient constitués de cadres en bois où
étaient tendues des cordes ; des sacs grossiers, bourrés
de paille, faisaient office de matelas mais, pour les esclaves épuisés, c'était un luxe. Les lits étaient placés les uns
à côté des autres : huit par pièce. Au pied de chacun
d'eux était inscrit un numéro. Pendant un bon moment,
il y eut beaucoup d'allées et venues, tandis que les gens
cherchaient leur place, vérifiant leur numéro au poignet
en marchant. La famille Hath avait été regroupée avec
Mumpo, Scooch, Créoth et Mme Chirish. Bowman, qui
devait travailler la nuit, dîna tôt et alla s'allonger sur son
lit. Il avait encore une heure devant lui.

Créoth apparut plus tard que les autres, au crépuscule, resplendissant de bonheur. Il rejoignit les autres
pour le dîner, dans la grande cuisine commune installée

au rez-de-chaussée et, entre deux cuillerées de soupe, il raconta à qui voulait l'entendre son premier jour à la ferme.

– Des vaches ! s'exclamait-il. Quelles formidables compagnes ! Par la barbe de mes ancêtres, quelle journée !

Il avait appris à traire une vache.

– C'est un truc à prendre, vous savez. Il ne faut pas presser ni tirer. Non, non ! Il faut refermer ses doigts, l'un après l'autre, comme ça.

Il remua les doigts. Tout le monde se mit à rire et il rit, lui aussi.

– Vous pouvez vous moquer, s'écria-t-il, mais vous devriez essayer ! Évidemment, quand je vous montre, ça paraît facile, mais ça ne l'est pas tant que ça !

Créoth n'était pas le seul à avoir apprécié son premier jour de travail. Miko Mimilith était émerveillé par les étoffes qu'il avait trouvées chez le tailleur.

– Je n'ai jamais vu de la soie aussi délicatement tissée. On dirait de l'air, je vous jure. Non, c'est encore plus fin que l'air. C'est comme la pensée !

Le professeur Batch, qui était enseignant à Aramanth, avait été nommé dans l'une des écoles ouvertes pour les enfants d'esclaves.

– Je dois avouer que l'on m'a donné tout ce dont j'avais besoin. Quant à la discipline, eh bien, pas de problèmes ici, croyez-moi. Je dois le dire en faveur de nos maîtres, ils ont su créer un climat de respect pour l'autorité que je ne puis désapprouver.

Mumpo révéla qu'il avait été accepté dans l'école de manaxa. Pinto fut horrifiée.

– Tu ne peux pas faire ça ! Tu ne dois pas ! Ils vont te tuer ! Je ne veux pas que tu meures.

– Je ne mourrai pas.

Il sortit se dégourdir les jambes et elle le suivit.

– Tu seras poignardé à mort. Il ne faut pas que tu meures. Nous avons besoin de toi.

Elle s'accrocha à son bras en le suppliant.

– Dis-moi que tu ne le feras pas.

– Je veux le faire, lui répondit Mumpo. Et je le fais.

– S'il te plaît, Mumpo.

– Laisse-moi tranquille.

– Je ne te laisserai pas partir tant que tu ne me promettras pas d'y renoncer.

– Laisse-moi tranquille !

Il se secoua, essayant de se débarrasser d'elle, mais elle resta agrippée à son bras. La vague impression que Pinto avait raison ne fit que l'exaspérer davantage.

– Lâche-moi, sale petit rat !

Il dégagea brusquement son bras et Pinto tomba par terre. Elle se fit mal à l'épaule et se mit à pleurer. En la voyant recroquevillée sur le sol, en larmes, Mumpo se sentit encore plus furieux.

– Pourquoi tu t'accroches toujours à moi ? lui cria-t-il pour rejeter sur elle la responsabilité de sa chute. Je ne veux pas de toi. Je ne t'aime pas.

Pinto s'en alla sans bruit. Plus tard, sa mère la trouva blottie dans un coin, les yeux rouges d'avoir pleuré, mais Pinto ne voulut pas lui dire pourquoi.

Jessel Greeth, qui logeait dans un autre baraquement, appela Hanno avant la tombée de la nuit. Il était bien conscient que la plupart des Manths avaient trouvé leur premier jour plus supportable qu'ils ne l'auraient cru.

– Qu'en dites-vous maintenant, Hanno ? Vous appelez toujours à la rébellion ?

– Ce ne sera pas simple, admit Hanno.

– On peut le dire ! Non seulement ce ne sera pas simple, mais peut-être pas raisonnable non plus.

– Je pense que nous devrions mettre de côté un peu de nourriture chaque jour. Tout ce qu'on peut conserver. Comme ça, nous pourrons nous nourrir en chemin.

– En chemin, hein ? Il faudrait d'abord partir. Comment ferez-vous ?

– Je ne sais pas.

– Bon, avant que vous ameutiez tout le monde, écoutez bien : on m'a donné un travail au Département de l'Alimentation. J'ai aidé à organiser le repas que vous avez eu ce soir. Ils ont dû voir que j'avais un talent naturel de gestionnaire. Quoi qu'il en soit, mon patron qui supervise tout le secteur est un esclave ! Il m'a montré son numéro marqué au fer rouge !

Hanno regarda le visage rayonnant de Greeth sans comprendre.

– Vous ne saisissez pas ? Les esclaves peuvent monter en grade ! Il y en a qui ont des responsabilités importantes ! Nous pourrions bien nous adapter ici.

– Mais, Jessel, lui dit Hanno, en fronçant les sourcils, ce sont les gens qui ont assassiné nos familles, qui ont brûlé nos maisons !

– Oui, bien sûr, c'est vrai, je m'en rends compte. Mais à quoi ça sert de regarder en arrière, hein ? Nous sommes là, autant regarder devant nous.

– Le problème, c'est que malgré tout ce que ce pays peut avoir de bon, il est construit sur la force et sur la cruauté. Il est pourri à la base.

Greeth eut l'air mal à l'aise pendant un moment Puis, il haussa les épaules et dit :

– Rien n'est parfait. Nous vivons dans un monde réel

Notre devoir est de le rendre le meilleur possible. Réfléchissez, quelle est l'alternative ? Un voyage pour nulle part ?

Sur ce, satisfait d'avoir eu le dernier mot, il s'éloigna pour serrer la main du professeur Batch et partager avec lui les expériences de cette première journée.

Hanno Hath confia ses inquiétudes à sa femme.

– Je ne sais pas comment faire pour qu'ils m'écoutent.

– Ils t'entendent, lui dit-elle. Et bientôt viendra le temps où ils te croiront.

– Quand ?

– Avant l'hiver.

10
UN VISITEUR DANS LA NUIT

Bowman commençait à travailler à la tombée de la nuit. Une lanterne dans une main et un bâton dans l'autre, il fut envoyé dans un pâturage, non loin du lac, pour surveiller un troupeau de vaches. Il devait effrayer les loups qui pouvaient flairer le troupeau et essayer de s'attaquer à un veau.

Une cabane avait été prévue pour le vacher, un petit abri sans fenêtre, pour se protéger de la pluie et du froid ; Bowman s'y installa. Il s'assit à même la terre, la porte ouverte devant lui donnant sur le pâturage et sur le lac, et il se mit à surveiller les vaches qui paissaient, placides, devant lui, arrachant doucement l'herbe. Lorsque les bruits de voix qui venaient des villages voisins s'éteignirent, laissant place au calme, il tourna son esprit vers Kestrel et essaya de l'entendre dans la nuit. Une fois ou deux, il eut l'impression de saisir quelque chose, mais si faiblement et si loin qu'il ne put en être sûr. La lune monta dans le ciel, une demi-lune dont la faible clarté éclairait le palais sur le lac. Les lumières de ces bâtiments magnifiques s'étaient éteintes une à une. Il n'avait pas la possibilité de mesurer le passage des heures, et il lui sembla que le temps lui-même s'arrêtait.

Les étoiles tournaient et la lune traversait le ciel, mais ces cycles étaient hors du temps ; c'est du moins ce que ressentait Bowman. La nuit devint froide. On lui avait donné une longue cape en peau de mouton, qu'il serra autour de lui. Les vaches s'installèrent pour dormir. Le vent se leva et agita l'eau du lac. Le palais sur l'eau était désormais dans l'obscurité. Tout était calme.

Soudain, il entendit un bruit : un frémissement dans l'herbe, et comme un air grave et mélodieux fredonné dans la nuit. Quelqu'un approchait. Bowman prit son bâton et sortit de la cabane, se demandant qui pouvait bien être dehors à cette heure tardive. Le chantonnement s'entendait plus clairement à présent. Sortant de l'obscurité, entrant lentement dans le halo de lumière de la lanterne, apparut alors un affreux bonhomme borgne.

Il se dirigeait vers la cabane. Il tenait ses bras repliés sur sa poitrine, abritant ses mains dans les larges manches de sa robe. Sa robe était un vêtement simple de laine écrue, pas assez épaisse pour le protéger du froid de cette nuit glaciale. Ses pieds étaient nus. Bowman se demanda qui était cet homme et ce qu'il pouvait bien vouloir. Peut-être était-ce un pauvre hère qui voulait partager l'abri qu'offrait la cabane. Ou peut-être l'un de ces êtres solitaires et simples d'esprit que l'on rencontre parfois sur des chemins reculés et qui vivent puis meurent comme les animaux. Pourtant, la mélodie qu'il chantonnait avait une structure musicale qui, une fois qu'on l'avait saisie, était très agréable. Derrière lui, aussi fin qu'une ombre à la lumière de la lanterne, bondissait un chat gris.

L'inconnu arriva enfin près de lui. Il cessa de fredonner, regarda Bowman en silence et, à son tour, Bowman le regarda. Il avait un visage mélancolique et l'un de ses yeux, de couleur laiteuse, ne bougeait pas. L'homme examina Bowman attentivement de son autre œil, comme s'il voulait s'assurer de quelque chose.

– Es-tu le fils du prophète ? lui demanda-t-il.

– Moi ? dit Bowman, extrêmement surpris. De quel prophète ?

– Y en aurait-il plus d'un ?

L'homme se fraya un chemin dans la cabane et s'assit par terre. Puis levant les yeux vers Bowman, il tapota le sol à côté de lui.

– Assieds-toi.

Bowman obéit.

L'inconnu se remit à fredonner. Il semblait le faire de façon délibérée, de sorte qu'il aurait été grossier de l'interrompre ; Bowman resta donc assis en silence et attendit qu'il ait fini. Au bout d'un moment, l'homme cessa de chanter ; il étira ses doigts et les croisa.

– Ah, ça va mieux, dit-il. J'ai des douleurs dans les mains, surtout la nuit, quand c'est humide. Mais tout va bien, maintenant.

– C'est pour ça que vous chantiez ?

– Oui. C'est un chant qui soulage les douleurs dans les extrémités. En vérité, je devrais accepter cette souffrance et m'en servir. Après tout, la douleur n'est qu'une autre forme d'énergie. Mais nous sommes tous loin d'être parfaits.

Il regarda le lac, au-dehors, vers la cité enveloppée de ténèbres.

– Ce doit être le Haut Domaine.

– Oui.

– Es-tu déjà allé là-bas ? L'as-tu vu ?

– Non.

– On dit que c'est vraiment quelque chose. Beauté. Culture. L'esprit humain en fleur.

Bowman regarda le palais-cité avec colère.

– Tout ce que je sais, c'est qu'ils tuent et réduisent les peuples en esclavage.

– Oui, bien sûr, cela aussi.

Le chat gris émergea soudain de l'obscurité et sauta sur les genoux de l'inconnu. Bowman écarquilla les yeux, surpris.

– Vous avez un chat ?

– Je ne peux pas dire que j'ai un chat. Il voyage avec moi.

Mist regarda Bowman avec antipathie. Il demanda à Dogface, dans leur langage muet :

– Qui est cet imbécile ?

– C'est quelqu'un dont nous avons besoin. Je dois m'assurer qu'il sait ce qu'il doit faire.

– Comment ? demanda Bowman.

Dogface avait parlé à haute voix.

– Excuse-moi, je parlais au chat.

– Vous parliez au chat ?

Mist détourna lentement la tête. Il ne voulait plus avoir affaire à ce jeune idiot.

– Laisse-le avec les vaches, dit-il à Dogface, il doit avoir le même niveau d'intelligence qu'elles.

Dogface remarqua les vaches pour la première fois.

– Ils t'ont donc mis là pour garder les vaches ?

– Oui.

– Est-ce que les vaches t'en sont reconnaissantes ?

– Reconnaissantes ? Je n'en ai aucune idée.

– Demande-leur.

– Je ne sais pas parler aux vaches.

– Bien sûr que si. Simplement, tu n'as pas essayé.

– Épargne-moi ça ! dit Mist. Est-ce qu'on doit vraiment rester là

à écouter les vaches en grelottant ?

– Je ne vois pas pourquoi on ne commencerait pas par là, dit l'ermite.

Bowman pensa que ces mots lui étaient adressés.

– Commencer quoi ? demanda-t-il.

L'ermite fixa son œil sain sur la vache la plus proche et lui parla.

– Réveille-toi, mon amie ! Pardonne-moi de te déranger. Le jeune homme, là, voudrait te dire un mot.

À la stupéfaction de Bowman, la vache vint lourdement vers eux. Sa grosse tête se balançait à côté de l'endroit où il était assis, et il sentit le souffle humide de l'animal sur son visage.

– Je pense que tu sais déjà ce qu'il faut faire, l'encouragea l'ermite.

Bowman ne savait absolument pas par où commencer, aussi plongea-t-il simplement son regard dans l'un des grands yeux inexpressifs de la vache, faisant le vide en lui, comme lorsqu'il essayait de joindre Kestrel. Au bout d'un moment, la vache se mit à trembler violemment et Bowman perçut une sorte de vibration. Elle avait peur.

« Tout va bien, dit-il à la vache plus par des sensations que par des mots. Je ne vais pas te faire de mal. »

Lentement, il sentit que l'animal se calmait et ses vibrations laissèrent la place à une lente et unique pulsation sonore : oomfa-oomfa-oomfa. Le gros museau humide de la vache s'approcha encore de lui et son souffle lui effleura de nouveau le visage.

Et, tout à coup, il l'entendit. C'était comme d'entrer dans une pièce pleine de gens, où tout le monde parle en même temps, où toutes les voix se mélangent en un brouhaha confus et où soudain, on entend une voix qui prononce son propre nom. À partir de là, on n'entend plus que cette voix, on la comprend, et toutes les autres sont reléguées à l'arrière-plan. Sauf que la vache n'avait pas vraiment de voix. C'était comme un flot d'observations qui se déversaient. Elle avait des soucis.

« Monstre nuit calme jus d'herbe pas confiance toujours près du veau odeur de mon veau pas de mouvements brusques monstre dort mon propre monstre pâle sous la lune frissonnant… »

– Je suis ton ami, dit Bowman à voix haute pour que l'ermite puisse l'entendre aussi.

« Les amis bougent lentement les monstres bondissent… »

C'était vraiment étrange. La vache ne parlait pas, mais sa réponse lui parvenait clairement, grâce à un ensemble de sensations. Il avait toujours pensé que les vaches étaient stupides. À présent, il comprenait qu'elles fonctionnaient simplement avec plus de lenteur que les êtres humains.

Il leva une main pour toucher la vache, en faisant bien attention de l'avancer tout doucement.

– Je peux être lent, dit-il, en parlant aussi au ralenti.

La vache le considéra gravement.

« Pauvre monstre pas de paix pas de repos mouvements brusques troublent tranquillité monstre triste… »

Incroyable ! La vache pensait que c'était lui qui avait des problèmes.

– Tu as pitié de moi, vache ?

« Triste monstre fonce fonce et drôle de créature au

bâton va brusquement brusquement et il va ha ha ha… »

La vache se moquait de lui, à présent ! À sa façon lente et muette, elle le trouvait amusant.

– Tu peux te moquer de moi autant que tu voudras, lui dit Bowman, un peu vexé. Mais tu as quand même peur de moi.

« Ah monstre blesse monstre blesse tout brusquement brusquement monstre drôle monstre terreur monstre mort et à la fin ha ha ha… »

Bowman comprit.

– Nous, les monstres, nous faisons si peur que vous ne pouvez qu'en rire.

La vache le fixa encore un moment, avec ce qui sembla être à Bowman un air de profonde compassion et une expression qui lui montrait qu'il avait bien compris ce qu'elle éprouvait. Puis elle s'éloigna lentement, à la recherche de son veau.

– Et voilà, dit l'ermite.

– C'est étrange. Je ne vois plus du tout les vaches de la même façon, à présent.

– Formidable, dit Mist. On peut y aller, maintenant ?

– Je n'ai pas encore fini, lui répondit Dogface.

Bowman regardait le chat.

– Est-ce que ça marche avec tous les animaux ?

– Bien sûr. Et avec les plantes. Et même avec les pierres, bien qu'il faille beaucoup travailler pour communiquer avec les pierres.

– Comment savez-vous tout cela ?

– Comment apprend-on quelque chose ? On me l'a enseigné.

– Qui êtes-vous ?

– Tu veux dire que tu veux connaître mon nom ? Les

noms ont une importance exagérée. On peut très bien s'arranger sans eux.

Il frissonnait.

– Vous avez froid !

Bowman retira sa cape en peau de mouton et la posa sur les épaules de l'ermite.

– Vous devriez porter des vêtements plus chauds.

– Je dois avouer que tu as raison. Mais là d'où je viens, c'est très mal vu. Si on a froid, disent-ils, il faut chanter la chanson contre le froid. Ou accepter le froid et s'en servir. Quoi qu'il en soit, c'est très gentil de ta part. Et tu as montré beaucoup de sensibilité avec cette vache. Je vois que tu feras un travail appréciable quand le moment viendra.

– Quand le moment viendra ? Le moment de quoi ?

– De faire ce que tu as demandé.

– Je ne comprends pas. Qu'est-ce que j'ai demandé ?

Dogface frotta son œil malade d'une main et reporta son esprit en arrière.

– Le pouvoir de détruire, je crois que c'est ce qu'ils ont dit. Ce n'est pas ce que j'appellerais un souhait très noble. Ni très intelligent, à la vérité, étant donné que tu possèdes déjà ce pouvoir. Plus de pouvoir que moi, en tout cas.

Le chat, qui écoutait, s'étonna.

– Ce garçon a plus de pouvoir que toi ?

– Oh oui, répondit Dogface. Il a ça dans le sang.

Bowman aussi était abasourdi, mais pour une raison différente. Était-ce là la réponse à son cri dans la nuit ? Et s'il en était ainsi, qui était cet étrange homme borgne ?

– Alors, il pourrait voler, n'est-ce pas ? demanda Mist.

– Il pourrait faire tout ce qu'il veut, répondit l'ermite.

Mais, après avoir réfléchi un instant, il ajouta, en s'adressant cette fois à Bowman, stupéfait.

– Je ne dis pas que ton pouvoir sera suffisant au moment voulu. Mais tu pourras toujours demander de l'aide.

– À quel moment ?

– Au moment de la destruction. – Dogface tendit le bras vers la sombre silhouette de la cité qui se découpait sur le lac. – Tu veux détruire tout ça, j'imagine ?

– Je… je… je ne sais pas exactement.

– Oh, si, j'en suis sûr. – Il parlait d'une manière vague, comme quelqu'un qui se souvient de ce qu'on lui a dit. – Tu as été envoyé pour détruire et pour gouverner.

– Pour détruire et pour gouverner ? Il doit y avoir une erreur, personne ne m'a envoyé. Je suis un esclave. J'ai été amené ici contre ma volonté.

– Contre ta volonté, peut-être. Mais pas contre la leur.

– Celle de qui ?

– Sirène.

Bowman regarda l'ermite d'un air surpris, restant de nouveau sans voix : il n'avait jamais entendu ce nom auparavant, et pourtant, il lui semblait familier.

– Alors, tu vois, il n'y a pas d'erreur. C'est comme avec les vaches. Tu as le pouvoir, mais tu n'as pas encore essayé de t'en servir. C'est uniquement une question de pratique et de volonté.

– Simplement une question de pratique, hein ? dit Mist. Juste une question de volonté ?

Dogface donna un petit coup de coude au chat pour le faire descendre de ses genoux, et il retira la lourde peau de mouton de ses épaules.

– Merci pour la chaleur. Maintenant, je dois repartir.

Il se remit à chantonner.

– Mais je ne sais pas quoi faire ! Vous ne m'avez rien dit. Vous ne m'avez pas expliqué…

L'ermite cessa de fredonner, et il fixa sévèrement Bowman de son œil valide.

– Tu dois perdre l'habitude d'attendre que les autres fassent tout pour toi. Ce n'est pas bon, tu sais. Tu n'apprendras rien comme ça. Pense à la vache et essaie, fais les choses par toi-même.

Dogface tendit le bras, prit le bâton que Bowman tenait à la main et le laissa tomber par terre. Puis il regarda le bout de bois sans parler. Soudain, le bâton se mit à remuer, se leva tout seul et alla se remettre dans la main restée ouverte de Bowman.

– Tu vois ? Ce n'est pas difficile du tout, je t'assure. Maintenant, il faut que je parte. Je n'ai plus beaucoup de temps.

Sur ces mots, Dogface s'éloigna, foulant l'herbe de ses pieds nus, à vive allure. Le chat gris courait à côté de lui.

– Tu dis que ce garçon a plus de pouvoir que toi ?

– Oui, le pauvre ! C'est le vrai fils du prophète.

Bowman resserra encore les pans de sa cape autour de lui et regarda le vieil homme s'en aller. Il avait beau être emmitouflé dans sa peau de mouton, il s'aperçut qu'il tremblait.

« Sirène… »

Pourquoi ce nom inconnu lui était-il si familier ? Pourquoi le faisait-il frissonner ? Pourrait-il vraiment faire les mêmes choses que l'homme borgne ?

Il laissa son bâton tomber par terre. Il le regarda. Se

sentant à la fois idiot et excité, il essaya de se concentrer sur le bout de bois :

« Remue ! »

Il ne se passa rien.

Bowman fixa longtemps le bâton, en le pressant de se lever, de toutes les façons qu'il pouvait imaginer, mais le bâton restait là, sous la lumière de la lanterne et ne montrait aucun signe d'obéissance.

Au bout d'un moment, Bowman s'accroupit et regarda le bâton avec colère ; il avait l'impression qu'il pourrait bouger s'il le voulait mais qu'il refusait obstinément. « Ce n'est qu'une question de pratique », lui avait dit l'inconnu. Mais comment s'exercer s'il ne se produisait rien ?

Bowman ne vit pas le chat gris revenir et s'asseoir silencieusement en dehors du rond de lumière pour l'observer. Toute son attention était concentrée sur le morceau de bois.

« Ce n'est qu'une question de volonté », avait dit l'ermite.

Il s'assit par terre, emmitouflé dans sa cape, comme au moment où l'ermite était arrivé. Il s'aperçut que ses pensées étaient complètement bouleversées par tout ce que lui avait dit son visiteur. Il leva alors les yeux au ciel et suivit la demi-lune qui voguait au-dessus du monde, toujours en mouvement, et pourtant sans paraître jamais arriver nulle part. Puis, l'esprit plus calme, il reporta son attention sur le bâton. Il pensa à la façon dont les choses s'étaient passées avec la vache. Ce bout de bois avait peut-être aussi des sentiments, à sa manière.

Avec plus de respect, il tendit la main vers le bâton et… quoi ? Lui parler ? C'était ridicule. Personne ne parle à un morceau de bois. Il préféra lui accorder toute son attention. Il le parcourut doucement des yeux et, par le regard, il réussit à l'appréhender plus profondément. Il ne lui trouva rien d'inhabituel. Il était, eh bien, comme un bout de bois. C'était un bâton plutôt jeune, pensa-t-il. Il y avait encore de la sève sous son écorce. La partie dure du bois avait une densité agréable et n'était pas friable. Il était de première qualité. Autour de son extrémité lisse, Bowman sentit la marque de nombreuses mains, et l'orgueil du bâton d'avoir été tenu par tant d'hommes qui s'étaient appuyés sur lui de tout leur poids ; il était fier de les avoir soutenus. Il n'avait pas plié, ne s'était pas brisé. C'était un bâton fiable et il le savait.

Bowman le poussa légèrement et le morceau de bois bougea. Pas beaucoup, juste un demi-tour, comme le voulait Bowman. Mais ses mains étaient restées profondément enfouies dans la chaleur de sa cape. Il l'avait fait bouger par la pensée.

Il refoula son mouvement de surprise, décidé à rester calme et à maintenir le contact qu'il avait réussi à établir. Il le fit de nouveau bouger, et le bâton glissa légèrement. C'était un peu comme s'il soufflait sur une feuille : tout ce qu'il avait à faire, c'était de pousser avec son esprit, et le bout de bois sentait sa force.

Dans sa tête, il prit l'extrémité polie du bâton, et celui-ci se dressa doucement, puis se leva, son autre extrémité reposant toujours dans l'herbe. Bowman le souleva presque entièrement et commença à l'attirer vers lui. Mais le jeune homme n'était pas encore assez fort, ou pas assez exercé, et le bâton retomba bruyamment sur le sol.

Le chat regardait, impressionné. Ce garçon avait vraiment du pouvoir. C'était tout ce que Mist voulait savoir.

Il se leva et avança majestueusement vers la lumière

– Tiens ! dit Bowman. Tu es revenu.

– C'est à moi que tu parles ? demanda Mist.

Bowman n'entendit rien, bien sûr. Le chat s'assit et le regarda fixement.

– Si tu as tant de pouvoir, tu pourrais peut-être apprendre à parler ?

– Où est ton maître ?

– Oh, par pitié !

Bowman écarquilla les yeux dans le noir. Il ne décelait plus aucune trace du borgne. La nuit passait, et il devait réfléchir à beaucoup de choses. Il retourna devant la porte de la cabane et s'assit là, les jambes croisées, son bâton et sa lanterne à côté de lui. Mist monta sur ses genoux, s'y blottit et se mit à ronronner. Le garçon le caressa.

– On dirait que tu m'aimes bien, lui dit-il.

– Ah, je t'en prie, dit Mist avec lassitude. Tu me donnes ce que je veux, et je te donne ce que tu veux. Restons-en là !

Cette même nuit, Ira Hath fit de nouveau un rêve : la neige tombait dans un ciel rouge, et la plaine côtière, où coulaient deux rivières, s'étendait devant elle, entre des collines abruptes. Elle cria dans son sommeil : « Attendez-moi ! N'y allez pas sans moi ! » Ses cris la réveillèrent, ainsi que son mari. Hanno la prit dans ses bras et ils parlèrent tout bas.

– Je déteste ce rêve, dit-elle. Ce n'est pas juste. Je voudrais ne plus jamais le refaire.

– Non, ma chérie, ce n'est pas juste.

– Je ne veux pas être une prophétesse. C'est trop fatigant.

– La terre que tu vois dans tes rêves. Est-ce une bonne terre ?

– Oui.

– Est-ce notre terre ?

– Oui.

– Peux-tu nous conduire là-bas ?

– Oui. – Elle se serra fort contre lui et embrassa son visage familier. – Je ne te quitterai jamais. Ils ne peuvent pas m'y obliger.

Hanno l'embrassa à son tour, sans rien dire.

Bowman revint au cantonnement des esclaves au point du jour ; le chat le suivait à une certaine distance. À la première occasion, Bowman prit son père à part et lui parla du visiteur de la nuit.

– Sirène ! s'exclama Hanno. C'était l'ancien pays du Peuple du Chant !

– Cet homme appartenait peut-être à ce peuple.

– Je ne savais pas qu'il existait toujours.

– Qui sont-ils, Pa ?

– Je ne sais pas grand-chose. Si seulement j'avais mes livres !

– Ils ont construit le Chanteur de Vent, non ?

– Oui, c'était un peuple qui n'avait pas de pays, pas de propriétés, pas de famille. Les gens portaient de simples robes et marchaient pieds nus, vivant de la générosité des étrangers. Ils n'avaient pas d'armes, pas d'armures, rien, et pourtant ils étaient les seuls à avoir le pouvoir de résister au Morah.

– Quel genre de pouvoir ?

– Je ne sais pas. Tout a été écrit autrefois. Mais beaucoup de choses ont été perdues.

Il se tut, plongé dans ses pensées.

Bowman ne parla pas à son père du pouvoir qu'il avait découvert en lui-même. Il ne se sentait pas très sûr de lui, et craignait de s'exposer à la curiosité des autres. Pour des raisons similaires, il ne raconta pas que l'inconnu lui avait dit : « Tu es venu pour détruire et pour gouverner. » Lui-même ne comprenait qu'à moitié ce que cela signifiait. Mais ce qu'il comprenait, il le confia à son père, c'était qu'à présent il avait le sentiment de faire partie d'un plan d'envergure.

– Je pense que si je suis ici, c'est qu'il y a une raison, Pa. Je dois sûrement faire quelque chose, je le sais.

– Aucun de nous n'est là sans raison, Bo. Nous devons rester vigilants et attendre notre heure.

Tandis que les autres se rendaient au travail, Bowman alla se coucher dans le dortoir. Mist le suivit silencieusement, sans se faire remarquer, et s'allongea sous le lit. Et, tandis que Bowman glissait dans le sommeil, au moment où il s'y attendait le moins, il saisit le tremblement qu'il s'était efforcé de percevoir nuit après nuit : le son trop lointain pour être entendu, le mouvement trop éloigné pour être vu, le passage d'une ombre dans l'obscurité…

« Kess ! »

Si faible, que même le fait d'y penser fit trop de bruit. Le tremblement avait déjà disparu. Mais c'était sa sœur, il en était sûr.

Elle venait.

11
PRÉPARATIFS DU MARIAGE

Kestrel était allongée sur son lit de camp dans le carrosse de la Johdila, quand elle sentit le bref tremblement qui lui signalait un contact avec son frère. Elle resta aussi immobile que possible dans le véhicule cahotant, mais le tremblement ne revint pas. Quand elle se détendit enfin, après son intense concentration, elle s'aperçut que Sisi était en train de lui parler. Son lit était tout près du sien, dans l'obscurité de la voiture aux fenêtres voilées de rideaux.

– Pourquoi tu ne me réponds pas, Kess ? Tu es fâchée ?

– Non, non. Je pensais à mon frère.

– Oh, ton frère ! Tu penses toujours à lui !

– Tu l'aimerais toi aussi, si tu le connaissais.

– Je ne crois pas, répondit Sisi d'un ton maussade. Je n'aime vraiment personne, à l'exception de Lunki, qui ne compte pas, et de toi.

Mais, comme elle prononçait ces mots, une nouvelle idée germa dans son esprit.

– Est-ce que ton frère te ressemble ?

– Je ne sais pas s'il me ressemble. Il est plutôt comme une moitié de moi-même.

– Il a la même taille que toi ?

– Un peu plus grand.

– Et quoi d'autre ?

– Qu'est-ce que tu veux savoir ?

– Eh bien, de quelle couleur sont ses cheveux ?

– Il a les cheveux bruns, comme moi. Et le teint pâle Il est calme. Il a souvent l'air triste. Il sent ce que les autres ressentent, comme s'il lisait en eux.

– Veut-il se marier avec quelqu'un en particulier ?

– Non. Je ne crois pas. Il est très solitaire.

– Comme moi, dit Sisi.

Bercée par le mouvement régulier du carrosse, elle resta allongée dans son lit moelleux, douillet, laissant une nouvelle idée éclore en elle. Kestrel était sa seule amie, la seule personne en dehors de sa famille qu'elle ait jamais aimée. Bowman était exactement comme Kestrel, sauf que c'était un homme. Pourquoi ne pas l'aimer ?

– Je pense que je vais épouser ton frère, annonça-t-elle brusquement.

Kestrel éclata de rire.

– Tu ne crois pas que tu devrais lui demander d'abord s'il est d'accord ?

– Pourquoi ? Il est forcé de vouloir m'épouser. Puisque je suis si belle !

– Oh Sisi, tu es tellement… tellement..

– Tellement quoi ?

– Si simple. Je ne sais pas comment dire.

– Tu veux dire que je suis idiote ?

– Non, pas du tout. Seulement, il y a tant de choses que tu ne comprends pas !

– Ma mère m'a dit que les hommes voulaient épouser de jolies femmes. Elle m'a dit qu'on pouvait aussi bien être stupide, que ça n'avait pas d'importance du moment qu'on était belle.

– Bowman n'est pas comme la plupart des hommes.

– Tu veux dire qu'il ne veut pas d'une jolie femme ?

– Je ne crois pas.

– Alors, à quoi ça sert d'être belle ?

Elle poussa un petit cri de colère en pensant à tous les efforts inutiles qu'elle avait faits. Devant le silence de Kestrel, elle recommença à crier.

– Arrête ! lui dit Kestrel. Tu ne vas pas crier pour quelque chose d'aussi bête ! On crie quand on a mal.

– D'accord Kess. Mais ne sois pas désagréable avec moi. Sinon, je… non… rien.

– De toute façon, tu ne peux pas te marier avec mon frère. Tu vas épouser cet homme, là, qu'on ne connaît pas.

– Non, je ne l'épouserai pas.

– Tu m'as dit que tu étais obligée de le faire.

– Oui, mais tu m'as répondu qu'à ma place, tu ne le ferais pas.

– Je ne suis pas à ta place.

– Oh, Kess, j'aimerais tellement que tu y sois ! Et moi, je pourrais être toi. Tu vas danser pour moi, tu sais. Tu as déjà commencé à être un peu moi. Et imagine comme tu serais contente d'être aussi belle !

– Non, dit Kestrel.

– Pourquoi ?

– Je préfère être moi.

– Mais si tu étais toi et belle ?

– Ce serait impossible, dit Kestrel. Si j'étais très belle, je ne serais plus moi. Disons que les gens verraient ma beauté, mais ne me verraient plus, moi.

– Quelle drôle d'idée ! Ce n'est pas du tout comme ça.

Elles se turent. On avait dit si souvent à la Johdila qu'elle était belle qu'il lui était difficile de s'imaginer sans cette beauté. Mais bientôt, un homme la verrait sans voile. Que penserait-il d'elle ? Sisi voulait qu'il voie sa beauté, mais qu'il la voie elle aussi.

– Oh, Kess, ma chérie, dit-elle, comme tout est compliqué !

Un peu plus tard, ce jour-là, la Johdila fut convoquée dans le carrosse de ses parents pour que sa mère lui donne des instructions sur la cérémonie du mariage. Kestrel en profita pour aller parler au Commandant des gardes de Johjan.

Elle trouva Zohon en train d'entraîner ses hommes. Il se tenait debout sur une petite estrade qu'il avait fait construire afin de dominer ses troupes et de surveiller ses officiers en train d'aboyer leurs ordres.

– Rotation ! Rassemblement ! Formation croisée !

Kestrel attendit sur le côté, observant les manœuvres. Les longues rangées d'hommes vêtus de leur uniforme violet foncé créaient des motifs compliqués qui allaient et venaient, se rapprochant les uns des autres, comme si, cessant d'être des individus, les hommes étaient devenus un seul et vaste organisme battant d'un même cœur. Zohon avait transformé ses hommes en une superbe machine de combat, et Kestrel s'en félicita. À mesure que son plan mûrissait dans son esprit, elle en venait à considérer les gardes de Johjan comme sa propre armée, une force qui libérerait son peuple.

Enfin, Zohon la vit. Impatient d'apprendre ce qu'elle avait à lui dire, il fit signe à ses officiers de mettre fin à leurs brillants exercices.

– Demi-tour ! Présentez armes !

Les troupes saluèrent leur commandant.

– Rompez !

Zohon s'éloigna vers sa tente de campagne, sans prêter attention à Kestrel. Elle attendit quelques instants, puis le suivit.

Dès qu'ils furent seuls, Zohon fixa sur elle ses yeux brûlants.

– Eh bien ? Lui avez-vous parlé ?

– Oui, dit Kestrel.

– Alors ?

Kestrel baissa la voix.

– La Johdila a très peur.

– Peur ? Continuez.

– Elle a peur de ce pays appelé Seigneurie. Elle a peur de désobéir à son père. Elle a peur de trahir son peuple.

– C'est normal. On lui demande trop.

– Elle pense qu'elle doit faire son devoir, même si…

– Même si son cœur ne penche pas pour ce mariage ?

Le jeune homme mourait d'envie de savoir s'il pouvait se fier à son instinct.

– En effet.

– Et moi ? Vous a-t-elle parlé de moi ?

– J'ai été très prudente. J'ai glissé votre nom dans la conversation.

– Et alors ? Qu'est-ce qu'elle a dit ?

– Rien. Elle a baissé les yeux. Elle est restée muette.

Zohon marchait de long en large sous la tente, méditant sur ces informations.

– Elle a baissé les yeux. Elle est restée muette. Qu'est-ce que ça veut dire ? Eh bien, voilà. Elle n'ose ni regarder ni parler. Et pourquoi ? À cause de la force de ses sentiments! Oui, je parie qu'elle a préféré ne pas prononcer mon nom de peur de se trahir!

Excité par cette conclusion, il revint à Kestrel pour l'instruire de la prochaine phase de son plan.

– Vous devez dire à la Johdila que vous m'avez parlé. Vous devez lui dire que je la sauverai de ce mariage. Mais il faut que je connaisse ses sentiments. Vous comprenez?

– Oui, dit Kestrel.

– Qu'elle m'envoie un message par votre intermédiaire. Ensuite, je saurai comment procéder.

– Très bien.

– Allez-y maintenant! J'ai des choses à faire. La fortune sourit aux audacieux!

Pendant ce temps, la Johdi faisait répéter à sa fille les détails de la cérémonie. Il y avait bien des années qu'elle-même avait fait les cinq pas, mais elle revoyait chaque moment comme si elle y était.

– Ma mère a pleuré toute la journée de mon mariage. Il faudra que je pleure moi aussi, je le sais. Maintenant, la chose la plus importante, c'est de faire des petits pas. Comme ça.

La Johdi fit un petit pas glissé en avant.

– Rappelle-toi: chaque fois que tu fais un pas en avant, lui aussi fait un pas. Il vaut mieux ne pas se cogner l'un contre l'autre! J'ai vu des mariages où il n'y avait plus assez de place pour le cinquième pas. Et tu sais ce que cela signifie?

– Non, maman. Qu'est-ce que ça veut dire?

– Que l'un de vous mourra dix ans avant l'autre. Chaque pas équivaut à dix ans ensemble. Alors, essayons. Je prends la place de l'homme.

Elles se faisaient face, chacune à un bout du salon principal du carrosse royal.

– Les invités applaudissent. Baisse les yeux.

Sisi fit ce que sa mère lui demandait.

– Il avance, alors tu avances toi aussi. Voilà, à toi.

Sisi fit un pas en avant.

– Pause. Il y aura de la musique. Ne lève pas les yeux jusqu'à ce que tu aies fait le troisième pas.

– Pourquoi ne dois-je pas lever les yeux ?

– Au début du mariage, une bonne épouse doit obéir à son mari.

– Mais tu n'obéis pas à papa.

– Seulement au début, ma chérie. Maintenant, c'est moi qui avance. À toi, à présent.

Sisi fit un pas en avant.

– Avant ton mariage, maman, est-ce que tu voulais épouser papa ?

– Bien sûr, ma chérie. Il était le fils du Johanna de Gang. C'est-à-dire du vieux Johanna.

– Mais tu l'aimais ?

– Maintenant, le troisième pas. Comment voulais-tu que je l'aime, ma chérie ? On ne peut pas aimer un homme auquel on n'a même pas eu l'occasion de dire bonjour.

– Et s'il ne t'avait pas plu ?

– Quatrième pas. Tout petit, n'oublie pas !

Sisi avança.

– Lève les yeux. Garde la tête haute à partir de maintenant.

Sisi leva les yeux. Elle n'était plus très loin de sa mère.

– J'ai choisi de l'aimer. Comme tu le feras toi aussi. Cinquième pas.

La Johdi fit un pas en avant et Sisi l'imita. Maintenant elles étaient assez près l'une de l'autre pour se toucher. Sa mère écarta ses mains potelées et déclara :

– Avec ces cinq pas, je suis devant toi comme ton époux. Acceptes-tu d'être ma femme ?

– Et tout ce que j'ai à dire, c'est « oui » ?

– Tu dis oui, ma chérie, et tu seras son épouse.

Sisi sentit une grande tristesse l'envahir. Ne voulant pas que sa mère s'en aperçoive, elle passa ses bras autour de son cou et enfouit son visage dans son ample poitrine.

– Allons, ma petite chérie, allons, allons.

– Maman, dit Sisi, au bout d'un moment, est-ce que tu as été heureuse en épousant papa ?

La Johdi soupira.

– Je ne connais pas d'autre vie, dit-elle. C'est un homme bon. Qui sait si cela aurait été mieux avec quelqu'un d'autre ?

Le soir, quand Sisi fut seule avec Kestrel dans leur carrosse, à l'heure secrète et douce qui sépare le moment où l'on se couche de celui où l'on s'endort, elle attendit d'entendre le ronflement régulier de Lunki, puis elle appela son amie.

– Kess, ma chérie, tu dors ?

– Non.

– Je me demandais… Est-ce qu'il t'est déjà arrivé d'avoir envie de quitter tout le monde, de tout laisser tomber et d'être une personne entièrement différente ?

– Oui, dit Kess, très souvent.

– Mais tu ne l'as jamais fait ?

– Je me suis enfuie, une fois. Mais je ne suis pas devenue une personne différente.

– Tu es revenue chez toi ?

– Oui.

– Est-ce que tout a recommencé exactement comme avant ?

– Non, tout était différent, après ça.

– C'était mieux ou moins bien ?

– Je ne sais pas très bien. – Kestrel réfléchit, voulant répondre avec sincérité. – Je crois que c'était pire. Je n'ai plus jamais eu l'impression d'appartenir à aucun endroit, à partir de ce moment-là.

– Tu n'appartiens peut-être à aucun endroit. Il y a sans doute des gens comme ça.

Kestrel toucha la voix d'argent qui restait suspendue à son cou, le jour comme la nuit.

– Peut-être.

Un silence suivit, pendant lequel Kestrel pensa à l'insistance avec laquelle sa mère avait voulu qu'elle se marie, au fait que Sisi allait se marier et, pour la première fois, elle se sentit proche de la jeune fille.

– Kess, dit Sisi dans le noir, je ne veux pas de ce mariage. Mais je ne sais pas comment l'empêcher.

Un bref instant, Kestrel se sentit partagée. Elle commençait à avoir honte de la façon dont elle utilisait Sisi dans son plan. Mais elle n'avait pas le choix. Elle devait pousser la princesse à jouer le rôle qu'elle lui avait attribué dans son projet si elle voulait que sa propre famille et son peuple aient une chance de retrouver la liberté.

– Tu devrais peut-être en parler à tes parents.

– Ils me diront simplement que je dois me marier. Maman me racontera que ce sera la même chose quelque soit l'homme que j'épouserai, que ce sera difficile au début, mais que je m'y habituerai au bout d'un moment.

– Tu sais, lui dit Kestrel pour apaiser sa conscience, tu n'es pas mariée jusqu'à la cérémonie et c'est dans plusieurs jours. D'ici là, il se passera peut-être quelque chose qui changera tout.

– Peut-être, répondit Sisi d'une petite voix triste. Mais ça m'étonnerait.

Kestrel se força à exécuter la suite de son plan. Elle tendit la main vers Sisi.

– Nous serons toujours amies, n'est-ce pas ? lui demanda-t-elle.

– Oh oui ! Toujours !

– Nous pourrions avoir un signe secret, si tu veux.

– Un signe secret ? Pour quoi faire ?

– Juste pour nous dire que nous sommes amies.

– Oh oui, ce serait bien. Et quel signe on choisirait ?

– Quand nous serons toutes les deux avec d'autres gens, lui dit Kestrel, et que nous ne pourrons pas parler parce que tu es une princesse et que je suis une servante, je presserai la paume de mes mains l'une contre l'autre, puis je croiserai les doigts, comme deux personnes qui s'embrassent. Tu sauras alors que je pense à nous et à notre amitié.

– Oh, Kess ! Quelle bonne idée ! Et moi, quel sera mon signe ?

– Tu feras la même chose que moi.

Il y eut un silence. Puis, la voix de la princesse résonna joyeusement dans le noir.

– Je suis en train de le faire, maintenant. Toi aussi ?

– Oui.

– Je t'adore, Kess. Je n'avais jamais eu de signe secret avec personne, avant.

– Moi non plus.

– Alors, je suis ta première amie secrète, et toi tu es la première pour moi.

Réconfortée par cette pensée, Sisi se décida enfin à dormir.

* * *

Le lendemain matin, en se réveillant, Ozoh le Sage eut une surprise désagréable. La porte de la cage était ouverte, et le poulet sacré introuvable. Il fouilla sa voiture, sentant la panique l'envahir peu à peu.

– Où es-tu, doudou ? Cot-cot-cot ! Où es-tu, ma colombe ?

Le poulet avait disparu. Il n'avait pas pu sortir de sa cage tout seul. Quelqu'un l'avait volé.

Ozoh s'assit sur sa chaise, près de la cage vide, et laissa couler ses larmes sur ses joues peintes. Il aimait son poulet. Il savait qu'il était ridicule d'aimer un poulet, mais ce volatile était un ami pour lui, et il se sentait seul pendant ce voyage.

Puis il sécha ses larmes et réfléchit sérieusement. L'heure de la lecture du signe matinal approchait. Ce ne serait pas très bon pour sa réputation d'admettre qu'il avait perdu son poulet sacré et n'avait aucune idée de ce qu'il était devenu. Il alla donc faire une visite discrète dans les chariots de ravitaillement.

Ce matin-là, la Johdila décida d'assister à la lecture du signe. Plus les jours passaient, plus elle était intéressée par les prédictions. Kestrel l'accompagna, restant discrètement derrière elle.

Ozoh le Sage arriva, escorté par ses gardes. Il portait

son petit tapis et était suivi par son serviteur. Mais Kestrel, comme le reste de la cour, vit que le serviteur ne portait pas le volatile en cage.

L'augure royal se mit à dérouler le tapis sur lequel on lisait le signe, puis il s'assit sur ses talons et l'étudia dans un profond silence, comme si de rien n'était. Le Johanna regardait partout, et il finit par chuchoter bruyamment à sa femme :

– Je ne vois pas le poulet.

– Silence ! intima l'augure royal d'une voix sifflante

– Tais-toi, Foofy, dit la Johdi.

Ozoh se mit à grogner. Il se balançait d'avant en arrière, les yeux fermés en chantonnant.

– C'est la première fois qu'il fait ça, dit le Johanna.

La Johdi regardait, inquiète. Quelque chose de terrible allait arriver, elle en était sûre. Kestrel lança un coup d'œil au Grand Vizir : il observait l'augure, les sourcils froncés, se demandant ce qu'il allait faire. Ensuite, elle posa son regard sur Zohon. Son beau visage lisse n'exprimait pas le moindre sentiment. Kestrel comprit aussitôt que, d'une manière ou d'une autre, il était à l'origine du changement d'attitude de l'augure.

– Harooh ! Harooh ! chantonna Ozoh.

Soudain il bondit, retomba prostré sur le tapis puis, d'un bond, reprit sa position assise sur ses talons.

Là, sur le tapis, tournant sur lui-même, il y avait un œuf.

Toute la cour en eut le souffle coupé. Même Zohon fut surpris.

– Pour voir l'avenir, entonna Ozoh, je dois retrouver le passé ! Le poulet sacré est redevenu œuf.

– Oh Foofy ! s'écria la Johdi terrorisée. Nous allons tous devoir régresser !

– L'œuf, dit l'augure royal, est le signe d'une vie nouvelle, le signe d'heureux commencements.

– Heureux ? Vous en êtes sûr ? Ce pauvre poulet !

– Regardez comment il va s'immobiliser, Petite Mère.

La Johdi se calma. Elle aimait qu'on l'appelle Petite Mère. L'œuf s'était arrêté de tourner.

– L'extrémité rétrécie favorise Haroo. C'est l'aube d'un nouvel âge d'amour. Un signe béni pour le mariage à venir !

Il s'inclina devant la Johdila.

– Alors tout est bien, n'est-ce pas ? dit le Johanna.

– Mieux que bien, Majesté. L'œuf sacré montre la voie. Votre Excellence n'a qu'à le constater elle-même.

– Oui, en effet, je le vois, c'est vrai.

– Vous voyez l'amour. Vous voyez la paix. Vous voyez les soldats rentrer chez eux dans leurs familles en liesse, jeter leur épée, retourner à leur honnête travail, le cœur content.

Kestrel vit Zohon froncer les sourcils et détourner le regard.

– Je vois le petit déjeuner, dit le Johanna ; et, riant cordialement de sa propre plaisanterie, il se leva de sa chaise pliante et rejoignit son carrosse en se dandinant.

Kestrel suivait la Johdila qui se dirigeait vers sa propre voiture, lorsque Barzan s'approcha et demanda à la princesse la permission de parler à sa servante. Sisi fut surprise.

– Vous voulez parler à Kess ? À quel sujet ?

– C'est une affaire personnelle, Votre Splendeur.

Sisi prit Kestrel à part.

– Tu n'as pas envie de lui parler, n'est-ce pas ma chérie ? Il va probablement t'arracher les yeux avec une broche chauffée au rouge. Il veut le faire depuis que je t'ai vue.

– Je suis sûre qu'il a simplement l'intention de me demander quelque chose à ton propos.

– Comment ? Qu'est-ce que tu vas lui dire ?

– Que voudrais-tu que je lui dise ?

C'était une autre façon de voir les choses. Sisi réfléchit.

– Tu pourrais lui dire que je n'aime pas la personne que je dois épouser, quelle qu'elle soit, et que je ne l'épouserai pas.

– Il dira que tu ne peux pas l'aimer si tu ne sais pas qui c'est.

– Oh. Tu crois ça ?

– Je pourrais peut-être essayer de savoir qui c'est, proposa Kestrel.

– Oui, c'est une bonne idée. Tu es vraiment intelligente. Renseigne-toi, et quand tu sauras qui je dois épouser, dis que je ne l'aime pas.

La Johdila rentra dans son carrosse et le Grand Vizir s'approcha de Kestrel.

– Vous avez entendu l'augure, bien sûr, lui dit-il en lui souriant d'une façon qu'il voulait paternelle. L'aube d'un nouvel âge d'amour.

– Oui, dit Kestrel.

– L'amour est dans l'air. L'œuf sacré a montré la voie. – Il baissa la voix. – L'œuf était peut-être tourné vers vous aussi.

– Moi ?

– Je crois que vous avez un admirateur.

– Qui ? demanda Kestrel, sincèrement étonnée.

187

– Le beau Commandant des gardes de Johjan, rien que ça ! Un excellent parti ! L'homme pour lequel toutes les jeunes filles de Gang ont le cœur qui bat !

Kestrel commençait à comprendre.

– C'est très gentil de votre part, lui dit-elle, mais le Commandant ne m'a donné aucune raison de croire qu'il m'accorde ses faveurs.

– Il vous a parlé, n'est-ce pas ?

– Oui.

– Eh bien, pourquoi un homme comme lui parlerait-il à une fille comme vous si ce n'est pour l'épouser ? Si, si, croyez-moi, il vous courtise.

– Je comprends, dit Kestrel.

– Je dois avouer que je ne comprends pas pourquoi, mais enfin, vous êtes une jolie petite personne, et s'il vous aime, pourquoi pas ? C'est un homme de haut rang, qui jouit d'une bonne santé, certains diraient qu'il est beau, et il l'est d'une certaine façon, c'est évident. Personnellement, je pense que ce genre de physique vieillit rapidement, je suis sûr qu'il deviendra gros mais, quoi qu'il en soit, vous ne trouverez aucun homme capable de rivaliser avec lui dans tout le royaume de Gang. C'est un parti appréciable. Noble. Un des meilleurs.

En regardant autour de lui, il vit que Zohon lui-même les observait de loin.

– Vous voyez ! Il ne peut pas vous quitter des yeux. Un doux sourire, un léger frôlement, et il est à vous.

Il hocha deux fois la tête, satisfait d'avoir semé les germes nécessaires de l'amour, et il poursuivit son chemin.

Zohon attendit que le Grand Vizir ait disparu avant d'approcher Kess à son tour. Il ne voulait pas qu'on le

188

voie en train de lui parler et il passa tout près d'elle sans paraître lui prêter attention. Mais en passant, il dit assez fort pour qu'elle l'entende :

– Rendez-vous dans ma voiture.

Kestrel attendit quelques minutes, puis elle fit ce qu'il lui avait demandé. Dans la voiture de Zohon, elle fut surprise de trouver l'augure royal, Ozoh le Sage. Mais le Commandant n'était pas là.

Ils se regardèrent tous deux avec la même méfiance.

Que faites-vous ici ? lui demanda Ozoh.

On m'a dit de venir, répondit Kestrel.

À moi aussi.

Ils se turent pendant un moment. Ozoh regardait la voix d'argent suspendue au cou de Kestrel.

– Ce pendentif. Il est étrange. D'où vient-il ?

– De chez moi, lui répondit Kestrel.

– J'aimerais bien vous l'acheter. Je le paierais un bon prix.

– Il n'est pas à vendre.

Avant qu'Ozoh ne reprenne la parole, ils entendirent une sorte de gloussement tout près d'eux. Ozoh bondit.

– Mon poulet !

Il se retourna vivement, son pantalon flottant tourbillonnant autour de lui.

– Où es-tu, mon doudou ?

Le bruit venait de la partie de la voiture qui servait de chambre à coucher, et dans laquelle on pouvait entrer par une porte ouverte qui séparait les deux pièces. Kestrel regarda Ozoh franchir la porte et approcher du lit à baldaquin qui était dans la chambre. Le gloussement était devenu un caquetage affolé.

– J'arrive, mon doudou, j'arrive !

Ozoh tira les rideaux et resta figé sur place : Zohon

était allongé sur le lit, complètement habillé, et il tenait le poulet par les pattes, la tête en bas.

Il sourit à l'augure et s'assit. Tendant sa main libre, il prit son marteau en argent, sur la table de chevet.

– Est-ce que tes signes ont prévu ça ? demanda-t-il.

Faisant rapidement tourner son marteau tranchant, il coupa la tête du poulet d'un coup. Ozoh eut un sanglot rauque et terrible. Zohon lui tendit le corps décapité, d'où le sang coulait à flot, et Ozoh le prit, le serrant sur sa poitrine nue et entièrement peinte.

Zohon se redressa de toute sa hauteur.

– À partir de maintenant, lui dit-il, tu travailles pour moi.

Il regarda Kestrel, de l'autre côté de la porte, et lui sourit de la même façon qu'il avait souri à l'augure. Il frotta vigoureusement le bout de sa botte sur le plancher. La tête du poulet atterrit aux pieds de Kestrel.

Kestrel entendait Ozoh sangloter doucement en caressant la petite boule de plumes blanches qu'il tenait dans ses bras.

– Oh, ma colombe, disait-il, oh, mon doudou…

Zohon se retourna et fixa l'augure.

– À partir de maintenant, je veux entendre des signes qui favorisent mon ambition, dit-il. Tu diras qu'il faut un dirigeant fort. Tu parleras de la traîtrise des étrangers. Tu affirmeras que c'est chez soi que l'on trouve l'amour le plus pur. Je suis clair ?

– Oui, dit Ozoh en inclinant la tête.

– Tu peux partir.

Ozoh sortit de la voiture en traînant les pieds, tenant toujours dans ses bras la dépouille de son poulet, dont le sang coulait sur son estomac peint en turquoise.

Zohon tourna son regard impitoyable vers Kestrel.

– Je suis un bon ami, dit-il, mais un ennemi dangereux.

Kestrel savait qu'il avait voulu qu'elle le voie tuer le poulet d'Ozoh, pour l'effrayer. Il y était parvenu. Elle avait toujours pensé qu'il était stupide, mais maintenant elle savait qu'il était aussi cruel que stupide. La combinaison des deux n'était pas rassurante.

– Pourquoi parliez-vous à Barzan ? l'interrogea-t-il.

– C'est lui qui est venu me parler. Je ne lui ai rien demandé.

– Pourquoi Barzan vous a-t-il parlé ?

Il balançait son marteau d'avant en arrière, sans la quitter des yeux.

– À cause de vous. Il croit que vous vous intéressez à moi. Il veut que je vous encourage.

– Il croit… !

Soudain, il éclata d'un rire sonore.

– Il pense que je m'intéresse à vous ! C'est vraiment extraordinaire ! Quel homme ridicule ! Eh puis après tout, pourquoi pas ? Ne le détrompez pas. Dites-lui que je vous fais la cour. Dites-lui que le grand Zohon est amoureux de la servante de la Johdila.

Il se tordait de rire.

– Bien, bien, bien ! Je ne me serais pas attendu à ça. – Il se calma et redevint sérieux. – Qu'en est-il de la Johdila ? Avez-vous un message pour moi ?

– Pas vraiment un message, dit Kess.

Elle sentit ses joues rougir. Elle s'était préparée à ce moment, mais avant de voir à quel point Zohon était cruel. Elle était contente de le berner, mais s'inquiétait pour Sisi. Zohon interpréta sa gêne autrement.

– Vous ne devez pas être timide, l'encouragea-t-il. Rapportez-moi simplement ses paroles.

– La Johdila a peur de parler, dit Kestrel. Mais pour vous faire connaître son cœur, elle vous fera…

Elle hésita de nouveau. Puis, les yeux baissés, elle poursuivit.

– Elle vous fera un signe secret.

Zohon écarquilla les yeux.

– Un signe de son amour ? Qu'est-ce que c'est ?

Kestrel pressa doucement les paumes de ses mains l'une contre l'autre, puis elle entrecroisa les doigts.

– Le signe de l'amour éternel.

Zohon regarda les mains jointes de Kestrel, comme hypnotisé. Il poussa un long soupir.

– Le signe de l'amour éternel, répéta-t-il à mi-voix. Quand me le fera-t-elle ?

– Quand elle pourra. Vous devez être patient. Elle a très peur.

– Je comprends. Dites à la Johdila – à Sisi – qu'aucun mal ne lui sera jamais fait. Dites-lui qu'elle est sous la protection du Marteau de Gang.

Il leva son marteau d'argent. Sa lame était souillée de sang – le sang du poulet.

12
RÉCOMPENSE ET CHÂTIMENT

Marius Semeon Ortiz gravit le grand escalier jusqu'aux derniers étages du Haut Domaine, s'efforçant de garder une allure digne, malgré les battements accélérés de son cœur. D'en haut, il entendait jouer un orchestre, dirigé par un violoniste virtuose. C'était bon signe : le Maître ne pouvait jouer que lorsqu'il était d'excellente humeur. « C'est sûr, le moment est venu, pensa Ortiz. Le Maître ne peut pas tarder indéfiniment. Il ne reste plus que quelques jours avant la cérémonie du mariage et le Maître doit d'abord nommer son fils et héritier. »

Là, dans les grands espaces lumineux et vides abrités sous les coupoles scintillantes, où aucun objet, aucun meuble, aucun rideau, aucune lampe n'étaient admis, l'immense silhouette du Maître allait et venait, le violon sur l'épaule, promenant son archet sur les cordes, dirigeant son orchestre et son chœur privés. Les musiciens, debout, les yeux fixés sur le Maître, l'accompagnaient, jouant de mémoire. Les choristes attendaient en silence, suivant également le Maître des yeux, et tous se retournaient chaque fois que celui-ci passait et repassait près d'eux. Dans un coin patientaient deux personnes, l'une avec un grand livre à la main, et l'autre avec un seau et une serpillière. L'homme au livre était Meeron Graff, le Gardien du Palais. L'autre était Spalian, le serviteur personnel du Maître.

Les accords mélodieux des cordes laissèrent place à des cuivres sonores, tandis que le Maître, levant son archet, se retournait pour saluer son visiteur. Traversant à grands pas l'immense espace, les yeux mi-clos, la tête haute, fendant l'air de son archet, le Maître dirigea un grand crescendo de trompettes, accompagné d'une avalanche de roulements de tambour, avant de revenir à son propre instrument. Là, après un jaillissement de notes à couper le souffle, il termina sa composition par un puissant accord final.

Ortiz restait immobile, émerveillé. Le Maître était tête nue, ses cheveux blancs et hirsutes lui retombant sur les épaules, ses grands yeux gris éclairés par la passion de la musique. Combien de fois Ortiz avait-il contemplé ce visage empreint de noblesse ! Dans ce front généreux, il voyait la sagesse, dans ce grand nez saillant, il voyait la volonté, dans ces joues larges et colorées, il voyait la bonté. Quel âge avait le Maître ? Personne ne le savait. Soixante-dix ans, peut-être plus. Il était toujours aussi vigoureux, avait toujours le même appétit pour la vie et se montrait toujours aussi affectueux. On disait du Maître qu'il lui suffisait de regarder quelqu'un dans les yeux pour connaître les secrets de son cœur. Mais Ortiz n'avait pas de secrets pour lui. On l'avait amené auprès du Maître alors qu'il était tout petit, après la mort de son père. Le Maître était le seul père qu'il ait jamais connu. Tout ce qu'Ortiz faisait ne visait qu'à obtenir l'approbation et l'amour du Maître.

Les dernières vibrations de la musique s'évanouirent et les musiciens posèrent leurs instruments. Le Maître baissa son violon, puis fit signe à Ortiz. Celui-ci avança et se prosterna jusqu'à terre.

– Debout, mon garçon, debout !

Ortiz se releva.

– Tu as bien réussi.

– C'est pour vous plaire, Maître.

Le Maître hocha la tête d'un air approbateur.

– Viens avec moi.

Il fit demi-tour, marchant à grandes enjambées. Ses pas résonnaient sur le sol. C'est ainsi que le Maître aimait qu'on le trouve : arpentant les derniers étages du palais, son violon à la main, ses yeux contemplant les montagnes au loin, le lac ou le ciel infini. Il détestait la foule, le silence, les murs, l'immobilité : c'est pourquoi il était toujours en mouvement, toujours entouré de grands espaces. C'était comme si sa haute stature ne pouvait tenir à l'intérieur d'une pièce ordinaire.

– Est-ce que tes esclaves sont traités correctement ?

– Oui, Maître.

– Récompense et châtiment. La carotte et le bâton.

– Oui, Maître.

– Les Manths étaient un grand peuple, autrefois. Un peuple très doué. Mais à présent… Tu devrais étudier l'histoire. C'est une école d'humilité.

– Oui, Maître.

– Après la cruauté, la bonté. Pour le moment, ils me haïssent. Dans quelque temps, ils m'aimeront.

– Tout le monde vous aime, Maître.

– Bien sûr. C'est un instinct naturel d'aimer ceux qui ont le pouvoir. Ce n'est pas très difficile à obtenir.

Il regardait la ville par la grande fenêtre. Deux pigeons allèrent se poser en voletant sur un parapet. Ils étaient d'un gris argenté, mais l'un d'eux avait la gorge blanche. Le Maître les observa avec intérêt.

– Regarde ces deux oiseaux, là. Je te parie mon dîner que celui qui a la gorge blanche va s'envoler le premier.

Il se rapprocha de la fenêtre et agita l'archet de son violon. Les pigeons s'envolèrent. Celui qui avait la gorge blanche précédait l'autre. Le Maître éclata d'un rire sonore.

– Tu vois ! Je pourrai dîner ce soir !

Ortiz resta silencieux. Le Maître faisait et disait beaucoup de choses qu'il ne comprenait pas. Il valait mieux s'abstenir de tout commentaire.

– Je perds aussi souvent que je gagne, tu sais ? Il n'y a pas longtemps, j'ai perdu cinq paris de suite. Je n'ai pas mangé pendant deux jours.

Il rit de nouveau et regarda Ortiz.

– À ton avis, pourquoi est-ce que je fais cela ?

– Pour exercer votre volonté, Maître ?

– Pas mal, pas mal, comme réponse. Disons que je le fais pour me mettre en situation d'échec. J'ai le pouvoir absolu. Personne ne me commande. Il faut donc que je me commande moi-même. Je fais mes petits paris, et si je perds, je paie. Quel âge as-tu ?

– Vingt et un ans, Maître.

– Penses-tu à te marier ?

Ortiz maîtrisa l'excitation que ces mots faisaient naître en lui.

– Oui, Maître, quand le moment viendra.

– Le moment ? Pas la personne ?

– Et la personne, Maître.

– Il y a une famille royale qui approche de nos frontières. Le souverain de l'empire voisin a demandé que nos deux pays s'allient par un mariage. Il offre sa fille. Je dois offrir mon fils. Tu es au courant ?

– Oui, Maître.

– Il semblerait que j'aie besoin d'un fils.

Soudain, le Maître s'arrêta net. Il tendit son violon et son archet à Meeron Graff, et hurla d'une voix de stentor :

– Écartez-vous !

Ortiz recula. Le Maître remonta ses robes, ouvrit ses culottes et urina en un long et puissant jet sur le sol pavé de dalles lisses.

– Aaah ! dit-il avec une satisfaction évidente. L'un des plaisirs inépuisables de la vie. L'envie est si pressante, et la libération si douce ! Spalian !

Son domestique n'avait pas attendu qu'on l'appelle. À peine le Maître avait-il fini de vider sa vessie, qu'il était là avec son seau et sa serpillière. Les membres de l'orchestre et du chœur regardaient ailleurs, feignant de n'avoir rien vu. En un instant, la flaque par terre disparut, les dalles de pierre furent de nouveau sèches et propres, et le Maître reprit son violon.

– Une habitude parfaitement dégoûtante, non ? dit-il à Ortiz tandis que Spalian s'éloignait avec son seau. Comme un animal. Pourquoi est-ce que je le fais ?

– Un autre moyen de vous remettre en question, Maître ?

– Très bien. C'est exactement ça. Personne n'ose me critiquer, tu vois. Je dois donc me critiquer moi-même. Mais à quel propos ? Tout ce que je fais, je le fais pour le mieux. Alors… Je pisse par terre ! C'est dégoûtant ! Comme un animal ! J'ai honte de moi ! Tu comprends ?

Il posa son violon sur son épaule, et comme pour

illustrer son dégoût de lui-même, il joua une série de notes furieuses et précipitées, de plus en plus aiguës.

– Je crois que je comprends, dit Ortiz.

Le Maître reprit son violon à la main.

– Alors, où en étions-nous ? Mariage. Il vaudrait mieux que tu y ailles et que tu jettes un coup d'œil à la fille.

– Maître ! est-ce votre souhait… dois-je assumer… ?

– Eh bien ? Quoi ?

– Vous venez de dire, Maître, que vous avez besoin d'un fils.

– En effet. Il faut bien que quelqu'un épouse cette fille.

– Et vous pensez que je… ?

Ortiz ne pouvait se résoudre à prononcer les mots. Le Maître le regardait l'air interrogateur, attendant la suite. Puis il éclata de nouveau de rire.

– Oui, oui, c'est à toi que je pense, mon garçon. C'est sûr. Mais ne t'excite pas trop. Je pourrais te désigner comme fils. Tu pourrais épouser cette fille. Mais cela ne signifie pas que tu seras le Maître après moi. Il ne suffit pas d'épouser une princesse pour faire ce que je fais.

– Je sais, Maître.

– Tu n'es pas encore assez grand pour ce boulot. Pas encore.

Il sourit affectueusement à Ortiz et tapa sur son énorme ventre.

– Je grandirai, Maître.

– Bonne réponse. Bien, bien, pas à pas, hein ? En attendant, va jeter un coup d'œil à cette fille. Vois si tu peux la supporter. Et ensuite, on décidera.

– Oui, Maître.

– Alors vas-y, maintenant ! N'oublie pas de réviser ta tantazara !

– Non, Maître !

– Et occupe-toi de ces esclaves. Ils vont nous être très utiles.

Les Manths s'aperçurent rapidement que les aptitudes de chacun étaient remarquées au cours des différentes tâches qu'ils accomplissaient sur tout le territoire de la Seigneurie, et qu'il en était fait bon usage. Scooch ne resta en bas de l'échelle, comme garçon boulanger, qu'un seul jour. À présent, il avait sa propre boulangerie-pâtisserie et se faisait aider par trois apprentis. Miko Mimilith, le tailleur, avait cousu quelques modèles qui avaient aussitôt attiré l'attention, et maintenant il s'appliquait à confectionner une robe pour une belle dame du Haut Domaine. Un soir, dans les baraques, il décrivit son modèle aux autres.

– C'est un simple fourreau, mais avec un col montant et une traîne. Il y a une bande de tissu cousue à la traîne, qu'on passe autour de son poignet pour faire bouger la traîne avec soi quand on marche.

Il fit une démonstration, roulant exagérément les hanches pour faire rire tout le monde.

– Souich, souich, souich, dit-il, pour montrer le mouvement de la robe sur le sol.

Créoth avait été chargé de veiller sur un petit troupeau de vaches laitières.

– Je les connais toutes, déclara-t-il, et je leur ai donné un nom à chacune. Tête blanche, Chouette, Rêveuse, Hop, Céleste, Angélique, Nuée, Lourdaude, Pataude, Étoile...

Mumpo avait quitté les autres pour aller vivre dans

l'école de manaxa. Il devait faire ses débuts le jour où l'on célébrerait le mariage. Il manquait terriblement à Pinto, d'autant plus qu'elle devait se rendre tous les jours à l'école et qu'elle n'aimait pas ça. Les autres enfants étaient assez contents, car on leur avait donné un nouveau livre d'exercices à chacun, une nouvelle trousse avec quatre crayons dedans, une gomme et une règle. Les crayons étaient tous superbement taillés. Le professeur Batch leur dit qu'ils devaient rester bien pointus et qu'il les vérifierait chaque jour. « Les mauvais crayons donnent une mauvaise écriture, répétait-il. Nous voulons des crayons aiguisés comme nos pensées. »

Sans savoir pourquoi, Pinto détestait tailler ses crayons. Ses camarades pensèrent que c'était dû au fait qu'elle appartenait à la famille Hath et qu'elle avait une mère singulière. Une fois de plus, comme dans les jours anciens d'Aramanth, les Hath semblaient être en décalage par rapport aux autres. Ils étaient les seuls, parmi les esclaves, à ne pas s'adapter à leur nouvelle vie et à ne pas profiter des nouvelles occasions.

Hanno Hath continuait à entasser des livres au dépôt. Ira Hath refusait d'être affectée à un travail plus intéressant que celui de couturière à la blanchisserie. Elle n'en parlait à personne, mais elle sentait ses forces décliner. Lorsqu'elle prophétisait, désormais, elle le faisait d'une voix plus calme. De toute façon, il n'y avait plus grand monde pour l'écouter. Les gens disaient qu'elle répétait toujours la même chose.

– Ô peuple malheureux, se moquaient-ils en imitant la voix de leur prophétesse derrière son dos. Cherchez le pays des origines. Le vent se lève !

Ils riaient en battant des bras, comme si le vent les emportait.

– Peu importe qu'ils t'écoutent ou pas, lui disait Hanno. Il faut que ta voix soit entendue. Si tout ce qu'ils savent faire, c'est se moquer de nous, eh bien, il me semble que nous pouvons le supporter.

Bowman aussi continuait à remplir son humble fonction de vacher. Pendant que le bétail paissait et somnolait, surveillé par le chat gris et silencieux qui l'accompagnait toujours, il tendait tous ses sens pour capter la lente approche de Kestrel et exerçait ses pouvoirs secrets. Depuis la visite de l'ermite, Bowman savait qu'il était destiné à détruire le terrible pouvoir qui dirigeait leur vie à tous. Aussi, chaque nuit, seul dans le pâturage, il faisait des exercices pour améliorer son contrôle mental, aussi régulièrement qu'un athlète s'entraîne à courir pour un championnat.

Une nuit, tandis qu'il s'exerçait, il entendit une voix l'appeler dans l'obscurité.

– Bowman ! Tu es là ?

– Oui. Je suis là.

Une mince silhouette apparut, foulant l'herbe humide de la nuit. C'était Rufy Blesh. Il rejoignit Bowman dans le halo de lumière de la lanterne. Il regarda le chat, les vaches endormies et le lac sombre dans le lointain.

– C'est comme ça que tu passes la nuit ? Tu restes simplement assis ici ?

– Oui.

– C'est ce que tu vas faire toute ta vie ?

– J'espère que non.

– C'est pourtant ce qui va se passer si tu ne te décides pas à changer les choses.

Bowman sentait l'agitation et la colère de Rufy. Ce

n'était pas une personne à laquelle on pouvait faire confiance.

– Il faut attendre, Rufy.

– Attendre quoi ? Attendre combien de temps ? Que nous soyons tous vieux ? Tu n'as pas honte de chaque jour que tu passes ici ?

– Nous ne pouvons rien faire. Tu sais comment ils nous punissent. Tu connais le prix à payer.

– Oui, je sais. – Il s'agita. – Tu ne comprends donc pas ? C'est comme ça qu'ils font de nous de bons esclaves. J'y ai réfléchi, et il n'y a qu'une seule solution. Nous ne pouvons nous enfuir qu'en payant ce prix-là. Quelques-uns souffriront, mais les autres seront libres.

– Tu peux faire ça ? lui demanda Bowman. Moi, je ne peux pas.

– Pourquoi ? Si c'était une guerre, certains des nôtres mourraient. Eh bien, c'est une guerre. Certains des nôtres sont déjà morts. Si nous ne nous battons plus, ils seront morts pour rien.

– Je ne peux pas, Rufy.

– Alors tu te rends. Tu es un vaincu. Tu es vraiment devenu un esclave.

– Je ne crois pas…

– Bien sûr que si ! Tu es aussi minable que tous les autres. Tu as abdiqué !

– Rufy, je sais qu'ils ont tué ta mère…

– Il ne s'agit pas de ma mère ! Il s'agit de moi ! Elle est morte. Je ne suis pas mort. J'ai toute ma vie devant moi. Et toi aussi, Bowman. Je pensais que toi au moins tu voudrais réagir.

– Oui, mais ce n'est pas le moment.

– Ce n'est pas le moment. Sois patient. Je n'entends

que ça. Mais personne ne fait jamais rien, et rien ne change.

Il se releva d'un bond, et tendit la main à Bowman.

– Au revoir, Bowman. Tu es le meilleur d'entre eux.

Bowman lui serra la main.

– Pas de coup de tête, Rufy, lui dit-il. Rappelle-toi que tu n'es pas seul.

– Finalement, chacun de nous est seul dans ce monde. Voilà ce que j'ai appris.

Sur ces mots, il disparut dans l'obscurité.

Bowman le regarda partir, l'esprit troublé.

– J'aurais dû lui parler davantage, murmura-t-il à haute voix. Mais qu'est-ce que je pouvais lui dire de plus ?

Le chat gris le regarda avec des yeux pleins de reproche. Bowman s'était tellement habitué à la présence du chat qu'il lui parlait souvent à haute voix, même si, en réalité, ce n'était qu'une façon de se parler à lui-même. Mist trouvait cette conversation unilatérale particulièrement exaspérante

Bowman reprit ses exercices.

– Regarde ça, chat, regarde le bâton !

Maintenant, il pouvait soulever son bout de bois comme l'avait fait l'homme borgne, et le faire venir dans sa main.

– Crois-moi, dit Mist, quand on a vu un bâton voler, on les a tous vus.

– Ce sont les pouvoirs du Peuple du Chant, chat. Un jour, je serai un Chanteur, moi aussi.

– Un jour ? Et pourquoi pas maintenant ?

– Tu me regardes d'une drôle de façon, chat. Je me demande à quoi tu penses.

– Alors, pourquoi tu n'essaies pas de trouver ?

– Je me demande si tu comprends tout ce que je dis.

– Oh, par pitié !

– Lève une patte.

Mist réfléchit. D'un côté, c'était une demande humiliante. Lui demander, à lui, de lever une patte ! Il n'était pas un chaton ! D'autre part, il fallait bien trouver un moyen pour que ce fils de prophète travaille sérieusement à leur problème de communication.

En bâillant, pour montrer qu'il ne mettait pas l'empressement d'un chaton à lui plaire, il leva une patte.

Bowman le regarda, surpris.

– Tu me comprends, alors !

– Formidable ! Maintenant, fais l'effort de me comprendre, moi.

– Tourne en rond.

– Oh, je t'en prie ! Tu ne vas quand même pas me demander de me coucher sur le dos et de remuer les pattes en l'air !

Mist tourna en rond, décrivant un cercle d'un air digne. Bowman leva les yeux vers lui et resta silencieux quelques instants. Puis il se laissa tomber doucement à genoux.

– Pardonne-moi si je t'ai parfois manqué de respect, lui dit-il. Il y a trop de choses que je ne comprends pas.

« C'est un progrès, se dit Mist, presque touché. Après tout, ce garçon n'est pas aussi stupide qu'il le semble. » Il s'approcha de lui, leva la queue en l'air et alla se frotter contre les jambes du garçon, en signe de bonne volonté.

– Si tu es assez gentil pour venir près de moi et t'asseoir en restant tranquille, lui dit Bowman, je pourrais essayer de te connaître un peu mieux.

Mist fit ce qui lui avait été demandé. Le garçon était si poli qu'il pouvait difficilement refuser.

Bowman s'appuya sur ses coudes et mit son front contre la tête du chat. Au début, Mist trouva que cela lui chatouillait les moustaches et il tourna la tête. Mais Bowman attendit patiemment et ils finirent par trouver une position qui leur convenait à tous les deux : le chat appuyait son front contre la tempe droite de Bowman. Ils restèrent ainsi un moment, en silence.

Bowman travaillait dur. D'abord, il se vida la tête. Ensuite, il resta immobile et silencieux, sans rien chercher. Puis, tout doucement, il se mit à essayer de scruter les pensées du chat.

Il sentit le chat tressaillir dès sa première intrusion.

– Je ne te ferai pas de mal, lui dit-il.

Cette expérience ne ressemblait à rien de ce que Mist avait vécu jusque-là. L'ermite avait été simplement capable de l'entendre. Là, il s'agissait d'autre chose. Comme le garçon l'avait dit, il essayait de le connaître.

– Trop vite, lui dit le garçon. Ralentis.

Mist essaya de ralentir la multitude d'impulsions qui s'agitaient en lui. Ce n'était pas facile. Ses sens l'alimentaient constamment en impressions, sons, odeurs et frémissements qui le maintenaient toujours en alerte. Tout ce qui n'était pas lui était soit un danger, soit une proie. Même pendant son sommeil, son corps était tendu comme un arc, prêt à chasser ou à fuir. « Ralentis », lui disait le garçon. Pas facile.

Il essaya de laisser son esprit dériver. Soudain, il tomba sur un souvenir, une sensation de chaleur près de lui, des petits bruits perçants, un sentiment de grande joie. Au-dessus de lui, dans sa mémoire, le ciel bougeait. Un ciel qui sentait bon et était tiède. Il se tortilla, comme il se tortillait dans ses souvenirs, désirant sentir tout autour de lui ces autres corps frétillants – et soudain, il retrouva le moment dans toute sa plénitude ! Il était couché sur des feuilles sèches dans un fossé sablonneux, au milieu de ses frères et sœurs ; sa mère remuait son long corps au-dessus de lui, et il tendait le museau pour la téter. Bouleversé par l'intensité du bonheur que ce souvenir lui apportait, Mist frotta sa tête contre Bowman et gémit. Bowman perçut le souvenir du chat ou, du moins, comprit la façon dont celui-ci le ressentait.

– Là, dit-il doucement à Mist. Là, là.

« Eh bien mon garçon, se dit Mist. Qu'est-ce que tu es en train de me faire ? J'ai été seul trop longtemps. »

– Seul trop longtemps, dit Bowman.

Il avait compris.

– Tu m'as entendu ?

– Oui, je t'ai entendu.

– Ça alors, mon garçon ! L'ermite avait raison !

Il s'empressa de lécher la joue et le front de Bowman, avec reconnaissance, goûtant la saveur âpre et salée de la peau humaine.

– Enfin, chat, j'ai fini par te trouver.

– Tu es un bon garçon. Un chic type.

Étonné par ses propres mots, Mist se remit à lécher Bowman. N'importe qui pourrait penser qu'il exprimait son affection. Mais ce n'était bien sûr qu'un débordement dû à son souvenir, un écho des émotions de son enfance de chaton.

– Es-tu venu vers moi pour me dire ce que je dois faire ? lui demanda Bowman.

– Oui, répondit Mist.

– Alors, dis-le-moi.

– Tu dois m'apprendre à voler.

Mist sentit que la tête de Bowman s'écartait de la sienne, et il vit ses yeux sombres le regarder d'un air interloqué. Puis le garçon se mit à rire.

– Mais je ne sais pas voler.

– Ce n'est qu'une question de pratique, lui dit le chat. Et de volonté.

Mais, les empêchant d'approfondir le sujet, une cloche sonna l'alarme dans le village voisin. Aussitôt d'autres cloches répondirent et des lumières s'allumèrent.

Bowman se leva d'un bond.

– Il est arrivé quelque chose.

Des troupes de soldats au visage menaçant patrouillaient partout, cherchant avec des lanternes, contrôlant les gens dans les rues. Bowman fut arrêté trois fois tandis qu'il revenait vers le cantonnement des esclaves, et chaque fois son numéro gravé au fer rouge était examiné et vérifié. Malgré l'heure tardive, il vit que tout le monde était réveillé dans les baraques, et rassemblé en groupes anxieux. Il apprit bientôt ce qui avait causé l'alerte. L'un des esclaves manquait.

Les autorités de la Seigneurie ordonnèrent de fouiller les chambres. Mais un nom circulait déjà. Pinto murmura à Bowman quand il les rejoignit :

– C'est Rufy Blesh. Il s'est enfui.

Des employés, munis de cahiers, allaient et venaient le long des files d'esclaves frissonnants, vérifiant le nom et le numéro de chacun. Puis ils repérèrent le groupe familial de l'esclave manquant et, à partir des listes de nuit, ils identifièrent la cage à singe où était enfermé un membre de cette famille. Les Greeth étaient des cousins des Blesh. Pia Greeth, la jeune fille qui avait été fiancée le dernier soir avant la destruction d'Aramanth, était incarcérée dans la cage n°11.

– Mais ils ne peuvent pas, ce n'est pas possible ! Ils ne feraient pas ça !

Les soldats repartirent sur la route, suivant l'employé en chef et son équipe. Les esclaves Manths traînaient derrière eux. Avec horreur, ils virent que les gardes entassaient déjà du bois d'allumage supplémentaire dans le plateau de la cage où Pia Greeth était enfermée. Tout près, un brasero rougeoyait dans l'obscurité.

La famille Hath suivait avec les autres et le chat gris trottinait à côté de Bowman.

Il y avait trente hommes et femmes dans la cage n°11. En très peu de temps, tous leurs parents, enfants, époux, épouses se rassemblèrent. Aucune menace ni annonce officielle ne fut faite. Les gardes agissaient sûrement sans instructions. Tanner Amos, tenant les mains de sa jeune fiancée à travers les barreaux, était certain que finalement il ne se passerait rien.

– Ils veulent simplement nous faire peur, dit-il. Ils ne peuvent pas tous vous brûler. Vous n'avez rien fait de mal. Ce serait trop cruel.

Le père de Pia Greeth, M. Greeth, arriva hors d'haleine, et se mit à crier aux gardes :

– Qui est le responsable, ici ? Qui commande ?

Les gardes ne lui prêtèrent aucune attention. M. Greeth vit l'employé en chef, sur le côté, en train de regarder dans son livre.

– C'est vous le responsable ?

– Je ne sais pas, dit l'employé en chef. Responsable ou pas, je suis simplement ici pour vérifier que tout se passe comme il faut.

– Alors dites à ces fous de mettre le bois d'allumage de côté. Les gens qui sont dans cette cage sont innocents. Ils n'ont pas essayé de s'enfuir.

– Quelqu'un s'est échappé, dit l'employé en chef. Il faut donc qu'il y ait un châtiment. Voilà comment les choses doivent être, et c'est bien ainsi.

– Non ! Ce n'est pas bien ! Quel sens cela a-t-il de punir des gens qui n'ont rien fait de mal ?

– Quel sens cela aurait-il de punir des gens qui ont fait quelque chose de mal ? répliqua l'employé en chef. Il est trop tard, de toute façon. Non, il faut punir des gens avant, pour les décourager. Il faut tuer le serpent dans l'œuf. Voilà ce qu'ordonne le Maître, et le Maître a toujours raison.

M. Greeth comprit avec horreur que le cauchemar allait vraiment se réaliser. Tanner Amos se mit à taper sur les barreaux avec ses poings. L'employé en chef le vit et déclara d'une voix retentissante, pour que tout le monde l'entende :

– Au moindre trouble, une autre cage sera brûlée.

Il n'y eut plus aucun trouble après cette déclaration.

Bowman se tenait à côté des autres, silencieux ; mais il était le seul parmi eux à ne pas se sentir totalement impuissant. C'était le moment ou jamais d'utiliser sa force secrète. Il se concentra sur le morceau de bois que le garde avait enflammé dans le brasero et qu'il apportait vers la cage. Il l'empoigna, comme il avait empoigné son bâton la nuit dans le pâturage, et tira de toutes ses forces. La torche échappa brusquement des mains du garde et tomba par terre.

– Quel balourd ! s'exclama l'employé en chef.

Le tison brûlait toujours. Désorienté par ce qui lui était arrivé, le garde se pencha pour le ramasser.

Bowman tenait le bâton incandescent par la force de son esprit, et il le tira sur le sol. Ce mouvement dans l'herbe haute et humide éteignit la flamme. Le garde écarquillait les yeux, stupéfait.

– Qu'est-ce qui t'arrive ? lui demanda l'employé en chef.

– Je n'y comprends rien, dit le garde.

– Tu n'es qu'un imbécile. Toi ! cria-t-il en désignant un autre garde. Vas-y, et ne laisse pas tomber ta torche !

Le deuxième garde enflamma une brindille dans le brasero, et l'apporta vers la cage à singe. De nouveau, Bowman essaya de l'attraper. Mais cette fois, le garde la tenait fermement des deux mains, et quand Bowman tira dessus, il ne la laissa pas tomber. La lutte entre eux fut brève mais intense. Bowman s'aperçut qu'il était assez fort pour empêcher le garde d'approcher la flamme trop près de la cage, mais qu'il ne l'était pas assez pour la lui retirer des mains. Pendant quelques instants tendus, ils luttèrent l'un contre l'autre, le garde penché en avant comme pour résister à un vent violent, et Bowman le tirant en arrière.

– Venez m'aider ! cria le garde.

Deux de ses compagnons, perplexes mais pleins de bonne volonté, accoururent vers lui et le poussèrent en avant. Bowman comprit alors qu'il ne pourrait pas les retenir. Il n'était pas assez fort. Dès que cette certitude se fit jour dans son esprit, son pouvoir disparut. Les gardes, soudains relâchés, perdirent l'équilibre et tombèrent par terre. À présent, Bowman ne pouvait plus rien faire que les regarder, impuissant et épuisé, tandis qu'ils allumaient le feu.

Les flammes se propagèrent aussitôt. Les prisonniers, dans la cage, montèrent aux barreaux. Ils se mirent à hurler. Les gardes entourèrent la cage, tapant avec leurs matraques sur les doigts qui s'accrochaient aux barreaux pour que les malheureux tombent dans le feu. Leurs proches, qui assistaient impuissants à cette atrocité, se détournèrent en sanglotant. Bowman fit de même, mesurant amèrement les conséquences de son échec. Seul Amos Tanner ne quitta pas des yeux sa jeune fiancée. Jessel Greeth s'agenouilla par terre et se mit à hurler comme un animal. Les cris des mourants s'amplifièrent un moment avant de s'affaiblir. Le feu rutilant faisait rage, éclairant le carrefour et tous les chariots à cage le long des quatre routes.

Personne, pas même Tanner Amos, ne regarda l'horreur jusqu'à la fin. Un par un, les gens qui restaient s'agenouillèrent, baissèrent la tête et se bouchèrent les oreilles pour ne pas entendre le bruit de la cage en feu. Ils restèrent là jusqu'à ce que les flammes faiblissent et que l'agonie de leurs proches prenne fin.

Jessel se leva alors sur ses jambes mal assurées. Tremblant de tout son corps, il chancela vers Hanno Hath, le visage tordu de rage et d'amertume.

– C'est vous qui les avez tués ! lui cria-t-il. Vous et vos rêves malsains ! C'est à cause de vous que le fils Blesh s'est enfui ! Vous lui avez farci la tête de mensonges ! Et maintenant… voilà le résultat !

– Ce n'est pas moi qu'il faut haïr, Jessel, lui répondit Hanno, mais le Maître.

– Je vous hais, hurla M. Greeth. C'est à cause de vous que tout est arrivé ! Nous ne voulons pas de vous, nous ne voulons pas de vos rêves empoisonnés, et nous ne voulons pas de votre femme folle !

– Taisez-vous ! lui cria Pinto. Taisez-vous ! Taisez-vous !

– Oh bien sûr, vous avez toujours votre fille, vous, sanglota M. Greeth, fou de douleur. Elle est là, en train de me cracher dessus. Mais où est ma fille, à moi ?

– Je ne peux pas vous dire à quel point je suis désolé...

– Je ne veux pas que vous soyez désolé ! Je veux que vous soyez puni ! Je veux vous voir souffrir autant que je souffre en ce moment !

Hanno Hath vit les visages autour d'eux : tout le monde le regardait avec le même reproche dans les yeux. Il comprit qu'il ne pouvait rien dire.

– Viens, Ira, murmura-t-il à sa femme.

Il ramena silencieusement sa famille dans la chambre.

Bowman le suivait, perdu dans ses pensées. Il s'en voulait de son échec et aurait voulu se punir. Soudain, il sentit le bras de Pinto se glisser sous le sien et il s'aperçut qu'elle pleurait. Il lui entoura les épaules et la serra contre lui. Il sentit qu'elle était bouleversée de peur et de colère.

– Ça ne continuera pas longtemps comme ça, je te le promets.

– Oh, Bo, je n'en peux plus. J'en ai assez d'être une enfant ! Je veux être une adulte, être assez forte pour pouvoir agir. Je me sens si inutile !

– Tu n'es pas inutile. Chacun de nous peut faire quelque chose.

– Et moi, qu'est-ce que je peux faire ?

– Je ne sais pas. Mais le moment viendra. Il faut l'attendre. Nous le saurons quand notre heure sera arrivée. Alors la force nous sera donnée, et nous ne serons plus obligés de rester là à regarder.

Une fois dans leur chambre, ils s'assirent tous ensemble sur les lits et se tinrent par la main.

– Encore combien de temps ? demanda Hanno.

– Pas longtemps, répondit Ira.

– La Seigneurie sera détruite, dit Bowman.

– Mais comment ? demanda Pinto. Comment les combattre ? Comment leur faire mal ? Comment pourrions-nous les détruire ?

Pour toute réponse, Bowman prit le cahier d'exercices et la trousse de la fillette sur le lit, et il l'ouvrit sur ses genoux. Il se concentra sur l'un des crayons et le souleva par la force de son esprit. Ses parents et sa sœur le regardèrent en silence, stupéfaits. Puis il souleva peu à peu le crayon au-dessus du cahier, et le mit en mouvement, le faisant tourner en rond.

– Voilà comment la Seigneurie sera détruite.

Il tendit son cahier à Pinto pour lui montrer ce que son crayon avait tracé sur le papier. C'était le C contourné du Peuple du Chant où l'on pouvait aussi voir deux C inversés formant un S.

– Sirène, murmura Hanno.

Pinto leva les yeux et vit sur le visage de ses parents qu'ils comprenaient ce signe, qu'ils y croyaient et sa peur commença à se calmer.

– Oh, mon chéri, dit Ira à son fils, tu as un don plus grand que le mien.

Pinto passa les bras autour de la taille de son frère et grimpa sur ses genoux. Elle voulait se sentir près de lui.

– Quand est-ce que ça va finir ? lui demanda-t-elle. Quand cette horreur va-t-elle finir ?

Bowman l'étreignit et se souvint d'elle toute petite, avec son visage tout rond, si heureux ! Il se rappela comme elle le regardait d'un air radieux en lui disant :

« Aime Bo. » Il eut envie de la rendre de nouveau heureuse, il la berça dans ses bras et lui parla de ses espoirs les plus chers.

– Un jour, lui dit-il, nous arriverons au pays des origines, c'est-à-dire dans notre pays à nous, et nous ne serons plus obligés d'errer sur les chemins. Nous construirons une ville pour notre peuple, près d'un fleuve qui mène à la mer. Nous travaillerons dur toute la journée, puis, le soir, nous nous assiérons autour d'une grande table pour manger la bonne nourriture que nous aurons produite, et nous nous raconterons des histoires sur la vie que nous avons vécue auparavant. Tu grandiras et tu auras peut-être des enfants. Ils écouteront ces histoires, eux aussi, et apprendront que nous avons vécu dans une grande ville, que nous avons été réduits en esclavage, et qu'après, nous avons cherché, cherché encore notre pays. Mais pour tes enfants, ce ne seront que des histoires, car ils seront en sécurité et si heureux autour de cette grande table qu'ils ne pourront pas croire que des choses aussi effroyables aient pu vraiment exister. Ils s'assiéront sur tes genoux comme tu es sur les miens, maintenant, et ils te diront : « Tu devais avoir terriblement peur, maman ? » et tu leur répondras : « Sûrement, mon chéri, mais tout cela est si lointain que je l'ai presque oublié. »

Hanno et Ira l'écoutaient, voyant comme il caressait sa petite sœur et apaisait sa souffrance, et ils étaient plus fiers de l'amour qui était en lui que de tous les pouvoirs de Sirène dont il était maintenant dépositaire.

– Merci, Bo, murmura Pinto.

– Merci, Bo, lui dit son père.

Mist le chat avait tout vu et tout entendu. Il avait regardé la cage brûler, aussi horrifié que tous ceux qui avaient assisté au massacre. À présent, blotti sous le lit, il entendait les mots apaisants de Bowman et lui aussi se sentit rassuré.

« C'est un chouette garçon que j'ai, se dit-il. Un bon garçon. Il fera de grandes choses. J'ai bien choisi. »

13

LE TESTAMENT PERDU

Le lendemain, Hanno Hath travaillait au dépôt lorsque le professeur Fortz vint le trouver.

– Vous ! rugit-il. Il est temps de voir si vous savez vraiment déchiffrer les manuscrits en vieux Manth.

Hanno suivit le professeur vers le lac. Les esclaves devant lesquels ils passèrent avaient l'air soumis et évitaient de croiser leur regard, comme s'ils avaient fait quelque chose dont ils avaient honte. Ceux qui étaient morts pendant la nuit étant innocents, tous les Manths qui étaient restés impuissants devant cet acte de barbarie se sentaient coupables.

Le professeur Fortz remarqua ces signes familiers.

– Je parie qu'ils ont fait brûler des gens, la nuit dernière, dit-il. Inutile de vous dire que ça me choque Tous les actes de barbarie me choquent. D'autre part, la Grande Bibliothèque, qui fait la fierté de notre académie, est entièrement remplie de manuscrits inestimables, pillés pendant des guerres Alors, que faut-il en penser ?

Il semblait ne pas attendre de réponse. Il était beaucoup plus petit qu'Hanno et portait un chapeau à très large bord, de sorte que tout ce que le bibliothécaire voyait de lui se réduisait à un cercle noir sautillant à côté de lui, comme un gros scarabée.

– C'est le genre de dilemme qui me troublait autrefois, poursuivit le professeur. Mais finalement, les scrupules moraux s'effacent avec le temps alors que les trésors restent. Ils prennent même davantage de valeur. Notre collection de textes en vieux Manth est incomparable. Dommage que personne ne sache en lire un mot.

Hanno se rendit compte qu'il allait pénétrer dans le Haut Domaine. Il suivit le petit professeur le long de la chaussée, se demandant avec impatience ce qu'il allait trouver derrière les remparts qui se dressaient devant lui. Le professeur Fortz continuait à parler et soudain ses mots éveillèrent l'attention d'Hanno.

– C'est le Maître lui-même qui a voulu la collection de manuscrits en vieux Manth, disait-il. Il a beaucoup de respect pour quelqu'un de votre peuple, un ancien de la tribu ou un prophète connu sous le nom d'Ira Manth.

– Le Maître a entendu parler d'Ira Manth ?

– Oui, assurément. Mais même le Maître ne sait pas lire les textes anciens.

Les pensées d'Hanno se mirent à tourner dans sa tête. Comment le Maître pouvait-il être informé de l'existence du premier prophète du peuple Manth ? Pourquoi s'y intéressait-il ? Préoccupé par ces questions, Hanno suivit le petit professeur sous une porte à l'entrée de la ville et le long d'une galerie ressemblant à celle d'un cloître ; il s'aperçut alors qu'il était arrivé à la Grande Bibliothèque sans rien avoir vu du Haut Domaine.

– C'est ici, dit le professeur Fortz, que nous gardons les documents rares. Nous conservons tous les manuscrits en excellent état, ce qui est un autre avantage de la guerre. Nombre d'entre eux moisissaient sans être lus là où ils se trouvaient à l'origine. Et voici la section de vieux Manth. Prenez un siège.

Hanno s'assit à la grande table et regarda stupéfait les ouvrages soigneusement emballés que l'on ouvrait devant lui. En les regardant, son cœur se mit à battre d'excitation. Jamais il n'aurait imaginé trouver un tel trésor !

– Alors ? Est-ce que ces textes ont un sens pour vous ?

Le professeur jetait les manuscrits sur la table les uns après les autres.

– Et en voici encore un !

– C'est extraordinaire ! s'émerveilla Hanno. Vous avez des documents qui sont parmi les plus précieux de mon peuple.

– Qu'est-ce qu'ils ont de précieux ? demanda Fortz de sa voix tonitruante.

– Nous en avons perdu tellement au cours des guerres tribales d'autrefois que nous pensions qu'ils avaient été détruits.

– Eh bien, vous aviez tort. Maintenant, arrêtez de penser et copiez-les sous une forme que je puisse comprendre. Personne n'arrive à lire ces maudits gribouillis Manths.

Hanno triait les papiers, impatient de commencer.

– Voulez-vous que je les traduise dans un ordre particulier ?

– Comment voulez-vous que je vous réponde, puisque je ne sais pas ce qu'il y a dedans. Essayez de réfléchir avant de parler. Si peu de gens le font, de nos jours !

– Je devrais peut-être commencer par vous dresser une liste des documents.

– Faites pour le mieux, du moment que vous vous y mettez tout de suite. Et si vous trouvez quoi que ce soit d'important, faites-le-moi savoir.

Il laissa Hanno seul. Hanno n'avait rien dit, mais il savait déjà qu'il avait trouvé quelque chose de très important. Il avait reconnu le manuscrit dès que le professeur Fortz l'avait jeté négligemment sur la table.

C'était le Testament Perdu.

Bowman dormit toute la journée, pendant que les autres travaillaient. Il venait de se réveiller quand les soldats vinrent le chercher. Il était seul dans la baraque, mis à part le chat gris.

Ils vérifièrent son numéro.

– Bowman Hath ?

– Oui.

– Mets tes bottes et suis-nous.

– Où ?

– Tu es demandé.

Impossible d'en savoir plus.

Le crépuscule de ce soir d'automne tombait déjà tandis qu'il suivait les soldats sur la route vers le lac. Devant lui, là où la chaussée rejoignait le rivage, un homme l'attendait. En approchant, Bowman vit qu'il s'agissait de Marius Semeon Ortiz.

Les soldats saluèrent. Ortiz examina attentivement Bowman.

– Oui, c'est bien lui.

Le jeune guerrier se mit en marche, suivant la chaussée vers le Haut Domaine. Bowman l'accompagnait en silence. Des deux côtés, les eaux calmes du lac reflétaient les lumières de la ville. Au-dessus d'eux, les étoiles commençaient à poindre dans le ciel du soir. Tout était paisible.

– Je t'ai remarqué pendant la marche, dit Ortiz.

Bowman resta silencieux. Il essayait de percer les intentions d'Ortiz pour se préparer à tout ce qui pourrait lui arriver.

– Tu es quelqu'un de calme, lui dit Ortiz. J'aime bien ça.

Ils continuèrent à marcher. Bowman trouva que la chaussée était plus longue qu'elle ne le paraissait, vue du rivage. Les remparts du Haut Domaine se dressaient, de plus en plus imposants à mesure qu'ils en approchaient. Derrière eux, il entendait les pas feutrés du chat qui les suivait dans l'obscurité.

– Je me suis aperçu que j'avais besoin d'un serviteur pour une tâche particulière, lui dit Ortiz. Il ne s'agit pas d'un travail subalterne. Je t'ai choisi. Veux-tu me servir ?

– Est-ce que j'ai le choix ?

– Non.

Bowman ne dit plus rien.

– Tu ne me demandes pas de quelle tâche particulière il s'agit ?

– Vous me le direz quand j'aurai besoin de le savoir, dit Bowman. Je dois le faire de toute façon, que je le veuille ou pas.

Ortiz lui jeta un coup d'œil, et pendant un moment ils continuèrent à marcher en silence, leurs pas résonnant doucement sur la chaussée en bois.

– Tu me détestes, bien sûr.

– Oui, dit Bowman.

– J'ai incendié votre ville. Je vous ai chassés de chez

vous. Je vous ai réduits en esclavage. Comment pourriez-vous ne pas me détester ?

Ils étaient maintenant près des remparts, à l'entrée du Haut Domaine. Près du portail gauche, il y avait une petite porte par laquelle ne pouvait passer qu'une seule personne à la fois, et à pied. Ortiz frappa à cette porte. Il tourna son beau visage vers Bowman et lui dit :

– Mais je suis aussi votre libérateur. Je suis l'homme qui vous a tous libérés. Un jour, tu le comprendras.

La petite porte s'ouvrit de l'intérieur. Bowman ne répondit rien, mais secrètement il était stupéfait par les paroles d'Ortiz. Il avait pensé que ce jeune chef militaire brutal n'était qu'une machine de guerre au service d'un État cruel. Or, il venait de dire tout haut ce que Bowman et ses parents pensaient, mais n'osaient même pas exprimer si clairement : la destruction d'Aramanth et cette période d'esclavage avec toutes ses cruautés étaient d'une certaine façon nécessaires. Le peuple Manth avait dû partir pour arriver. Mais où ?

Ortiz avait franchi la porte basse qui donnait dans la cité. Bowman le suivit. La porte se referma avant que le chat puisse passer.

La première impression, et la plus forte, venait de la musique. De tous côtés lui parvenaient des mélodies enjouées de violons, de douces complaintes de pipeaux et des voix qui chantaient en chœur. C'était l'heure où les gens ont fini leur journée de travail et ne vont pas encore se coucher ; lorsque la nuit est tombée, mais que toutes les lampes brillent. Les immeubles entassés le long des rues devant lui étaient tous éclairés de l'intérieur, la douce lumière des lampes faisant scintiller comme des joyaux le verre multicolore qui recouvrait les murs et les toits. À travers ces jaillissements de rouge et d'ambre, les habitants du Haut Domaine passaient, se rendaient visite, parlaient ou dansaient, se réunissaient pour faire de la musique et chanter. L'air était rempli de sons mélodieux et confus.

Bowman regardait autour de lui, médusé. Était-il possible que des gens qui avaient l'air aussi gais et aussi gentils aient su que de l'autre côté du lac, la nuit dernière encore, des êtres humains avaient été brûlés vifs ? S'ils l'avaient su, ils auraient sûrement été horrifiés, se seraient soulevés et auraient renversé le Maître qui en avait donné l'ordre. Ortiz marchait devant Bowman, lui faisant signe de le suivre le long de la plus large des ruelles. Ils traversèrent un petit marché où, devant l'entrée d'un salon de thé, des étalages étaient chargés de gâteaux et de vins. À l'intérieur du salon de thé, des voix discutaient et riaient bruyamment. Un peu plus loin, des fenêtres s'ouvrirent à un étage supérieur, laissant passer les sons d'un chœur travaillant des harmonies. Bowman entendit le chef d'orchestre taper sur son pupitre à musique en criant : « Gardez le rythme, s'il vous plaît, mesdemoiselles ! On recommence ! » Ils passèrent sur une petite place entourée de tilleuls où des vieillards jouaient aux échecs dans la douceur du soir. Sous des arcades, un maître de danse enseignait à une classe toute une série de pas compliqués. « Concentrez-vous, s'il vous plaît. Fixez votre esprit sur vos pieds. Pensez avec vos orteils ! »

La ruelle déboucha soudain sur une vaste esplanade au bout de laquelle se dressait, ou plutôt flottait, un immense et merveilleux édifice, couvert de trois coupoles. Chaque coupole s'appuyait un peu sur l'autre, avec une grâce et une légèreté qui semblaient irréelles dans une si grande structure. Chacune d'elle était faite de délicates dentelles de pierre, chacune miroitait d'une couleur différente, or pâle et orange, jusqu'au rouge et au violet, de sorte que les nombreuses lumières qui s'y reflétaient les faisaient étinceler comme un ciel au soleil couchant.

– Oh ! s'exclama Bowman, que c'est beau !

Ortiz le regarda en acquiesçant d'un mouvement de tête.

– Voilà comment les hommes sont censés vivre, dit-il.

Il conduisit Bowman sous les arcades, jusqu'à la place entourée de colonnades, au centre de laquelle coulait une fontaine.

Cette fontaine était constituée d'un socle en grosses pierres sur lesquelles reposait une cage entièrement sculptée dans les mêmes blocs de marbre d'un blanc gris translucide. La porte de la cage était ouverte, et par en dessous, à travers les barreaux en marbre et par l'ouverture de la porte, jaillissait un jet d'eau. À l'endroit où l'eau retombait en arc de cercle, trois oiseaux étaient suspendus, comme s'ils tenaient tout seuls en l'air. Leurs ailes étaient déployées, pour montrer qu'ils venaient de sortir de la cage où ils avaient été enfermés. Les oiseaux étaient sculptés dans le même bloc de pierre pastel, mais les tiges de pierre qui les soutenaient étaient cachées par le jet d'eau. La pluie de gouttelettes qui s'abattait sous leurs ailes donnait l'illusion qu'elles étaient en mouvement, toujours sur le point de s'envoler vers la liberté.

– L'homme qui a fait ça, dit Ortiz, a travaillé toute sa vie comme tailleur de pierre avant de venir ici. Il n'avait rien fait d'autre que tailler des blocs pour des immeu bles. Et pendant tout ce temps, cette œuvre était enfermée en lui, attendant d'être libérée.

– Est-ce que cet homme est un esclave ?

– Bien sûr, répondit Ortiz. – Il fit un grand geste du bras, montrant le grand espace miroitant. – Tout ici est l'œuvre des artistes. Cette grande cité est une œuvre d'art. Il n'existe rien de comparable dans le monde entier.

Bowman était à la fois impressionné et désorienté.

– Pourquoi tout cela ? demanda-t-il.

– Pour nous, qui vivons ici. Le Maître dit que les hommes sont faits pour vivre dans la beauté.

– À l'exception des esclaves.

– La beauté existe pour les esclaves aussi. Tu es un esclave et tu la ressens.

Il traversa la place, suivi de Bowman. À l'autre bout, plusieurs galeries menaient dans une petite salle où des gens, assis sur des gradins, assistaient à une séance d'entraînement. Seize combattants de l'école de manaxa suivaient les instructions de leur entraîneur dans une démonstration qui était destinée à la fois à exercer leur adresse et à distraire les spectateurs. Les manacs, à demi nus, luisaient sous la lumière des lampes tandis qu'ils exécutaient leurs demi-tours accroupis, puis se relevaient brusquement, toujours deux par deux.

Ortiz et Bowman s'attardèrent un peu pour regarder.

– Il va y avoir un festival de manaxa le jour du mariage, dit Ortiz.

– Est-ce qu'ils vont se tuer ?

– C'est possible.

Bowman se dit qu'il était difficile de croire que ces mouvements gracieux pouvaient annoncer une mort brutale. Mais il l'avait vu de ses propres yeux. Quand les manacs entraient dans l'arène, ils dansaient pour tuer. Tout cela faisait partie de l'énigme de la Seigneurie : beauté et esclavage, culture et terreur, danse et mort.

Soudain, il s'aperçut qu'il connaissait l'un des manacs.

– C'est Mumpo !

– Ce n'est pas la peine de l'appeler, il ne t'entendra pas.

Bowman savait que Mumpo était parti pour l'école de manaxa ; mais comment avait-il pu changer autant en si peu de temps ?

– Pourtant, c'est bien Mumpo !

Comment ce Mumpo qu'il connaissait depuis qu'il avait cinq ans, dont le nez coulait sans arrêt quand il était petit, qui avait toujours été dernier de la classe, qui avait suivi sa sœur Kestrel comme un petit chien, qui était devenu grand mais parlait toujours avec ce même air effaré... comment avait-il pu devenir ce manac luisant et dangereux, qui fendait l'air de ses membres à quelques pas de lui ?

Ortiz ne savait rien de tout cela. Mais il savait très bien comment la Seigneurie décelait et exploitait les talents de ses prisonniers.

– Tout le monde change en venant ici, dit-il. Même toi, tu changeras.

Il repartit et Bowman le suivit.

À présent, ils étaient dans un hall d'où partaient plusieurs couloirs. De chacun d'eux provenait le tap-tap-tap de pas de danse et les ordres brefs des professeurs. Ortiz s'arrêta devant plusieurs portes.

– Je dois prendre un cours de danse, à présent, dit-il. Pour apprendre la tantaraza.

– Un cours de danse ?

C'était si insolite. Ce soldat, ce conquérant, ce meurtrier, se préoccupait de savoir danser !

– Le Maître nous a appris que la danse permet d'approcher la perfection.

Il entra dans une pièce. Une femme mince attendait à l'intérieur. Elle parlait tranquillement à deux musiciens, un joueur de pipeau et un tambour. Elle se leva aussitôt et fit une légère révérence à Ortiz.

– Mon professeur de danse, Mme Saez, dit Ortiz à Bowman. À ton avis, quel âge a-t-elle ?

Bowman ne savait comment répondre sans risquer de la vexer. La dame portait un justaucorps moulant et une jupe légère qui révélaient un corps souple dans la fleur de l'âge. Mais les rides de son cou et de son visage dévoilaient une autre histoire.

– Plus ou moins de quarante ans ? l'encouragea Ortiz.

Le professeur de danse sourit de plaisir, et deux petites fossettes se creusèrent dans ses joues.

– Autour de quarante, peut-être ? dit Bowman.

– Elle a soixante-huit ans !

Ortiz et la dame étaient ravis de l'air surpris de Bowman.

– Et je n'ai jamais aussi bien dansé de ma vie, ajouta la dame. Mais venez, maintenant, nous avons du travail. Débarrassez-vous, dit-elle à Ortiz.

Ortiz enleva sa cape, sa veste, et se prépara à danser. Bowman se rendit compte qu'il allait assister au cours. Ortiz ne lui avait toujours pas dit pourquoi il l'avait choisi ni ce qu'il devrait faire.

Mme Saez se mit en position.

– Jouez ! Acha !

Les musiciens commencèrent à jouer et les danseurs à danser. Bowman ne savait rien de la tantaraza, mais il vit aussitôt qu'Ortiz était un excellent danseur, qui connaissait très bien tous les pas. Tous deux tournèrent et se séparèrent devant lui, suivant des figures compliquées, allant de plus en plus vite, et avec des variantes de plus en plus savantes lorsque...

– Non, non, non ! – Avec irritation, le professeur frappa le sol de son pied élégamment chaussé. – Comment avez-vous pu rater ce mouvement ? Quand on connaît bien la tantaraza, ce genre de faute est inconcevable ! Quand vous parlez, vous mettez les mots dans un certain ordre pour qu'ils signifient quelque chose, non ? Alors faites les pas dans l'ordre qui leur donne leur sens. Acha !

Les musiciens reprirent le morceau au début et la danse se déploya de nouveau. Bowman regardait, laissant son esprit pénétrer la danse. Sans rien savoir des différents pas, il comprit où était le problème : le professeur dansait sans préméditation, comme si son corps bondissait tout seul, sans être lié à un acte volontaire. Ortiz au contraire dansait en suivant une partition dans sa tête. Inévitablement, il traînait derrière sa partenaire, la suivant là où il aurait dû la conduire, même s'il n'avait qu'une fraction de seconde de retard.

– Arrêtez ! Arrêtez ! – La dame n'était pas contente. – Vous ne faites pas de progrès Vous devez être plus attentif !

– Non, dit Bowman, il doit l'être moins, être plus détendu.

Mme Saez le dévisagea.

– Eh bien, dit-elle, tu es professeur de danse, maintenant ? Voilà à peu près cinquante ans que j'enseigne. Mais je ne doute pas que tu saches mieux que moi ce qu'il faut faire.

Ortiz avait l'air amusé.

– Il a peut-être raison, après tout.

– N'importe quoi ! Être plus détendu ! Il faut être plus précis, au contraire. Exact. Rechercher la perfection ! Quand vous quitterez mon cours, vous pourrez être aussi négligent que vous le voudrez, mais ici, une seule chose compte : la précision ! Acha !

Ils se remirent à danser. Ortiz fut meilleur. Contrairement à son professeur, il avait compris ce que Bowman voulait dire. Le garçon s'aperçu que, malgré lui, il éprouvait une certaine sympathie pour Ortiz. Son visage de faucon encadré de cheveux fauves, si absorbé dans cette danse complexe était comme la Seigneurie elle-même : cruelle, mais belle. Et, chose plus difficile encore à comprendre, Bowman sentit que son jeune maître croyait que ce qu'il faisait, du mieux qu'il le pouvait, était juste et bien. Lorsque ses yeux croisèrent ceux de Bowman, celui-ci eut l'impression qu'Ortiz ne ressentait aucun sentiment de culpabilité. Tandis qu'il dansait, il semblait presque innocent.

Bowman, lui, ne se sentait pas innocent. Il ne savait pas encore quelle tâche il allait devoir accomplir pour Ortiz, mais il sentait que cela le conduirait vers une tâche bien plus importante : vers son devoir. Aussi belle que cette ville puisse être, elle devait être détruite. Bowman en était certain. Et d'une manière ou d'une autre, c'était à lui de le faire.

***

Hanno Hath était assis à la table de la bibliothèque, tenant les pages fragiles, de couleur crème, entre ses doigts tremblants, lisant et relisant la ligne de texte qui s'étalait en haut de la première page :

Pour l'enfant qui porte mon nom, et doit achever mon travail.

Pendant des générations, les écoliers Manths avaient entendu parler de l'existence du Testament Perdu, mais il ne restait rien de ce texte. On savait simplement qu'il avait été écrit, par qui, et pour quelles raisons.

L'auteur était le premier prophète de leur peuple, Ira Manth. On savait qu'il avait écrit pour sa petite fille de sept ans, qui s'appelait également Ira Manth. Le but du prophète avait été de laisser une trace de tout ce qu'il avait appris. Certains disaient même que le prophète avait prédit l'avenir de son peuple dans le Testament Perdu.

Et ce testament se trouvait là, sur la table, devant Hanno : quelques petites feuilles couvertes, ligne après ligne, de caractères Manths soigneusement tracés. Sous la première ligne, les paragraphes étaient divisés, à intervalles irréguliers, par des traits qui traversaient toute la page. Ces blocs de texte étaient numérotés à l'aide d'anciens signes écrits à la main, et qui se comptaient par cinq. À la fin du document, l'auteur avait esquissé le C contourné qui était le symbole du Peuple du Chant. Hanno fut stupéfait de le voir sur un document si ancien.

Il mit le papier à la lumière et lut la première page :

Le temps de l'accomplissement est venu. À présent, je dois chanter le chant de la fin avec tous ceux qui ont voyagé avec moi. C'est de notre tranquillité, de notre amour et de notre chant que se lèvera le vent de feu.

À la première génération après l'accomplissement, il y aura un temps de bonté. À la deuxième génération, le morh se lèvera et ce sera le temps de l'action. À la troisième génération, le morh emplira le monde et ce sera le temps de la cruauté ; alors le chant devra de nouveau être chanté.

Je te charge, mon enfant, de transmettre mon savoir à travers le temps de la paix, qui est aussi le temps de l'oubli. Que les chants non écrits passent à la génération suivante. Que les chanteurs soient. Qu'ils vivent dans le calme et connaissent la flamme. Ils perdront tout et donneront tout. Dans le doux moment qui précède l'accomplissement, ils seront jetés dans la tempête de la béatitude. Ce sera leur récompense.

14

ORTIZ TOMBE AMOUREUX

Lorsque la grande caravane de Gang arriva aux frontières de la Seigneurie, elle fit halte. Là, les soixante-dix-sept voitures, la cour royale, ses hauts dignitaires, ses serviteurs et son énorme escorte de gardes installèrent un camp pour procéder aux derniers préparatifs du mariage. Il y avait beaucoup à faire. Il fallait sortir la robe de la mariée de la malle de voyage et en assembler les différents morceaux. Il fallait astiquer les insignes royaux. Il fallait répéter les détails de la cérémonie Bref, l'agitation et l'anxiété devenaient générales.

Kestrel savait qu'elle n'était plus très loin de son frère désormais, car le sentiment de sa présence s'imposait de plus en plus fortement en elle, mais elle ne se rendait pas compte qu'il se trouvait si près, jusqu'au jour où elle entendit sa voix. Elle était dans le carrosse de la Johdila, avec Sisi et Lunki, lorsqu'elle sentit une petite bourrasque, une bouffée d'air tiède, et soudain, lointain mais reconnaissable, Bowman qui l'appelait :

« Kess ! J'arrive ! »

Elle resta absolument immobile s'efforçant de chas ser les autres pensées de son esprit.

« Kess ! je sens ta présence ! Tu es là ? »

« Oui, lui répondit-elle, je suis là ! »

Elle sentit soudain une vague de joie venir de lui et l'envahir. Elle ne pouvait ni le voir ni l'entendre, mais elle savait qu'il ne cessait de se rapprocher. Son cher frère arrivait !

« Est-ce que Pa et Ma… »

« Tout va bien ! » lui répondit-il joyeusement.

« Êtes-vous des esclaves ? Vous font-ils du mal ? »

« Pas libres, mais en bonne santé. »

« Dis-leur que je les aime. »

Elle avait envie de pleurer et savait qu'il le sentait.

« Je t'aime, Kess. Nous serons bientôt tous réunis. »

Peu de temps après, un messager vint de la Seigneurie pour annoncer qu'un groupe de jeunes gens venait à la rencontre des voyageurs pour leur souhaiter la bienvenue. Parmi eux se trouvait le fils du Maître, qui venait voir sa fiancée.

La Johdila accueillit cette nouvelle avec fureur.

– Il vient voir sa fiancée ! s'exclama-t-elle. Pour qui me prend-il ? Pour un menu ? Qu'on inspecte avant de choisir !

– N'oublie pas, lui fit remarquer Kestrel, que tu seras voilée.

– Ah, oui. – La Johdila l'avait oublié. – Il pourra écarquiller les yeux jusqu'à ce qu'ils lui sortent de la tête, il ne me verra pas.

– Mais toi, tu le verras.

– Oui, bien fait pour lui !

– Qu'est-ce que tu feras s'il ne te plaît pas ?

– Je m'enfuirai. Tu viendras avec moi, chérie ? Nous vivrons dans les arbres comme des écureuils, et je n'épouserai jamais personne. À moins que les écureuils se marient ?

– Attends de voir ce qui va se passer. Après tout, qui sait ? Quelque chose pourrait empêcher ce mariage.

Kestrel sentait Bowman approcher. Elle comprit qu'il faisait probablement partie du groupe qui entourait le fiancé. Cette coïncidence, le fait que son frère accompagne le futur marié alors qu'elle accompagnait la future mariée, l'étonna d'abord, puis lui donna un regain de confiance. Cela ne pouvait être une simple question de hasard. D'une manière ou d'une autre, c'était voulu. Quelqu'un veillait sur eux. Et bientôt, très bientôt, ils s'embrasseraient…

Non, il ne fallait pas qu'ils se démasquent aux yeux des autres.

« Bo ! Ne montre pas que tu me connais ! »

« Ne t'inquiète pas, je n'en ferai rien. »

Il comprenait. Bien sûr qu'il comprenait. Comme toujours.

Zohon passa, l'air pressé, suivi d'un grand nombre d'hommes armés. Il était occupé à cacher des soldats de l'autre côté de la route. Kestrel le vit et s'en inquiéta. Apercevant le Grand Vizir, elle lui demanda :

– La Johdila pourrait-elle être mieux protégée, Monsieur ? Au cas où il faudrait se battre.

– Se battre ? Pourquoi se battre ? s'exclama Barzan. Il s'agit d'un mariage.

– Je disais ça parce que j'ai vu des soldats se cacher derrière les buissons…

– Des soldats cachés derrière les buissons !

Cette information eut l'effet désiré. Barzan se précipita vers Zohon et lui demanda ce qu'il faisait.

– Je défends le Johanna, répliqua sèchement Zohon. S'ils croient qu'ils vont pouvoir me surprendre, ils apprendront vite la leçon !

– Il n'est pas question de surprendre qui que ce soit, espèce de babouin ! Ils viennent voir la future mariée !

– Comment le savez-vous ?

– Un messager est venu nous l'annoncer.

– Ils ne vont quand même pas envoyer un messager dire : « Nous venons attaquer votre camp et enlever la Johdila » ! Vraiment, Barzan, parfois je me demande si vous êtes à la hauteur de votre fonction.

– Enlever la Johdila ? Pour quoi faire ? Nous allons la leur donner !

– Qui sait ? Nous pourrions simplement faire semblant de leur donner la Johdila pour leur tendre un piège et attaquer leur pays.

– Mais nous n'en avons absolument pas l'intention !

– Ils ne peuvent pas en être sûrs. Ils peuvent donc décider d'attaquer les premiers. Mais j'attaquerai avant eux !

– Vous attaquerez le premier avant qu'ils n'attaquent les premiers, c'est ça ?

– Exactement !

– Et comment saurez-vous qu'ils avaient l'intention de vous attaquer s'ils n'ont pas encore attaqué ?

– C'est là tout mon talent, Barzan. C'est grâce à ça que les gardes de Johjan n'ont subi aucune défaite depuis cinq ans, depuis que j'ai pris leur commandement.

– Pas du tout. Vous n'avez pas subi de défaite depuis cinq ans parce qu'il n'y a pas eu de guerre.

– Justement ! C'est bien la preuve que j'ai raison.

– Je crois que vous êtes complètement fou.

Barzan alla voir le Johanna pour protester contre ces préparatifs guerriers.

– Vous ne trouvez pas, Excellence, que c'est une ter-

234

rible fausse note ? La note de la suspicion, de l'agression voilée.

– Je n'en sais rien, ces garçons sont beaux à voir, il ne faut pas l'oublier.

– Ce sont des soldats, Votre Majesté. Les soldats font la guerre. Et nous ne voulons pas la guerre.

– Oh, Barzan ! dit le Johanna.

À la demande de la Johdi, Ozoh le Sage tint une séance spéciale de lecture des signes avant l'arrivée du futur époux et de sa suite. L'augure royal, profondément effrayé par son entrevue avec Zohon, ne savait plus très bien comment s'y prendre pour plaire à tout le monde. Il fit tourner l'œuf sacré d'une main tremblante.

– Oh ! Ah ! murmura-t-il, tandis que l'œuf s'arrêtait.

– Eh bien ? lui demanda la Johdi qui, de jour en jour, devenait plus anxieuse.

– Vous le voyez vous-même : fragilité ! L'œuf est en Spong !

– En Spong ! Foofy, l'œuf est en Spong !

– Bon, bon, ma chère. S'il en est ainsi, il en est ainsi, tu le sais bien.

– En Spong, reprit Ozoh, les chances de paix reposent sur la fleur de la virilité.

Ozoh était content de son expression : « la fleur de la virilité ». Il lui semblait qu'elle montrait un penchant vers les gardes de Johjan, ce qui satisferait Zohon, mais qu'elle indiquait aussi une perspective de paix, ce qui contenterait Barzan.

– Alors, est-ce que tout va bien se passer ? s'inquiéta la Johdi.

– Lorsqu'il y a de l'ombre, il y a forcément de la lumière, dit l'augure. Bien que le soleil se couche, il se lève de nouveau.

– C'est tout à fait vrai, tu sais, dit le Johanna, impressionné et rassuré, à sa femme.

Les guetteurs de Zohon crièrent que les visiteurs étaient en vue.

– À vos places ! s'écria Barzan.

Les courtisans et les hauts dignitaires formèrent deux lignes à angle droit, qui se déployèrent à partir des carrosses royaux, comme des bras ouverts souhaitant la bienvenue. Les joueurs de cor levèrent leur instrument jusqu'à leurs lèvres et attendirent le signal. Zohon se mit à arpenter la route, balançant son marteau avec une violence contenue. La Johdila et Kestrel se pressèrent contre la fenêtre voilée de gaze du carrosse, toutes deux aussi impatientes, bien que pour des raisons différentes, de voir apparaître le groupe du futur mari.

Puis les cors sonnèrent sur la grand-route, suivis d'autres cors sur le chemin menant au camp, et enfin dans le campement même. Un groupe coloré de beaux jeunes gens à cheval apparut alors. Ils portaient de grandes capes qui flottaient derrière eux, découvrant des tuniques couvertes de broderies, et avaient la tête coiffée d'un chapeau à plumes.

– Des paons ! ricana doucement Zohon en les voyant. Je ne mettrai pas longtemps à les faire piailler.

Kestrel, qui guettait derrière la fenêtre du carrosse, reconnut aussitôt Ortiz. Il chevauchait devant les autres, tête nue, ses épais cheveux fauves ondulant au vent. Il se tenait droit sur sa selle, conscient du fait que des centaines de regards étaient posés sur lui, et il ralentit son cheval, le mettant au pas. Derrière lui, ses compagnons, puis ses serviteurs. Kestrel le regarda et sentit tout son corps se raidir. Les souvenirs montèrent en elle avec une telle force qu'elle eut l'impression de sentir l'odeur des maisons en feu et d'entendre les hurlements ; elle revoyait son visage arrogant tourné vers elle, ses yeux cruels reflétant les flammes rouges et dansantes qui détruisaient son foyer. C'était son ennemi. C'était celui qu'elle avait juré de détruire.

– Il n'est pas si mal, dit Sisi. Et il n'est pas vieux du tout.

– C'est un assassin ! dit Kestrel.

– Vraiment ? s'étonna Sisi. Comment le sais-tu ?

Kestrel eut envie de tout raconter à Sisi, mais elle avait peur que celle-ci le répète à toute la cour. Pour l'instant, son secret était son pouvoir. Aussi répondit-elle :

– Regarde son visage. Tu ne trouves pas qu'il a l'air cruel ?

– Pas spécialement. À quoi ressemblent les gens cruels ?

Ortiz avait mis pied à terre, et toute sa suite l'imita. Le Johanna et la Johdi descendirent de leur carrosse. Le Grand Vizir présenta le futur époux au souverain de Gang. Kestrel sentait la présence de Bowman tout près d'elle, mais elle ne parvenait pas à le voir. Puis les gentilshommes qui entouraient Ortiz avancèrent, et elle l'aperçut, un peu en retrait, qui tenait tranquillement le cheval du jeune guerrier. Il était exactement comme avant ; il semblait juste un peu plus petit, plus frêle, à côté de ce grand et beau cheval. Elle savait qu'il sentait sa présence, lui aussi, mais ne pouvait la découvrir. À sa vue, une vague de bonheur la submergea.

« Je te vois. »

« Où ? Où es-tu ? » lui demanda-t-il.

Il tournait la tête de tous les côtés pour tenter de l'apercevoir.

« Dans le carrosse vert et doré, avec la future mariée. Nous allons bientôt sortir. »

Il tourna les yeux vers elle. Mais il ne pouvait la voir à travers les rideaux qui voilaient la fenêtre.

Les présentations étaient terminées. Le temps de rencontrer la future épouse était venu. Des pas approchèrent de la voiture de la Johdila.

– Baisse ton voile, mon petit cœur, dit Lunki.

La porte fut ouverte de l'extérieur. Le Grand Vizir annonça :

– La Johdila Sirharasi, Perle de la Perfection, Splendeur de l'Orient, Délectation d'un Million de Regards !

Sisi descendit du carrosse, suivie de Lunki et de Kestrel. Celle-ci sentit le regard de Bowman se poser sur elle, mais elle évita de le regarder. Les yeux baissés, elle marcha humblement derrière la Johdila, comme une bonne servante.

Le Johanna prit la main de Sisi et la serra. Maintenant que cet imposant jeune homme était là pour la voir, le souverain s'apercevait qu'il n'avait aucune envie de laisser partir sa fille.

– Parlez, Majesté, lui chuchota Barzan.

– Très bien, très bien, soupira le Johanna.

Il leva alors son auguste tête et s'adressa à son futur gendre.

– Je vous présente ma fille bien-aimée. Puisse-t-elle trouver grâce à vos yeux.

Ortiz regarda la Johdila. On ne lui avait pas dit qu'elle serait voilée. Bien sûr, cette union était davantage une alliance tactique qu'un mariage d'amour, mais même ainsi il ne put s'empêcher de se sentir dupé.

– Princesse, dit-il en s'inclinant légèrement.

Il y eut un silence.

– Il est dans nos coutumes, dit le Grand Vizir pour éviter tout malentendu, que la future mariée ne parle pas à son fiancé avant le mariage.

– Oh ! s'exclama Ortiz, qui éprouva un sentiment de frustration encore plus grand.

– Le premier mot qu'elle vous dira sera celui qui fera d'elle votre épouse.

– Ah ! dit Ortiz.

Il regarda autour de lui, un peu perplexe, fronçant les sourcils pour masquer son embarras ; c'est alors qu'il aperçut Kestrel. La jeune servante de la Johdila, comme il le présuma, se tenait juste derrière sa maîtresse, les yeux modestement baissés, et sans voile. En la regardant, il eut l'impression de reconnaître son visage. Il chercha dans sa mémoire, se demandant où il avait pu la rencontrer, sans se rendre compte qu'il était tout simplement frappé par la ressemblance de la jeune fille avec son frère jumeau.

Soudain, elle leva les yeux et croisa son regard. Il vit en un éclair qu'elle le reconnaissait. Cela ne dura qu'un instant. Ensuite, elle baissa de nouveau les yeux. Ortiz sentit un frisson de surprise le parcourir.

Exactement au même moment, Sisi découvrait, juste derrière son futur époux, un mince jeune homme au teint pâle et aux yeux sombres. Ce jeune homme regardait tranquillement, non pas vers elle, mais vers Kestrel. Tandis qu'elle gardait les yeux fixés sur lui, son regard se posa sur elle. Étant voilée, elle put le regarder hardiment. Elle trouvait ses yeux fascinants. Il y avait un tel calme en eux et tant de compréhension ! La jeune fille se rendit compte que la plupart des hommes avaient un regard autoritaire, comme si leurs yeux voulaient toujours forcer quelque chose en elle ; ce regard-là, au contraire, était doux, attentif, bon.

Bowman, de son côté, désirait de tout son cœur un regard de Kestrel. Il comprenait qu'ils ne devaient pas se trahir, et n'avait plus tenté de communiquer avec elle, même par la pensée. Mais la tentation de croiser son regard était trop forte. Il quitta la princesse des yeux pour les ramener sur sa sœur : juste à ce moment, elle leva les yeux et leurs regards se rencontrèrent. Pendant une fraction de seconde, ils se dirent tout ce qu'ils ressentaient : leur amour, leur profonde joie d'être tous deux sains et saufs, leur gratitude d'être de nouveau réunis. Bowman ressentait l'envie douloureuse de courir la serrer dans ses bras comme il l'avait fait tous les jours jusqu'à la destruction d'Aramanth. Mais il ne bougea même pas un doigt, et leurs regards se quittèrent aussi vite qu'ils s'étaient rencontrés.

Sisi, pourtant, avait tout vu. L'expression de Bowman ne pouvait prêter à confusion : il connaissait Kestrel ! Brusquement, tandis qu'elle le regardait, songeant à la connivence entre eux, Sisi fut frappée par leur ressemblance. C'était sûrement le frère de son amie ! Secrètement excitée, elle l'examina de nouveau attentivement. Il n'était pas aussi grand qu'elle l'avait espéré et il ne semblait pas très fort, mais son visage était si intéressant, si changeant ! Il ne riait pas comme Kestrel, mais il faut dire qu'il n'y avait pas vraiment de quoi rire. Il paraissait ne pas savoir ce qu'il était censé faire. Sisi l'aima pour cette indécision, car elle non plus ne savait pas comment elle devait se comporter.

Elle sentit qu'on lui pinçait le bras.

— Salue, lui murmura sa mère. Et retourne dans ton carrosse.

La Johdila fit ce qu'on lui demandait. Kestrel et Lunki la suivirent. Dès qu'elles furent dans la voiture, Sisi envoya Lunki faire une course, et elle se tourna, tout excitée, vers son amie.

– Je l'ai vu ! C'est ton frère ! C'est lui, c'est lui, je le sais !

La confusion de Kestrel suffit à la trahir.

– S'il te plaît, lui demanda-t-elle, ne le dis à personne.

– Non, ne t'inquiète pas, ma chérie ! Ce sera notre secret. Mais il faut que tu me laisses le rencontrer.

– Pour quoi faire ?

– Pour que je puisse l'épouser, bien sûr ! Il faut rencontrer les gens avec lesquels on va se marier.

– Tu ne vas pas épouser mon frère, Sisi !

– Mais si. Il est charmant.

– Tu vas te marier avec ce… ce…

– Cet assassin, c'est comme ça que tu l'as appelé.

– Oui, c'est vrai.

– Je préfère ton frère.

– Tu dois l'oublier. Personne ne doit savoir que c'est mon frère.

– Pourquoi ? Je ne comprends pas. Pourquoi ne le ferions-nous pas simplement appeler pour qu'il vienne nous rendre visite ? Tu ne veux pas le voir ?

À contrecœur, Kestrel comprit qu'elle allait devoir s'expliquer, du moins en partie.

– C'est un esclave, Sisi. Comme tous les membres de ma famille. J'essaie de trouver le moyen de les aider à s'enfuir.

– Kess, mais c'est palpitant ! Comment vas-tu faire ?

– Je ne sais pas encore.

– J'ai une idée ! Je vais demander au Maître de me les donner comme cadeau de noce.

Kestrel fut touchée. Elle sourit mais fit non de la tête.

– Il ne s'agit pas seulement de ma famille, mais de tout un peuple.

– Combien de personnes ?

– Des milliers et des milliers.

Sisi eut l'air consterné.

– C'est trop, Kess. Tu ne trouveras jamais le moyen de libérer des milliers de gens.

– Si, j'y parviendrai. Je veux y parvenir, je dois le faire et je le ferai !

Sa farouche détermination transporta la Johdila.

– Moi aussi, j'espère que tu y parviendras, Kess, lui dit-elle.

Puis, soudain en plein désarroi

– Mais qu'est-ce qui va m'arriver ? Il va falloir que j'épouse l'assassin, c'est ça ?

– Qui sait ? Personne ne peut savoir ce qui va se passer.

Kestrel, cependant, n'avait pas l'intention d'attendre l'intervention de la providence. Maintenant qu'elle avait vu Bowman, maintenant qu'ils pouvaient communiquer, elle était décidée à appliquer son plan jusqu'au bout. Tous les éléments nécessaires se mettaient en place. Bowman et elle, en travaillant ensemble, pouvaient tout faire. Quant à Sisi – elle préférait ne pas penser à Sisi. Le problème était qu'elle l'aimait de plus en plus. Au début elle avait pensé que la jeune fille était stupide, mais maintenant elle se rendait compte que la Johdila avait simplement été tenue à l'écart de tout. Si quelqu'un était stupide, c'était bien Zohon. Au commencement, elle avait ri de lui, mais à présent elle savait qu'un homme vaniteux et stupide avec un marteau bien aiguisé n'avait rien de drôle. Comment pouvait-elle laisser Sisi entre les griffes d'un tel homme ? Par ailleurs, celle-ci serait-elle mieux avec Ortiz, l'assassin auquel sa famille voulait la vendre ? Kestrel décida donc de poursuivre l'exécution de son plan, quelles qu'en soient les conséquences, et de se fier à son inspiration du moment pour sauver son amie.

Silencieux et pensif, Marius Semeon Ortiz chevauchait sur le chemin du retour vers le Haut Domaine. Il songeait à la jeune fille qui accompagnait la Johdila. Elle n'était pas belle à proprement parler, mais il y avait quelque chose en elle qu'on avait du mal à oublier. Quelque chose d'indéfinissable : une façon d'être directe, une audace dans les yeux, et même un je-ne-sais-quoi de sauvage. Et sa bouche... Il imagina cette bouche en train de sourire. Il imagina les lèvres formant un baiser. Il imagina ce baiser... Dans un sursaut, il s'obligea à interrompre ce flot de pensées ridicules. Dans d'autres circonstances, il aurait peut-être essayé de mieux connaître cette jeune étrangère. Mais son devoir lui apparaissait clairement : il épouserait la Johdila et mettrait ainsi l'immense royaume de Gang sous le contrôle du Maître. Celui-ci serait fier de lui et le désignerait comme son héritier. Avec le temps, tout le pouvoir et toute la richesse de la Seigneurie lui appartiendraient.

Il regarda la pente qui descendait doucement jusqu'au lac et le palais-cité qui émergeait de l'eau. Dans quelques jours, il serait marié. Son épouse, la Johdila Sirharasi de Gang, irait vivre avec lui dans ses beaux appartements. Les servantes de la Johdila l'accompagneraient. La fascinante jeune fille aux yeux sombres aurait un lit sous son toit. Il passerait près d'elle dans les couloirs. La jeune fille lèverait les yeux et croiserait les siens. Elle effleurerait son bras. Il se retournerait et verrait qu'elle s'était retournée, elle aussi, et qu'elle le regardait. Il tendrait la main vers elle, l'attirerait contre lui, embrasserait son cou, ses joues, ses lèvres...

Boomba-boomba-boomba... Les sabots des chevaux résonnaient sur le bois de la chaussée. Ortiz cligna des yeux, sortant de son rêve éveillé.

« Qu'est-ce qu'il m'arrive ? se demanda-t-il avec inquiétude. Je ne connais pas le nom de cette inconnue. Je ne lui ai pas dit un mot. Je ne l'ai regardée qu'une seule fois, pendant une seconde à peine. Il est ridicule, impossible et faux d'imaginer que je sois tombé amoureux. »

Tombé amoureux !

Ces simples mots, qu'il ne prononça que dans sa tête, le firent trembler de plaisir. Tombé amoureux ? Bien sûr que non ! Tombé amoureux ? C'était hors de question. Comment se pourrait-il qu'allant voir celle qui lui était promise, le futur héritier de la Seigneurie tombe amoureux d'une autre femme ?

15

LE SECRET DE LA SEIGNEURIE

Bowman chevauchait à côté de son maître. Il avait hâte de retrouver sa famille et attendait la première occasion pour le faire. Ortiz lui avait demandé de rester dans le palais-cité pour la nuit, lui attribuant une chambre qui semblait davantage être celle d'un ami que celle d'un domestique. Mais il n'avait toujours pas dit à Bowman ce qu'il attendait de lui. Il le traitait avec courtoisie et lui demandait son assistance comme une faveur, sans jamais lui donner d'ordre.

Bowman espérait donc qu'il consentirait à le laisser rejoindre les siens au plus vite.

Cependant, une fois rentré dans ses quartiers, Ortiz congédia tous les autres et demanda à Bowman de rester. Il lui fit signe de le suivre sur sa terrasse privée. C'était là, devant la jolie vue de la ville qui s'étendait à ses pieds, qu'Ortiz avait l'habitude de venir quand il voulait réfléchir.

Bowman se préparait justement à formuler sa requête quand Ortiz lui demanda brusquement :

– Que penses-tu de ma future épouse ?

– Votre épouse ?

– Sa beauté ? La douceur de sa voix ? Son caractère, ses manières, son intelligence ?

– Mais… elle était voilée. Elle n'a pas dit un mot

– Exactement.

– Monsieur…

– Qu'est-ce que le mariage ? – Ortiz se parlait autant à lui-même qu'à Bowman, entraîné par les courants contradictoires qui le tourmentaient. – Un arrangement, rien de plus. Ce n'est pas de l'amour. Même pas le bonheur. Il n'y a que les sots qui espèrent aimer leur femme.

Bowman ne savait pas très bien que répondre, il resta donc silencieux.

– L'amour n'a rien à voir avec cette alliance, tu sais. Les préparatifs du mariage se déroulent comme prévu. La routine. Je peux dire au Maître que je suis parfaitement satisfait. C'est clair ?

– Oui, Monsieur.

Bowman pensait tellement à sa sœur qu'il n'avait pas fait très attention à Ortiz. Il se rendit soudain compte qu'il n'avait aucune idée de ce qui se passait dans la tête de son jeune maître.

– J'imagine que tu te demandes de quoi je parle.

– Oui, Monsieur.

– Je parle d'absurdités, de balivernes, de rêves et de ténèbres. Regarde ! – Il fit un grand geste au-dessus des coupoles de la ville. – Existe-t-il une ville plus belle ? Les hommes ont-ils jamais vécu aussi bien ? Voilà ce qui est réel, ce qui dure. Ce n'est pas d'entrevoir fugitivement ce qui pourrait se passer si… si quoi ? Si j'étais intéressé par quelqu'un d'autre ? Si j'attirais son regard ? Si j'espérais un sourire en retour ?

Il tourna son visage ardent vers Bowman et celui-ci perçut aussitôt l'exaltation de ses sentiments. Comme tous les amoureux, Ortiz mourait d'envie de partager son émotion avec quelqu'un d'autre.

– Je peux te parler, n'est-ce pas ? Tu me comprends, au moins un peu, non ?

– Oui, dit Bowman, qui commençait tardivement à s'intéresser à ce qu'Ortiz avait en tête.

– Un seul regard ! N'est-ce pas absurde ? Comment quelque chose d'aussi infime peut-il entraîner tant de choses ? J'ai l'impression d'avoir appliqué mon œil contre le petit trou d'une serrure, un trou d'épingle, et de l'autre côté… de m'être vu moi-même en train de mener une vie différente.

Bowman réfléchissait rapidement. Cette explosion de passion ne pouvait pas avoir été déclenchée par la Johdila Sirharasi sous son voile.

– Un seul regard de ces deux yeux sombres ! dit Ortiz en soupirant.

Cette fois, Bowman avait compris.

– La servante de la Johdila ?

– Ah ! Tu l'as vue toi aussi ?

– Oui, je l'ai vue.

– Je vais te dire une chose : si je n'étais pas sur le point de me marier… je voudrais… je souhaiterais… mieux la connaître.

Bowman réfléchit à ce nouvel élément. Il sentit avec certitude qu'il pourrait s'en servir pour libérer son peuple asservi.

– Vous n'êtes pas obligé de conclure ce mariage, lui suggéra-t-il.

– Tel est le désir du Maître.

– Vous n'êtes pas obligé de faire tout ce que le Maître veut.

Ortiz se tourna vers Bowman et le regarda d'un air surpris.

– Je ne serais pas… ? Bien sûr, j'oublie. Tu es nouveau ici. Tu ne comprends pas encore. Tu vois cela, dit-il en balayant la vue de sa main, ce monde parfait est la création du Maître. Il existe et prospère parce que nous agissons selon sa volonté.

– C'est un monde parfait pour vous, dit Bowman. Pas pour les esclaves.

Ortiz le regarda de nouveau d'une curieuse façon.

– En es-tu sûr ? lui demanda-t-il. Les esclaves de la Seigneurie ne vivent-ils pas bien, dans le confort et la sécurité ? N'ont-ils pas un bon travail, le meilleur qu'ils aient jamais eu, leur santé n'est-elle pas florissante, ne deviennent-ils pas prospères et respectés ? Qu'est-ce qu'un homme peut vouloir de plus ?

– La liberté.

– Pourquoi ?

– Pourquoi ? répéta Bowman stupéfait. Tout le monde veut être libre.

– Tout le monde ? De même que tout le monde veut des chocolats ? Est-il toujours bon d'obtenir ce que l'on désire ?

– Non, mais… mais la liberté est…

Bowman sentait ses idées s'embrouiller.

– La liberté, qu'est-ce que c'est ? reprit Ortiz. Je vais te le dire. La liberté, c'est de la vanité. La liberté, c'est de la cupidité. Elle monte les hommes les uns contre les autres. Elle fait de nous tous des sauvages. Le Maître nous a montré la terrible cruauté de la liberté.

C'était de la folie, mais Ortiz semblait y croire, et avec conviction. Bowman oublia un moment qu'il était un esclave et que cet homme avait du pouvoir sur lui.

– J'ai vu la cruauté, dit-il, la colère perçant dans sa voix. J'ai vu des innocents brûler vifs.

– Bien sûr ! Nous avons tous vu ça ! Mais ce n'est pas

de la cruauté. C'est de la terreur. Un seul acte de terreur force à l'obéissance. Sans obéissance, c'est le chaos. Avec elle viennent la paix et l'ordre. D'abord nous obéissons par peur. Ensuite, nous obéissons par amour. Le Maître nous a enseigné qu'il en est ainsi. Et ce monde si riche, si beau, est notre récompense.

Une fois encore, Bowman répliqua :

– Pour vous, pas pour les esclaves.

Alors, Ortiz tendit son bras droit et, en silence, il retroussa le beau tissu de sa manche. Sur son poignet, un numéro était marqué au fer rouge.

– Nous sommes tous des esclaves, ici, dit-il. Voilà le secret de la Seigneurie.

Bowman regardait, stupéfait.

– Tous ?

– Tous, sauf un. Le Maître porte le fardeau de la liberté pour nous tous.

Bowman regarda la ville, le lac et les champs bien cultivés un peu plus loin. Il vit des paysans derrière les charrues. Un groupe de cavaliers qui trottaient rapidement sur la chaussée. Il se rappela les jeunes seigneurs qui accompagnaient Ortiz, son professeur de danse, les manacs et les chœurs chantant au crépuscule. Tous des esclaves ?

– Vous êtes en train de me dire que nous sommes des esclaves d'esclaves ?

– Oui.

Le magnifique paysage sembla vaciller et tourner autour de lui.

– Mais pourquoi est-ce que les esclaves ne se soulèvent pas ? Ne se révoltent pas ?

– Nous obéissons d'abord par peur. Puis nous obéissons par amour.

– Je ne comprends pas.

– Cela prend du temps. Tu es nouveau. Mais peu à peu, tu t'apercevras que tu as perdu la liberté, mais que tu y as gagné. Ce pays deviendra ton pays. Tu aideras à le construire. Tu deviendras fier de lui. Tu verras comment chacun de nous sert l'autre, car il n'y a qu'un seul Maître. Et ta peur se transformera en amour.

– Je n'aimerai jamais le Maître.

– Si, bien sûr que tu l'aimeras ! Tu crois ça maintenant, mais tu verras !

Soudain, Ortiz eut une idée.

– Je vais t'emmener le voir. Il faut que je lui raconte mon entrevue avec ma future épouse. Tu viendras avec moi.

– Pas maintenant, demain. Laissez-moi retourner dans ma famille ce soir. Elle doit s'inquiéter pour moi.

– Non, maintenant ! Maintenant ! Tout de suite !

– Voulez-vous que le Maître soit au courant de vos nouveaux centres d'intérêt ?

– Mes nouveaux... ? Non, sûrement pas ! C'est donc si évident ?

– Oui.

Cela calma Ortiz.

– Tu as peut-être raison. Une nuit de sommeil me remettra d'aplomb. Je me sens bizarre, et... et pas comme d'habitude. Oui, très bien. Retourne dans ta famille. Je te ferai appeler demain matin.

Mist attendait Bowman sur la chaussée.

– Tu es resté là toute la nuit ? lui demanda Bowman.

– Là et ailleurs, lui répondit le chat qui n'aimait pas le ton apitoyé du garçon.

– Tu devrais rentrer chez toi, lui dit Bowman. Il va y avoir du grabuge, ici.

– Il y a du grabuge partout, et de toute façon je n'ai pas de maison. – Il trottinait à côté de Bowman qui marchait vite. – Quand est-ce que tu vas m'apprendre à voler ?

– Je t'ai déjà dit que je ne sais pas voler.

– Si Dogface sait voler, tu peux voler, rétorqua Mist. C'est simplement que tu n'essaies pas.

– Je suis désolé. J'ai des choses plus importantes à faire.

– Plus importantes ? – Mist s'arrêta. – Après tout, je peux apprendre tout seul, tu sais.

Bowman hâta le pas et, cette fois, le chat ne le suivit pas. Il était furieux contre ce qu'il considérait être de l'égoïsme et un manque d'ambition. Il était offensé de voir que le garçon s'occupait si peu de son cas. Mais soudain, il se dit qu'il pourrait peut-être vraiment apprendre tout seul à voler. Il avait vu comment le garçon s'était exercé avec le bâton. C'était surtout une question de concentration. Pourquoi ne pas faire la même chose pour voler ?

Il regarda autour de lui, en quête d'un endroit favorable pour commencer à s'entraîner : un endroit d'où sauter, mais pas trop haut, pour ne pas se faire mal pendant son apprentissage. Ses yeux suivirent Bowman, puis s'arrêtèrent sur les hautes cages à roues, qu'on appelait cages à singe.

Bowman trouva ses parents assis, seuls, dans leur chambre du baraquement. Ils conversaient calmement. Son père avait une feuille de papier à la main.

– Bo ! s'écria sa mère dès qu'il entra. Ferme la porte.

Ton père a besoin de te parler. Oh, nous sommes vraiment un peuple malheureux.

– Non, non, dit Hanno. Tout finira par s'arranger. Rien ne dit le contraire.

– Avant tout, j'ai des nouvelles pour vous, dit Bowman.

Il s'assit sur le lit, prit les mains de sa mère et les pressa entre les siennes.

– J'ai vu Kestrel.

– Oh, Bo ! – Des larmes montèrent aux yeux d'Ira Hath. – Mon enfant chérie ! Elle va bien ?

– Vivante et en bonne santé.

– Où est-elle ? demanda Hanno.

– Elle est avec les gens qui viennent célébrer le mariage. Une princesse est arrivée pour épouser le fils du Maître, celui qui s'appelle Ortiz.

– Celui qui t'a convoqué ?

– Oui.

– Tu as parlé à Kess ? lui demanda Ira. Qu'est-ce qu'elle dit ? Comment se fait-il qu'elle soit avec ces gens ?

– Nous n'avons pas pu beaucoup parler. Elle ne veut pas qu'on découvre son identité. Elle est la servante de la future mariée.

– Servante de la mariée ? – Ira Hath était perplexe. – Je veux aller la trouver. Je veux la voir.

Hanno Hath avait déjà compris l'avantage que pouvait représenter la situation de Kestrel.

– Laisse-la tranquille, Ira. Elle ne veut pas qu'on sache qui elle est. Je suis sûr qu'elle a quelque chose en tête. Elle t'en a parlé, Bo ?

– Non, pas encore.

– Il faut que tu essaies de la voir seule. Ils sont loin d'ici ?

– Non, pas très loin. Et, Pa, tu sais… – Bowman avait hâte de raconter tout ce qu'il avait découvert ce jour-là – les gens de ce pays, même les dames de la noblesse, les gentilshommes, ce sont tous des esclaves ! C'est un pays d'esclaves !

– Tous des esclaves ! s'exclama sa mère. C'est ridicule. Comment peut-il y avoir des esclaves d'esclaves ?

– C'est ainsi. Ce sont tous des esclaves, à l'exception du Maître. Tout le monde lui obéit.

– Ils continuent à lui obéir ? – Hanno Hath ne semblait pas aussi étonné que Bowman l'aurait pensé. – Le Maître doit être un homme remarquable.

– Je dois le rencontrer demain.

– Tu dois rencontrer le Maître ?

– Avec Ortiz.

– Cet homme m'intrigue, dit Hanno pensivement. Il collectionne de vieux manuscrits Manths. On dit qu'il sait quelque chose sur notre prophète Ira Manth. C'est bien que tu le rencontres. Tu me diras ce que tu en penses.

– Qu'est-ce que je dois essayer d'apprendre ?

– Je ne sais pas. – Il secoua la tête, s'en voulant de ne pas trouver le chaînon manquant. – Quand le mariage a-t-il lieu ?

– Très bientôt. Dans quelques jours, sans doute.

– Nous avons très peu de temps.

Il tendit à Bowman les feuilles de papier qu'il avait à la main. Elles étaient couvertes de notes griffonnées de sa propre main.

– Il y a des choses que, toi aussi, tu dois savoir.

– Oh, mon fils chéri !

Ira Hath serra son fils dans ses bras, comme s'il allait lui être arraché. Bowman laissa ses yeux parcourir le texte, tout en écoutant la voix calme et régulière de son père.

– J'ai trouvé le Testament Perdu d'Ira Manth. Il dit beaucoup de choses et, quand nous aurons le temps, nous en parlerons tous ensemble. Mais il y a une partie qui nous concerne en ce moment, et en particulier Kestrel, Pinto et toi.

Bowman leva les yeux et vit que son père lui souriait. Ce sourire lui fit comprendre qu'une grande tristesse les attendait. Sa mère lui caressa les mains.

– Nous avons déjà parlé du Peuple du Chant. Maintenant, je comprends pleinement leur but, et le prix qu'ils paient pour l'atteindre.

– Ils nous protègent du Morah.

– Plus que ça. Ils ont – et sont les seuls à avoir – le pouvoir de détruire le Morah. Mais s'ils le font, ils meurent.

– Ils meurent ? Et le Morah meurt ?

– Il meurt et renaît. Lis.

Bowman lut les premières lignes du texte que son père avait transcrit.

Un enfant de mes enfants sera toujours avec vous à l'heure de l'accomplissement. Ainsi, je vis encore une fois, et je meurs une fois encore.

– Je n'ai jamais demandé ça, mon chéri, dit Ira, en embrassant Bowman. Tout ce que je voulais c'était une famille ordinaire, qui mène une vie ordinaire.

- Ne t'inquiète pas, Ma, lui dit gentiment Bowman. Pas pour moi. Je crois que je l'ai toujours su.

– Toujours su quoi, Bo ?

– Que j'ai quelque chose à accomplir. Une tâche m'attend, et c'est ce qui donne son sens à ma façon d'être.

– Tu pourrais bien avoir raison, lui dit tranquillement son père.

Hanno se mit alors à expliquer comme il le pouvait ce qu'il avait appris dans le manuscrit. Les anciens Manths avaient donné un nom à la force vitale qui est en toute créature vivante : *morh*. Ils comprenaient que le *morh* était une source d'énergie nécessaire qui poussait les gens à faire de leur mieux, à travailler dur, et à essayer de changer leurs rêves en réalité. Pour les Manths anciens, le *morh* était la source du courage, de l'honneur et de la fierté. Ce même pouvoir noble, cependant, s'il se développait avec trop d'intensité chez un homme ou dans un peuple, transformait le courage en violence et la fierté en colère. Quand le *morh* enflait démesurément, il rendait les gens plus puissants, mais il créait aussi des conflits entre eux. Les hommes faisaient alors la guerre, apprenaient à craindre, à haïr, et plus ils étaient en proie à la peur et à la haine, plus ils faisaient appel à ce pouvoir, pensant qu'il allait les protéger. Ainsi, vint le temps où le *morh* emplit chacun à un tel point que, faisant craquer la peau qui sépare les individus les uns des autres, il émergea comme une seule force se nourrissant d'elle-même et de tous les individus qui formaient ce peuple ; il devint alors indestructible. Ce pouvoir, fait de tant de forces conjuguées, ce pouvoir immense et terrible fut appelé le Morah.

Bowman savait tout cela, même s'il n'en avait jamais entendu parler auparavant. N'avait-il pas été touché par le Morah ?

« Un parmi les innombrables ; une partie du tout. Plus jamais peur. Que la peur soit pour les autres, désormais. »

– Ira Manth parle de trois générations, dit Hanno. Le

temps de la bonté. Le temps de l'action. Et le temps de la cruauté. À la troisième génération, le pouvoir du Morah est à son apogée. La terreur succède à la terreur, tandis que les hommes oublient d'aimer et sont conduits à dominer ou à être dominés, à tuer ou à être tués. C'est à ce moment que revient le Peuple du Chant.

– Et qu'il meurt.

Hanno acquiesça d'un signe de tête. Bowman comprit.

– Nous sommes en train de vivre ce moment-là, c'est ça ?

– Je crois, répondit Hanno.

– Je le sais, dit Ira en frissonnant. Le vent se lève. Nous devons rejoindre le pays des origines. Le vent va tout balayer.

Bowman resta silencieux. Comment aurait-il pu expliquer à ses parents qu'au fond de lui-même il ressentait un intense sentiment de soulagement ? Il lui semblait qu'enfin, ce qu'il y avait d'étrange en lui, ce qui le rendait solitaire et différent des autres, était maintenant lié à un but réel. Il fallait qu'il soit comme il était, qu'il fasse ce qu'il avait à faire. Même sa faiblesse, il y a tant d'années, dans le château du Morah, quand il avait cédé à la douceur de ce pouvoir mortel ; eh bien, même ce moment de sa vie qu'il s'était pourtant si souvent reproché faisait à présent partie de son destin. Sous l'emprise de la peur, il avait laissé le Morah le toucher et s'emparer de lui. Maintenant qu'il avait mûri, et que l'heure venait, il se rachèterait.

Il relut une fois encore la première ligne de la transcription.

Un enfant de mes enfants sera toujours avec vous à l'heure de l'accomplissement.

Hanno lui lança un regard pénétrant.

– Je serai avec eux, Pa.

– Non ! s'écria Ira. Mon fils !

– Ne pleure pas, maman. Je suis heureux. C'est ce que j'attends depuis toujours.

– Que vont-ils te faire, Bo ? Ce vent de feu, qu'est-ce que c'est ?

– Je ne sais pas. J'ai besoin de rester un peu seul. Laisse-moi lire. Laisse-moi réfléchir.

– Oui, mon chéri.

Quand il se glissa hors de la chambre, elle le regarda partir avec effroi et admiration, comme s'il n'était plus son fils.

– Que va-t-il se passer, Hanno ? Qu'est-ce que nous devons faire ?

– Notre devoir, ma chère, lui dit-il, est de préparer notre peuple. Il faut les persuader d'une manière ou d'une autre que ce pays riche, puissant et beau ne pourra jamais être le leur.

– Ils ne m'écoutent plus.

– Il faut quand même les préparer. Le temps de la cruauté arrive. Et là, ils nous écouteront.

Qu'ils vivent dans le calme et connaissent la flamme. Ils perdront tout et donneront tout.

Bowman lut tout ce que son père avait réussi à copier du Testament Perdu, puis il le relut, jusqu'à ce que la dernière lumière s'efface du ciel. Alors, il rendit les papiers à son père.

– Je vais chercher Kess, annonça-t-il.

– Fais très attention, lui dit son père. Si jamais on te voit..

Les esclaves devaient rester cantonnés dans leurs

quartiers la nuit. Tout le monde connaissait la punition en cas de désobéissance.

– Personne ne me verra.

Il paraissait si sûr de lui qu'Hanno ne dit plus rien. Bowman changeait à vue d'œil. La découverte de ce qu'il pensait être son destin avait débloqué quelque chose en lui et il avait soudain l'impression que rien ne lui était impossible. L'homme borgne, le Chanteur, ne lui avait-il pas dit qu'il avait le pouvoir ? L'heure de sa grande mission, il le savait, était encore à venir : le temps où il perdrait tout et donnerait tout. En attendant, qu'est-ce qui pourrait lui arriver ?

Il attendit que toutes les lumières du Haut Domaine s'éteignent et que le silence de la nuit enveloppe la terre. Puis il se leva, suivit la route sur la colline et sous les arbres vers le campement aux frontières de la Seigneurie. Il marchait vite, légèrement, sans faire de bruit. Son esprit anticipait déjà sa rencontre avec Kestrel. Il pensait au moment où elle sortirait pour le rejoindre, où chacun serrerait l'autre dans ses bras.

– Halte-là !

Bowman se figea. Un garde de Johjan marchait vers lui, brandissant son épée. Bowman se maudit. Comment ne pas avoir pensé qu'il y aurait des sentinelles ?

Le garde le regarda.

– Venez avec moi, aboya-t-il, en tendant la main gauche pour saisir Bowman par le bras.

Le garçon fit un pas en arrière, leva les yeux vers le garde, concentra toute son énergie sur le front de l'homme et… frappa. Son propre corps resta parfaitement immobile, mais son coup atteignit le garde avec une telle force qu'il tomba sur le sol. Il resta là, immobile, assommé. Bowman en eut presque le vertige. Il n'avait pas levé un doigt. Il n'avait même pas eu le temps de penser à ce qu'il faisait, ou à la façon dont il allait agir. Dans l'urgence du moment, il avait simplement frappé comme il le pouvait. Que lui avait dit le vieil homme borgne ? « C'est uniquement une question de volonté. »

Il se sentit exulter. Son pouvoir augmentait ! C'était mieux que de soulever des bâtons : il avait assommé un homme deux fois plus grand que lui. S'il le voulait, il pourrait faire davantage et pire encore : il le sentait en lui à présent, comme un jeune loup qui a goûté son premier sang. Il pouvait faire très mal. Il pouvait tuer.

« Mais qu'est-ce qui me passe par la tête ? »

Il se força à revenir à la réalité. Devant lui s'étendait le grand campement, où les soldats et les gens de la cour dormaient dans une longue file de tentes et de voitures. Kestrel était là. Il fallait qu'il la trouve.

Avançant doucement, désormais averti de la présence d'autres sentinelles, il dépassa furtivement les tentes, prenant garde de ne pas trébucher sur les cordes qui les maintenaient à terre. Il percevait la présence de sa sœur endormie, le rythme tranquille de sa respiration.

Il arriva en vue des carrosses. Dans l'obscurité, il était impossible de les distinguer les uns des autres, mais il aurait pu retrouver son chemin les yeux fermés. Il s'arrêta devant le carrosse de la Johdila et tout doucement, il essaya de réveiller sa sœur par la pensée.

« Kess... »

Il sentit qu'elle s'étirait et émergeait peu à peu de ses rêves.

« C'est toi, Bo ? »

Elle était complètement réveillée, maintenant. Il ne pouvait la voir, mais il suivait chacun de ses mouvements. Elle s'était assise et elle regardait la Johdila qui dormait.

« Je suis dehors. »

Maintenant, elle passait une robe par-dessus sa chemise de nuit et cherchait ses mules sous le lit. Puis, marchant sur la pointe des pieds, elle arrivait à la porte du carrosse. La porte s'ouvrit.

Elle dévala les marches et se jeta dans ses bras. Il l'étreignit, sentant le cœur de Kess battre près du sien. Il pressa sa joue contre la sienne, d'un côté, puis de l'autre. Il appuya son front contre son front. Dans le silence de leurs pensées et de leurs voix, ils restèrent ainsi, serrés l'un contre l'autre, pendant de longues minutes. Ils avaient été coupés en deux, et ils se retrouvaient enfin entiers.

Puis ils s'écartèrent un peu et, se tenant les mains, ils se regardèrent profondément dans les yeux.

« Tu as changé, mon frère. »

Pour lui répondre, il lui fit sentir le nouveau pouvoir qui se développait en lui : il laissa son esprit faire pression sur celui de Kess. Elle recula en chancelant.

– Comment fais-tu ?

– Chut ! Baisse la voix. Je ne sais pas.

Il l'entraîna sous les arbres, où ils pourraient parler sans craindre de réveiller quelqu'un. Même ainsi, ils n'osaient pas rester longtemps ensemble. D'autres sentinelles pouvaient passer assez près pour les voir. Si Bowman était renvoyé à la Seigneurie sous escorte, accusé d'être un espion, les feux seraient de nouveau allumés sous les cages à singe.

Kestrel l'écouta lui raconter comment la Seigneurie forçait à l'obéissance. Elle sentit la colère la gagner.

– Ce sont des monstres ! Je vais tous les tuer !

– Oui, Kess. Nous allons les détruire.

La jeune fille fut étonnée d'entendre ces mots dans la bouche de son frère. Lui si doux, qu'est-ce qui l'avait changé ? Elle avait tellement de choses à lui demander, tellement à lui raconter, et si peu de temps...

– Je connais le moyen de le faire, dit-elle.

En quelques mots, elle lui parla de Zohon et de ses ambitions.

– Il ne veut pas de ce mariage. Il va se servir de son armée pour l'empêcher. Il veut la Johdila pour lui.

– Tout le monde a peur de la Seigneurie. Es-tu sûre que ce Zohon voudra se battre contre elle ?

– Je sais comment faire pour en être sûre.

– Il faut que tous les gens d'Aramanth partent ensemble. Si jamais certains restent en arrière, ils seront tués.

– C'est au moment où la bataille éclatera que nous aurons une chance de partir. Notre peuple doit être prêt.

– Il le sera.

Bowman lui prit la main et la pressa entre les siennes. Il était sûr de lui, maintenant. Ensemble, ils pourraient réussir n'importe quoi.

– Kess, j'ai encore quelque chose à te dire...

Mais juste à ce moment, ils entendirent une voix douce qui appelait du camp.

– Kestrel ! Où es-tu ?

– La Johdila ! Il faut que tu y ailles, Bo ! Fais attention qu'elle ne te voie pas !

Bowman la serra rapidement une dernière fois dans

ses bras et se faufila entre les arbres. La princesse, qui arrivait de l'autre côté, eut juste le temps d'apercevoir son ombre fuyante.

– C'est lui, n'est-ce pas ?

– Chut ! lui dit Kestrel. Tu devrais dormir.

– Rappelle-le, Kess. Je veux le rencontrer.

– Pas maintenant. Personne ne doit savoir qu'il est venu. C'est notre secret.

– Pourquoi est-il venu ? Que veut-il ? Était-ce pour me voir ? Est-ce qu'il t'a posé des questions sur moi ?

Kestrel raccompagna la Johdila dans son carrosse, en faisant ce qu'elle pouvait pour calmer l'excitation de son amie.

– Il est venu me voir. Nous avons beaucoup souffert de notre séparation, tous les deux.

– Oui, je sais, ma chérie. Mais il t'a déjà vue des centaines de fois, et moi, il ne m'a jamais vue. Tu ne trouves pas que c'est mon tour, à présent ?

– Bientôt, peut-être. Mais maintenant, il faut se recoucher. Qui sait ce que demain nous réserve ?

16

MAÎTRE ! PÈRE !

Tôt le lendemain matin, Bowman se présenta chez son maître, Marius Semeon Ortiz. Les rues du Haut Domaine étaient mouillées, car elles avaient été balayées et lavées au jet d'eau pour la journée. Ortiz lui-même avait l'air radieux et impatient, bouillant d'énergie.

– Le Maître m'a appelé. Nous allons y aller tout de suite. C'est un grand, grand jour pour moi. Tu ne diras rien de ma petite fantaisie d'hier, n'est-ce pas ?

– Non, Monsieur.

– Ce n'étaient que des bêtises, bien sûr. Le caprice d'un moment. Je n'y ai même plus pensé une seule fois depuis que je me suis réveillé ce matin. La première règle est : obéis au Maître. Ensuite, ça va tout seul, tu verras.

Il précéda Bowman dans la rue qui miroitait au soleil.

– Au fait, ajouta-t-il, si tu n'es pas d'accord avec certains de mes propos, il faut me le dire. Le Maître nous apprend que ceux qui ont le pouvoir perdent rapidement le contact avec la réalité. Personne ne leur dit la vérité, tu comprends ? On ne leur fait savoir que ce qu'on imagine qu'ils veulent entendre.

Il s'arrêta et tourna son beau visage souriant vers Bowman.

– Je ne t'ai jamais parlé de tes devoirs particuliers, n'est-ce pas ? Eh bien, tu seras mon diseur de vérité. Je t'ai remarqué pendant la marche. Il me semble que tu suis ton propre chemin. C'est vrai ?

Bowman était très surpris et un peu impressionné. Ce jeune guerrier bouillonnant devenait de plus en plus complexe.

– Par exemple, dit Ortiz, quand je t'ai dit que je n'avais pas pensé un instant à certains yeux noirs, toi, en tant que diseur de vérité, tu devrais répondre : « Alors, pourquoi en parlez-vous en ce moment ? » Tu comprends ? Ce n'est qu'un simple exemple

– Et si la vérité que je dis est douloureuse ou dangereuse ?

– Comment ça, dangereuse ?

– Imaginez que je vous dise que je vais vous tuer.

– Me tuer ?

Ortiz fut un peu déconcerté. Mais, s'en tenant à ce qu'il venait de proposer, il écouta et réfléchit.

– Dans ce cas-là, il me semble que ce ne serait pas dire la vérité, mais plutôt prédire l'avenir. Or, je ne te demande pas de prédire l'avenir, car personne ne le connaît, pas même toi. En revanche, si tu m'annonçais : « Je veux vous tuer », là, ce serait dire la vérité. Tu parlerais de ton désir, qui resterait réel, que tu le mettes à exécution ou pas. Tu vois la différence ?

– Oui, Monsieur, répondit Bowman, amusé malgré lui.

– Alors vas-y, dis-moi la vérité.

Le garçon réfléchit. Cela ne lui prit pas longtemps.

– Vous ne serez jamais un grand Maître vous-même

tant que votre plus grande ambition sera de plaire à votre propre Maître.

– Par tous les soleils de l'univers ! Tu crois ça ?

Ils étaient arrivés à l'escalier qui menait tout en haut du palais.

– C'est bien ! Il faudra que j'y pense. Mais nous y sommes. Ne t'inquiète pas si le Maître t'ignore. Il a beaucoup de choses en tête, en ce moment.

Ils montèrent l'escalier et entrèrent dans les vastes et lumineux espaces du dernier étage. Le Maître marchait à grands pas, une paire de jumelles devant les yeux, observant les rues du Haut Domaine et faisant d'étranges signaux de sa main libre. Son serviteur Spalian se tenait derrière lui, le violon à la main.

– Là ! Non, il ne peut toujours pas me voir. Là !

– Maintenant, il vous voit, Maître.

Meeron Graff, posté un peu plus loin, regardait aussi à travers des jumelles. Le Maître agitait sa main gauche au-dessus de sa tête. À plusieurs rues de distance, une petite silhouette agita le bras à son tour.

– Je l'ai vu ! Marquez sa position.

Ortiz et Bowman attendirent en observant ce qui se passait. Le Maître semblait définir plusieurs lignes de visée, à partir d'hommes postés aux fenêtres, sur des terrasses, et en haut des toits, tout le long de l'avenue principale du Haut Domaine. Les derniers étages du palais longeaient une partie de cette avenue, mais une petite partie seulement. Quelques guetteurs plus lointains étaient équipés de longues-vues, pour pouvoir suivre les signaux du Maître. Bowman pensa immédiatement que ce dernier était en train de tendre un piège à la famille royale qui venait pour le mariage et à son escorte armée.

Il concentra son esprit sur le Maître et le sonda le plus loin possible. Il sentit le pouvoir de l'homme irradier de lui comme la chaleur du feu ; et, sous la surface brûlante, au fond, il sentit la froideur intime de cet homme. Ce qui le surprit, ce fut son énergie discordante, son agitation, sa colère fébrile, aussitôt transformée en rire fébrile, bref, un degré d'anxiété étonnamment élevé. Cet homme immense, avec sa cape cramoisie qui flottait autour de lui, son ventre ceinturé d'or, sa cascade de cheveux blancs, luttait contre une peur secrète.

– Voilà les positions à tenir, Graff. Assure-toi que chacun connaît bien sa place.

– Oui, Maître.

Il baissa ses jumelles et se tourna pour accueillir Ortiz, qui attendait patiemment. Il ne prêta aucune attention à Bowman, qui restait en retrait, silencieux.

– Ah, tu es venu.

Ortiz se prosterna aussitôt jusqu'au sol.

– Tu l'as vue ?

– Oui, Maître.

– Alors ? Dis-moi ! Comment est-elle ? Elle fera l'affaire ?

– Je suis content d'épouser la Johdila, Maître, si tel est votre désir.

– Je t'ai demandé comment elle est, je ne t'ai pas demandé ce que tu voulais.

– Elle était voilée, Maître.

– Voilée ! – Le Maître éclata de rire. – Elle est bien bonne ! Tu n'as donc aucune idée de son visage ! Je dois dire que c'est assez drôle. Un paquet surprise. Ça vaut le coup de faire un pari. Je dis que c'est une beauté, en tout cas qu'elle est plutôt jolie. Je parie... quoi ? Le

Royaume de Gang là-dessus ! Qu'est-ce que tu en penses ?

– Comment, Maître ?

– Si elle est jolie, tu auras le plaisir d'avoir une jolie femme. Si elle est affreuse, tu gagnes un empire pour toi tout seul. Qu'est-ce que tu penses de ce pari ?

– C'est plus que généreux de votre part, Maître.

– Je vais t'offrir le plus beau mariage de tous les temps, Marius ! Ces primitifs d'Obagang n'auront jamais rien vu d'aussi somptueux de toute leur misérable vie ! Ce sera une œuvre d'art ! À manger !

Ces derniers mots sortirent comme un mugissement. Un esclave apparut, comme sorti de nulle part, portant un plateau sur lequel étaient posés des gâteaux. Le Maître en prit un, le mit tout entier dans sa bouche et, après deux ou trois vigoureux coups de mâchoires, l'avala.

– Délicieux ! s'exclama-t-il. Il y a un nouveau pâtissier, une sorte de génie. Goûtes-en un.

Ortiz prit un gâteau et le mangea beaucoup plus lentement. Le Maître en prit un deuxième qu'il engloutit avec la même voracité que le premier. Bowman le regardait, de plus en plus étonné. Cet homme avait d'énormes appétits qu'il ne s'efforçait absolument pas de contrôler.

– C'est donc votre souhait, Maître, que j'épouse la Johdila ?

– Oui, mon garçon. Pourquoi pas ? Il faut bien que quelqu'un le fasse.

– Et que je...

Ortiz laissa prudemment sa phrase en suspens.

– Et que tu ? Et que tu ?

Ortiz inclina humblement la tête.

– Que je sois reconnu comme votre fils ?

– Eh bien, à vrai dire, c'est une sacrée décision à prendre, n'est-ce pas ? Se doter d'un fils, à mon âge… Approche un peu que je te voie de plus près.

Ortiz savait ce que ça voulait dire. En tremblant, il leva les yeux pour regarder le Maître en face. Il le sentit pénétrer dans son esprit, de plus en plus profondément. Le cœur d'Ortiz battait vite, mais il soutint son regard.

Soudain, le Maître poussa un grognement menaçant.

– Qu'est-ce que c'est que ça, Marius ? Tu me caches un secret ?

– Un secret, Maître ? Je n'ai pas de secrets pour vous.

– Menteur !

Les yeux du Maître étincelaient de colère. D'un brusque mouvement de son menton barbu, il projeta Ortiz à terre. Le jeune homme s'effondra avec un cri de douleur. Il se plia en deux et se tordit en tous sens, tandis que le Maître le retournait avec une fourche invisible. Bowman regardait, horrifié, comprenant exactement ce qu'il était en train de faire. Il serrait Ortiz dans un étau mental, le tourmentant violemment. C'était le même pouvoir que celui dont l'ermite lui avait enseigné l'existence, mais beaucoup plus fort. Bowman devait comprendre jusqu'où pouvait aller cette force, car le temps viendrait où lui-même devrait l'affronter. Prudemment, car il ne voulait surtout pas attirer l'attention du Maître sur lui, il tendit ses antennes vers l'énergie fulgurante qui tenaillait Ortiz.

– Quel est ton sale petit secret ? tonnait le Maître, tandis qu'Ortiz se débattait à ses pieds en criant. Tu m'appartiens, tu entends ! Toutes tes pensées, toutes tes passions m'appartiennent !

– Oui, Maître, sanglota l'homme accablé.

– Dis-le-moi !

– Un joli visage et c'est tout, Maître ! C'est simplement une servante qui a attiré mon regard… aaaah !…

– Une fille, hein ?

Il laissa Ortiz aussi brusquement qu'il l'avait empoigné. Le jeune homme poussa un long soupir, la douleur secouant encore son corps meurtri.

– Il n'y a pas de mal à ça. Tu es jeune. Ce n'est pas étonnant. Regarde-moi encore une fois.

Tremblant de peur, mais obéissant, Ortiz leva les yeux vers lui. Alors le Maître lui sourit et, en souriant, il le soulagea de toute la douleur qu'il lui avait infligée, le remplissant de douces sensations de joie. Ortiz sentit son corps se détendre. Il baignait dans la chaleur de l'amour du Maître, et des larmes lui montèrent aux yeux, des larmes de joie qui ruisselèrent sur ses joues.

– Je vous aime, Maître. Tout ce que je fais, c'est pour vous. Je vous aime maintenant et pour toujours.

– Bon, bon, dit le Maître, la voix radoucie, pleine de gentillesse. Tu vas te marier et, désormais, tu seras mon fils. Est-ce que ça te convient ?

Ortiz se traîna sur les genoux et se prosterna devant le Maître, s'aplatissant à ses pieds.

– Maître ! s'écria-t-il. Père !

Bowman prenait garde de masquer ses sentiments et de garder les yeux baissés pour ne pas attirer l'attention. Cependant, quand Ortiz se releva, ses yeux humides brillant encore de joie, le jeune homme débordait tellement d'amour pour le Maître qu'il ne put s'empêcher de se tourner vers son serviteur :

– Maintenant tu vois pourquoi tout son peuple l'aime !

– Oui, Monsieur, murmura Bowman.

– Maître, s'écria Ortiz, j'ai pris ce jeune homme comme diseur de vérité.

– Comme diseur de vérité, hein ? dit le Maître en regardant Bowman pour la première fois. Il est bien jeune pour cette tâche.

– C'est un Manth, Maître.

– Ah, vraiment ? – Il gardait les yeux fixés sur Bowman, mais celui-ci regardait résolument par terre. – Est-ce que tu as déjà entendu parler d'un prophète appelé Ira Manth ?

– Oui, Monsieur.

– Oui, Maître ! tonna le Maître.

– Oui, Maître.

– Regarde-moi, mon garçon. Laisse-moi voir tes yeux.

Bowman leva la tête et le regarda. Il fit le vide en lui, rendant son esprit aussi terne que possible pendant que le Maître le sondait. Au bout de quelques instants, celui-ci se détourna en haussant les épaules.

– Il ressemble davantage à un nigaud qu'à un diseur de vérité, Marius. Je ne lui accorderais pas trop d'attention, si j'étais toi.

« Je te détruirai. »

– Comment ? – Le Maître se retourna brusquement, le regard flamboyant. – Qu'est-ce que tu as dit ?

– Rien, Maître.

Bowman se vida l'esprit une fois de plus. Il s'en voulait d'avoir laissé transparaître ses vrais sentiments.

– Il n'a rien dit, Maître, intervint Ortiz.

Le Maître l'ignora. Il se rapprocha de Bowman. Le regard étincelant, il l'empoigna par sa pensée. Bowman se força à ne pas résister. Il laissa le Maître le malmener en grimaçant de douleur.

– Fais attention, lui dit le Maître. Fais très attention.

Il le relâcha.

– Graff !

Le Gardien du Palais se précipita.

– Explique à Marius ce qu'il doit faire. Marius, tu suivras scrupuleusement les instructions qu'on te donnera. Ces noces seront une véritable symphonie ! Une œuvre d'art parfaite et grandiose ! Je suis l'artiste, mon peuple est mon moyen d'expression ! Je crée la beauté à partir de la vie elle-même ! Violon !

Spalian fit un pas en avant et présenta son violon au Maître. Bowman vit avec soulagement qu'on l'avait oublié. Tandis que Graff accompagnait Ortiz vers la sortie et que Bowman trottait humblement derrière lui, le Maître posa son violon sur son épaule et se mit à jouer.

Dès qu'ils furent de nouveau dans la rue, Ortiz se tourna vers Bowman.

– Il est étonnant, n'est-ce pas ? Tant de pouvoir ! Tant d'amour ! Mais il t'a peut-être fait peur ?

– Oui, dit Bowman sincèrement.

Le Maître avait un grand pouvoir, et Bowman l'avait senti. Mais même au moment où l'homme l'avait malmené, Bowman avait senti les limites de cette force. « Quand le moment viendra, se dit-il, ce sera peut-être moi qui lui ferai peur. »

✳✳✳

Il ne restait plus que quelques jours avant le mariage, aussi Meeron Graff, le Gardien du Palais, et Barzan, le Grand Vizir de Gang, eurent-ils plusieurs entretiens. Le Grand Vizir rassembla ensuite la cour pour expliquer comment la cérémonie devait se dérouler.

– Il faut que tu y ailles, toi aussi, dit Kestrel à Sisi, car elle avait ses propres raisons de vouloir assister à la réunion.

– Barzan est l'homme le plus ennuyeux de l'empire, répondit Sisi. Vas-y, toi, ma chérie, et tu me rapporteras ce qu'il faut que je sache.

Sisi était beaucoup plus intéressée par les derniers essais de sa robe de mariée. Elle ne voulait pas de ce mariage, mais elle avait envie de mettre la robe.

Kestrel assista donc à la réunion ; elle resta discrètement au dernier rang, écoutant avec beaucoup d'attention le Grand Vizir expliquer l'ordre dans lequel devaient se dérouler les principaux événements.

Ils devaient arriver en cortège dans le Haut Domaine. La Johdila avancerait dans un carrosse découvert, vêtue de sa robe de mariée, sous des milliers de regards. Elle entrerait à pied dans la grande salle surmontée d'une coupole. Là, il y aurait un spectacle de ce fameux manaxa. Immédiatement après, les futurs mariés danseraient la tantaraza. Ils feraient alors cinq pas l'un vers l'autre et échangeraient leurs serments. Puis ils présideraient un énorme banquet qui durerait jusqu'à la nuit.

– Un énorme banquet, hein ? dit le Johanna. C'est très bien. Il ne manquerait plus qu'une noce sans banquet !

– Il y aura de la musique aussi, dit Barzan. Le Maître aime beaucoup la musique.

– La musique, c'est parfait, dit le Johanna. Mais l'important, c'est le banquet.

À la fin de la réunion, Barzan nota avec satisfaction

que Zohon parlait encore à la servante de la Johdila. Toutes ces histoires de mariage – il en était sûr – avaient dû donner des idées romantiques au Commandant.

Barzan avait raison.

– Je pense à elle jour et nuit, disait Zohon à Kestrel. Qu'elle m'en donne seulement l'ordre, et je l'emmènerai loin de tout ça. Mais je dois savoir si elle m'aime.

– Seuls les gens libres peuvent aimer.

Ces mots frappèrent fortement Zohon.

– La Johdila n'est pas libre ?

– Ni elle ni son pays. Je l'entends souvent murmurer en soupirant : « Oh, quel homme redonnera sa puissance à mon pays et rendra la liberté à mon peuple ? »

– Moi ! Qui d'autre ?

– La Seigneurie sera peut-être trop puissante, même pour vous.

– Nous verrons ça !

Zohon donna un petit coup de marteau d'argent dans la paume de sa main gauche. Puis, soudain soupçonneux, il regarda de nouveau Kestrel.

– Comment pourrais-je savoir s'il y a du vrai là-dedans ? Comment savoir si vous n'êtes pas en train de me mentir ? – Ce doute s'enracina aussitôt dans son esprit. – La Johdila ne m'a rien dit elle-même. Tout ce que je sais vient de vous. Qui êtes-vous ? Que voulez-vous ? Comment savoir si vous n'êtes pas en train de me tromper ?

Kestrel réfléchit rapidement.

– Vous le savez, parce que la Johdila vous a fait le signe secret.

– Quand ? Je n'ai rien vu.

Il la dévisageait d'un air dur et méfiant.

– Elle est très discrète. Vous devez regarder tout le temps.

– J'ai regardé, mais je n'ai vu aucun signe. Je dois le voir moi-même.

Kestrel regarda tout autour d'elle, comme pour s'assurer qu'on ne risquait pas de les entendre, puis elle murmura :

– Ce soir, après le dîner, j'irai me promener avec la Johdila sous les arbres. Mettez-vous hors de vue des voitures, et attendez. Je dirai à la princesse que vous êtes là. Et vous verrez.

– Je l'espère, dit Zohon, l'air sinistre. Je l'espère pour vous

Kestrel n'eut aucun mal à convaincre la Johdila d'aller faire un tour, seule avec elle. Car Sisi voulait, elle aussi, parler tranquillement de certaines choses à son amie. Kestrel l'écoutait distraitement, attendant le moment où elle pourrait faire son signe secret. Sisi lui répondrait alors en faisant le même signe, et Zohon, qui guettait dans l'obscurité, serait satisfait.

– Quand reverrai-je ton frère, Kess ? Il faut que je le voie avant le mariage. C'est terriblement important.

– Sisi, tu dois oublier mon frère.

Elle s'assura qu'elles marchaient de façon que Sisi soit face aux attelages.

– Pourquoi ? Je l'aime bien. Peut-être même que je l'aime.

– Non, tout cela est absurde. Tu ne sais rien de lui.

– Ce n'est pas ce qui compte. – Sisi se montrait étonnamment obstinée. – Maman dit qu'on ne sait jamais rien sur la personne qu'on épouse. On apprend à l'aimer par la suite.

– Eh bien, je ne crois pas qu'il t'aimerait.

Sisi s'arrêta de marcher et regarda Kestrel, boulever-sée. Kestrel n'avait pas fait très attention à ce qu'elle disait, et elle regretta aussitôt ses paroles. Elle ne com-prenait même pas comment elle avait pu les prononcer.

– Je n'ai pas voulu dire ça, se reprit-elle.

– Si, dit Sisi en ravalant ses larmes. Tu penses que je suis idiote, vaniteuse et que je ne vaux rien.

– Mais non…

– Et tu as raison. Mais il faut que tu comprennes qu'avant de te rencontrer, tout le monde voulait que je sois ainsi.

– S'il te plaît, Sisi…

– Alors, tu vois, j'ai fait tout ce que je pouvais pour plaire à tout le monde, seulement ce n'est pas à ces gens-là que j'aurais dû plaire. Maintenant, j'ai décidé de changer, et je vais changer, car bien que je sois vani-teuse, idiote et que je ne vaille rien, je t'assure que je peux être différente et m'efforcer de te ressembler.

– Tu es meilleure que moi, lui dit tristement Kestrel.

Elle savait que Zohon était aux aguets dans sa cachette. Maintenant que le moment était venu, elle trouvait que c'était beaucoup plus dur qu'elle ne l'avait pensé. Cela ressemblait trop à une trahison.

– S'il te plaît, continue à être mon amie, Kess, lui dit Sisi. Tu ne sais pas à quel point tu es importante pour moi.

– Mais bien sûr, Sisi.

Puis, sans que Kestrel l'ait incitée à le faire, Sisi joi-gnit les paumes de ses mains et entrecroisa les doigts, faisant le signe qui, d'après ce que Kestrel lui avait expliqué, indiquait une amitié secrète. Zohon, caché derrière les voitures, vit la princesse faire le signe qui, selon Kestrel, signifiait un amour éternel. C'était tout ce qu'il attendait. Désormais convaincu que la servante lui avait dit la vérité, il s'éloigna furtivement pour préparer ses hommes.

Kestrel l'entendit partir, juste au moment où elle pressait ses mains l'une contre l'autre pour répondre au signe de Sisi. Les larmes lui montèrent aux yeux. « Pardonne-moi, Sisi, pensa-t-elle. Je ne t'aurais pas trahie. Mais c'est fait, maintenant. »

Ce soir-là, le bruit circula dans les cantonnements d'esclaves qu'Ira Hath, la prophétesse, avait eu une autre vision de l'avenir et qu'elle voulait la transmettre à son peuple. Quelques personnes croyaient toujours qu'elle avait le don de la vérité, mais la plupart de ceux qui se réunirent pour l'écouter ne le firent que par curiosité.

La foule qui se rassembla dans les ténèbres du soir arriva par petits groupes de trois ou quatre pour ne pas éveiller la méfiance de ses maîtres. Ira s'était assise par terre, devant un grand feu, et les Manths, de plus en plus nombreux, firent cercle autour de la source de chaleur. M. Greeth vint aussi, ce qui ne surprit guère les Hath, et se mit au premier rang, afin de pouvoir, si besoin était, contredire la prophétie. Pour les autres, les déclarations d'Ira Manth étaient un amusement. Jessel Greeth, lui, pensait qu'Ira était dangereuse.

Quand ils furent tous installés, elle se leva et leur fit face.

– Merci d'être venus m'écouter, commença-t-elle.

– On n'entend rien ! lancèrent des voix dans le fond.

– Dis-nous : « Ô Peuple malheureux ! » lancèrent ceux qui étaient devant.

– Ô Peuple malheureux ! dit Ira Hath.

– Ô Peuple malheureux! psalmodièrent ses détracteurs, ravis.

L'effet de cette raillerie sur la prophétesse était prévisible. Elle se mit en colère. Voulant effacer les sourires de leurs visages imbéciles, elle appela la catastrophe à tomber sur leur tête.

– Cette ville brûlera!

– Brûlera! gémirent-ils après elle. Nous allons tous brûler!

Plus ce qu'elle leur prédisait était sinistre, plus ils riaient.

– Le vent se lève! Le vent emportera tout avec lui!

– Hou, hou…! crièrent-ils, en faisant de grands mouvements avec leurs bras.

– Nous devons chercher le pays des origines! Le temps de la cruauté arrive! Le temps de la peur!

– Ooooh, dirent-ils en frissonnant et en gloussant.

– Riez maintenant! Bientôt vous pleurerez!

Les cris redoublèrent.

Hanno Hath se leva. C'était sans espoir. Il le savait, et elle le savait. Mais il était de son devoir de les avertir.

– Mes amis, dit-il, de sa voix la plus raisonnable, ce soir, les prophéties de ma femme vous font rire. Mais quand vous verrez la ville brûler, rappelez-vous ses paroles. Revenez ici, de ce côté de la colline. Prenez de la nourriture, des vêtements chauds, tout ce que vous pourrez emporter. Et, ensemble, nous chercherons le pays des origines.

Là, c'était différent. Plus personne ne rit. Les gens se mirent à parler avec animation entre eux. Jessel Greeth s'était réjoui de voir que tout le monde se moquait des Hath. Mais, à présent, il sentit qu'il valait mieux reprendre la situation en main.

– Cette femme, dit-il en désignant Ira Hath, vous dit que la ville va brûler. Mais nous savons qui brûlera si nous prêtons davantage attention à ses élucubrations. Ce sont nos bien-aimés qui brûleront, comme ils ont brûlé il y a quelques jours.

La foule accueillit ce discours par des murmures et des hochements de tête approbateurs.

– Pourquoi l'écoutons-nous ? cria Jessel Greeth. Pourquoi continuons-nous à laisser cette famille de fous nous mettre tous en danger ? Ils n'ont qu'à prophétiser pour eux-mêmes.

Pinto tira sur la manche de son père.

– Fais-moi monter sur tes épaules, Pa !

Hanno hissa son corps léger sur ses épaules, et de là – tout le monde pouvait la voir à la lumière dansante des flammes – Pinto s'adressa à la foule :

– Bébés ! leur cria-t-elle. Vous n'êtes pas des Manths, vous n'êtes que des esclaves et des bébés ! Nous irons sans vous. Nous trouverons le pays des origines tout seuls. Nous n'avons pas besoin de vous. Alors, à tous : pooa-pooa sacs à pustules !

La foule l'acclama. Personne ne savait exactement pourquoi. Peut-être les gens pensaient-ils que c'était courageux de la part d'une enfant de sept ans de défier tout le monde. Peut-être l'avaient-ils applaudie parce que c'était bon d'entendre les vieilles insultes d'autrefois.

TROISIÈME INTERMÈDE :
LA TOMBE

La mer est agitée. De hautes vagues se creusent et roulent, enflent de plus en plus jusqu'à ce qu'elles se brisent enfin et s'écrasent furieusement sur le rivage. Des goélands, malmenés par le vent, lancent leur long cri grêle. Le gros sable bouillonne d'écume.

Dogface, l'ermite, regarde l'île au-delà de l'eau grise. Sa robe claque autour de ses jambes. Il a froid, il a faim, il est fatigué. Un peu plus loin, le long du rivage, d'autres silhouettes solitaires restent là, comme lui. Elles attendent, comme il attend, que le vent tombe.

À la fin de la journée, la mer commence enfin à se calmer. La houle est toujours forte, mais la direction du vent change, et l'ermite sait qu'à présent il peut tenter la traversée. Il se concentre et commence à chanter ; il sait que les autres, le long de la côte, sont en train de faire la même chose.

Il s'élève dans les airs et plane au-dessus des vagues écumantes. Les autres en font autant. On peut bientôt voir plusieurs silhouettes frôler la surface de l'eau, monter et redescendre au rythme de la houle, en vol vers Sirène.

En atteignant l'île, Dogface entend le chant qui vient

du sommet de la colline ; il arrive à temps. Ils ont attaqué le chant d'ouverture, un chant qui durera toute la nuit. Il atterrit sur le sol pierreux de l'île et se hâte aussitôt de gravir le long chemin battu par les vents. Derrière lui, les autres le suivent ; devant, le chant de plus en plus fort et puissant qu'il a appris, mais n'a jamais chanté pour de bon. Le cœur battant d'excitation, il joint bientôt sa voix aux autres. Le chant est comme une succession de roulements de tambour entraînants, son rythme s'accélérant à chaque cycle, jusqu'à ce que les Chanteurs sentent leur corps bouger en un long balancement rythmé, tapant du pied en avant, tapant du pied en arrière, en cadence avec les accords sans paroles.

Chantant, marchant rapidement au rythme du chant, Dogface arrive au sommet de la colline. Là, devant lui, éclairés par la lumière argentée du soleil surgissant d'un nuage, se dressent les imposants murs sans toit. Dans la salle, le Peuple du Chant est rassemblé, plus d'une centaine de personnes qui chantent, se balancent et tapent du pied toutes ensemble. En prenant place parmi eux, Dogface regarde autour de lui et reconnaît des visages qu'il a connus pendant la période d'entraînement. Mais aucun regard ne lui montre que lui aussi a été reconnu. Ils sont profondément absorbés par la musique.

Ceux qui suivaient l'ermite entrent à leur tour dans la salle. Dogface ne les voit pas, ne les entend pas, lui non plus, car il ne perçoit plus que le chant. C'est le début de la destinée qu'il a choisie, il y a très longtemps. C'est pour ce moment-là qu'il s'est entraîné et qu'il a attendu si patiemment. Le temps de l'accomplissement est proche.

Pendant toute la nuit, le Peuple du Chant déroule son chant. Et tous sentent, sous leurs battements de pieds, la terre vibrer doucement. Ils savent que, peu à peu, imperceptiblement, elle s'ouvre. Ils continuent à chanter, sans jamais ralentir le rythme, pour que le sol enfle, se détende et se fende.

Aux premières lueurs de l'aube, la terre commence à s'ouvrir. Ceux qui se tiennent à l'endroit de la première fêlure sautent sur le côté, sans interrompre un instant leur mélopée. À présent, ils chantent de toutes leurs forces, à pleine voix, laissant monter et descendre le son en criant, tapant du pied, criant de nouveau, tapant des mains, tapant du pied, criant. De nombreux Chanteurs sont arrivés pendant la nuit et ils continuent à affluer. Ils se mettent à chanter à leur tour, et le chant devient de plus en plus fort.

Soudain retentit un bruit discordant, une vibration, un craquement suivi d'un long grondement : c'est le bruit qu'ils ont attendu depuis si longtemps, mais qu'ils n'ont jamais entendu. Ils ont la chance d'être là. Ils font partie de la génération qui connaîtra le vent de feu.

Dans la longue salle sans toit, le sol tremble et craque, se déchirant comme une blessure qui se serait cicatrisée et qui se rouvrirait. Des fragments de pierre se détachent et tombent dans le vide en s'écrasant bruyamment sur le sol. Les Chanteurs continuent à chanter, à se balancer et à taper du pied, sentant la terre s'ouvrir sous eux. À l'aube, la faible lumière éclaire le sol, révélant les parois de la faille qui s'élargit sans cesse, et l'immensité poussiéreuse de la caverne qui se trouve en dessous.

La terre cesse enfin de trembler et le chant s'arrête : ou, plutôt, il se change en une mélodie plus calme

Immédiatement, ceux qui sont près du bord se lancent dans le vide, flottant doucement jusqu'en bas. Les autres, en continuant à chanter, attendent leur tour pour les suivre en un flot régulier.

Dogface, l'ermite, s'élance du bord effrité, se laissant tomber doucement dans les ténèbres. Les parois rocheuses déchiquetées s'élargissent tandis qu'il tombe et s'incline pour rejoindre le sol en pierre lisse de la grande cavité. D'un côté, dans un gouffre plus profond coupé par un courant d'eau rapide, coule une rivière souterraine, une rivière sous-marine, qui disparaît sous des voûtes rocheuses. Au-dessus de lui, très haut, le ciel qui commence à s'éclairer. Tout autour de lui, ses frères et sœurs. Et, devant lui, dressée sur un socle creusé dans la roche, la pierre tombale.

Quatre colonnes soutiennent un toit faiblement incliné. Dans un cercueil en pierre est étendu le corps gris et desséché d'un homme mort depuis longtemps. Là, dans le calme de la caverne souterraine, il repose sans être dérangé, depuis le jour de sa mort, il y a plusieurs centaines d'années. Sa chair s'est desséchée jusqu'à l'os. Son visage est devenu une tête de mort recouverte de fragments de peau jaunâtre. Ses mains sont jointes sur sa poitrine, os sur os.

De son vivant, son nom était Ira Manth. On l'appelait le prophète. Il est mort, mais ses pouvoirs demeurent. Ils survivent chez ses disciples, les Chanteurs. Et ils survivent chez ses descendants.

Le chant s'éteint dans la grande caverne de Sirène où coule une rivière. Les Chanteurs se taisent. Ils savent qu'ils doivent attendre. Ils sont habitués à attendre. Pendant ce temps, un nombre toujours croissant de chanteurs les rejoindra, jusqu'à ce qu'ils soient tous rassemblés. Alors l'enfant du prophète viendra. Et l'heure sonnera.

« C'est ainsi, a promis le prophète, que je vis de nouveau et que de nouveau je meurs. »

17

UNE VILLE-MUSIQUE

Créoth, assis sur son tabouret dans l'étable, trayait le lait chaud au pis d'une vache impassible, en regardant l'aube se lever sur la terre brumeuse. Le lait tombait en giclées régulières et sifflantes dans le seau en bois, avec un son plus grave à mesure que le seau se remplissait. La vache tira un peu de foin du filet ventru accroché devant elle. Dans le petit troupeau, d'autres bêtes meuglaient doucement, impatientes.

Le soleil se leva au-dessus des collines lointaines, et le disque d'un rouge flamboyant répandit des couleurs soudaines sur les champs gelés. La forêt grise étincela et devint rose. Pendant quelques instants, avant que le soleil ne disparaisse dans un nuage, le monde rayonna comme s'il venait de naître.

– Sacré spectacle, hein, Céleste ? dit Créoth.

Il plongea une louche dans le seau et but le lait tiède à petites gorgées. Puis il se leva, vida le seau dans un grand bidon sur la carriole qui se trouvait derrière lui et déplaça son tabouret jusqu'à une autre vache. Il soupira en s'asseyant, et remua les doigts pour qu'ils restent souples.

– Oui, oui, oui, murmura-t-il à la vache impatiente.

Je sais que tu as dû attendre, mais je suis là, maintenant.

La vache tourna la tête et le fixa de ses yeux mélancoliques.

– Et bonjour à toi, Étoile, dit Créoth, en se mettant au travail.

Étoile tendit le cou vers la balle de foin, et le soleil, qui s'était éclipsé, colora d'or le dessous des nuages.

Il en était ainsi tous les matins, et Créoth était content. Ce n'était plus un jeune homme ; sa vie passée, qui glissait déjà dans l'oubli, avait été solitaire, calme et régulière. Garder les vaches lui convenait. Elles n'avaient pas de mouvements brusques. Elles faisaient la même chose au même moment chaque jour. Et surtout, il aimait leur odeur. Celle du lait, bien sûr, riche et mousseux, avec ses petites bulles dans le seau ; mais aussi l'odeur de leur peau moite et de l'herbe qu'elles ruminaient, du fumier, un mélange d'odeur de bétail, d'herbe et de terre.

Comme il finissait la traite du matin, il entendit le grondement et le grincement de chariots qui descendaient de la haute route au loin. Levant les yeux, il vit, dans l'encadrement de la porte de l'étable, un long cortège de cavaliers et d'équipages. Certaines voitures étaient très grandes, décorées de pinacles dorés et tirées par deux chevaux. Elles se dirigeaient vers le lac et la chaussée menant au Haut Domaine.

– C'est sûrement la mariée, dit Créoth à ses vaches. Il va y avoir une grande noce, aujourd'hui.

Il racontait tout à ses bêtes. Elles le regardaient d'un air grave, ruminant ses paroles, sans jamais répondre.

– Pourvu qu'elle soit heureuse, hein, Étoile ? Pourvu qu'elle soit heureuse !

Lorsque les gardes vinrent dans les quartiers d'esclaves, ce matin-là, pour sélectionner, comme à l'habitude, ceux qui passeraient la journée dans les cages à singe, Pinto murmura à son père :

– C'est moi qui y vais, aujourd'hui.

Hanno secoua la tête.

– Non, ma chérie. Aujourd'hui, c'est le jour le plus dangereux.

– Je sais, dit Pinto. Ma et toi, vous avez des choses à faire. Pas moi.

– De toute façon, espérons qu'ils ne vont pas nous prendre, ni ta mère ni moi.

Mais les gardes choisirent Ira Hath. Au même moment, un message arriva à Hanno, dans lequel on demandait sa présence, mariage ou pas, à la bibliothèque de l'académie. Il ne restait donc plus personne pour préparer leur fuite.

– Tu vois, insista Pinto. Il faut que ce soit moi.

– Ma chérie, lui dit sa mère, tu ne peux pas aller dans la cage aujourd'hui. C'est le jour. Je le sens. Nous ne pouvons pas être sûrs que ceux qui sont dans les cages pourront en sortir à temps.

– Ma, regarde-moi.

Ira plongea son regard dans les yeux fervents de sa fille.

– Je suis trop petite. Je ne peux rien faire. Sauf ça. Tu ne comprends pas ? Je peux enfin être utile à quelque chose.

– Tu ne sais pas ce que tu dis.

– Vraiment ?

Elle se pencha en avant, embrassa sa mère sur la joue et lui chuchota à l'oreille :

– Je dis que je mourrai peut-être dans cette cage, pour que tu puisses emmener notre peuple au loin.

Ce fut ce baiser rapide qui ébranla le plus Ira Hath.

– Oh, ma chérie. Tu es devenue grande, toi aussi ? Tu dois me quitter, toi aussi ?

– Tu sais que j'ai raison. Tu dois rassembler notre peuple. Et moi, je ne peux pas le faire. Aujourd'hui, c'est le jour décisif.

Ira se tourna vers Hanno, incapable de prendre une décision. Hanno regarda Pinto et vit la fierté dans ses yeux.

– Pinto a raison, dit-il. Vas-y, ma chérie. Nous ne les laisserons pas te faire de mal.

La petite fille courut vers les gardes pour leur dire qu'elle prenait la place de sa mère. Cela leur était indifférent : du moment qu'ils avaient un membre de chaque famille, leur travail était fait.

Hanno Hath l'accompagna jusqu'au croisement et la regarda, tandis qu'on l'enfermait dans l'une des cages à singe. Pinto lui sourit en se tenant aux barreaux, puis elle lui fit un signe de la main pour lui montrer qu'il ne devait pas avoir peur pour elle.

– Je viendrai te chercher, lui dit-il.

Et il repartit, le cœur lourd.

* * *

Sisi était assise, voilée, dans son carrosse ; elle regardait par la fenêtre, tremblant d'énervement. Les paysans étaient déjà dans les champs ; tous contemplaient immobiles l'interminable défilé des attelages.

– Lunki, dit Sisi stupéfaite, ils ne se couvrent pas les yeux !

– Pauvres barbares ! répondit Lunki. Ils ne savent pas grand-chose, mon trésor.

– Est-ce qu'ils savent qu'on va leur arracher les yeux ?

– J'ose espérer qu'on ne le fera pas, dit Lunki. Mon petit cœur porte son voile.

– Oui, c'est vrai. Je ne me rappelle jamais si je l'ai ou pas.

– Mon petit chat veut boire un peu de lait ?

– Non, Lunki. Enlève ça. C'est le jour de mon mariage. Je ne peux vraiment rien manger.

– Oui, mais boire, ce n'est pas pareil. Mon cœur n'a pratiquement pas besoin de remuer les lèvres.

Sisi fit non de la tête et se tourna vers Kestrel.

– Qu'est-ce que tu regardes, Kess ?

Kestrel, assise, observait les gardes de Johjan par l'autre fenêtre du carrosse. Les soldats chevauchaient deux par deux, à perte de vue. Kestrel avait l'impression de conduire sa propre armée au cœur de la forteresse ennemie.

– Je regarde où nous allons.

À présent, elle discernait le lac au loin, la chaussée et les remparts du Haut Domaine. Dix fois plus grande qu'Aramanth au temps de sa splendeur, la cité ambrée avec sa cascade de dômes étincelants l'impressionna. Cette fabuleuse cité-palais avait été construite par le peuple qui avait brûlé sa maison et asservi sa famille. Et pourtant, en dépit de son aspect triomphant, de sa beauté même, Kestrel avait fait des plans pour la détruire. Cette fille maigrichonne de quinze ans, sans titre ni situation, avait jugé la Seigneurie et l'avait condamnée à mort. Son arme était sa volonté passionnée et implacable. Aujourd'hui, c'était le jour du mariage, et le jour de l'exécution.

« Je suis la vengeresse. »

– Tu as dit qu'il se passerait quelque chose qui empêcherait le mariage, lui dit Sisi, mais il ne se passe rien.

– Tu n'es pas encore mariée, lui répondit Kestrel. Ils ne peuvent pas te forcer à te marier, si tu ne le veux pas.

– Si, dit Sisi. Quand tout le monde attend que tu fasses quelque chose, que tous les yeux sont braqués sur toi, alors tu le fais.

– Tu sauras prendre ta décision au moment voulu.

Kestrel ne pouvait pas lui dire que si tout se passait selon ses prévisions, Sisi n'aurait pas de décision à prendre.

– Allons, tu vois, mon trésor, lui dit Lunki. Écoute l'amie, ce n'est pas la peine de t'inquiéter.

Lunki n'approuvait pas la présence de Kestrel. Elle ignorait ses plans cachés et n'avait pas d'opinion sur son caractère. Mais, à son avis, la Johdila Sirharasi de Gang n'aurait pas dû avoir d'amie, et c'est ce qu'elle lui reprochait. Cela rabaissait la grandeur de sa position. Seuls les gens ordinaires avaient des amis. Les membres de la famille royale n'avaient que des sujets. Lunki ne pouvait même pas imaginer qu'elle-même pût critiquer sa maîtresse, en tout cas tout haut, aussi se contentait-elle d'appeler Kestrel « l'amie », comme elle aurait pu dire « le coiffeur » ou « le maître de danse ». Ainsi, elle transformait Kestrel en employée et se sentait satisfaite.

Deux carrosses plus loin, le Johanna regardait le Haut Domaine par la fenêtre, et lui aussi était impressionné. C'était plus petit qu'Obagang, sa propre capitale, cœur de la Souveraineté de Gang ; mais comparée à ce joyau, Obagang lui sembla soudain minable. Les grands édifices de sa capitale étaient en pierre, mais c'étaient des structures lourdes et trapues, très différentes de ces ravissants dômes. Et la plus grande partie de sa ville n'était constituée que de taudis en bois, qui s'entassaient les uns sur les autres comme des monticules d'immondices. Il ne s'en était jamais aperçu auparavant. En tant que dirigeant du plus grand empire du monde civilisé, il s'était habitué à considérer toute chose avec un confortable sentiment de supériorité. Il ressentit un choc désagréable en pensant qu'il allait entrer dans un palais plus grand que tous ceux qu'il avait possédés. Le Grand Vizir, pensa-t-il, avait eu bien raison d'arranger ce mariage. L'homme qui avait créé ce pays à partir de rien, l'homme qu'on appelait le Maître aurait été un ennemi puissant. Comment avait-il pu faire autant de choses, et si vite ? Ce lac, par exemple : il n'y avait pas de lac à cet endroit auparavant. C'était une région désolée, inhabitée, en dehors de quelques bergers nomades qui la traversaient. Personne n'en avait voulu. Personne ne s'était inquiété quand un groupe d'étrangers avait établi son campement là, cinquante ans plus tôt. Il se rappelait que son vieux père lui avait dit : « Laisse-les. Nous avons besoin d'une halte pour les caravanes, dans ce coin-là. » Une halte pour les caravanes ! Si son père voyait ça, maintenant ! Le lac à lui tout seul devait faire plusieurs kilomètres de long, et il avait été entièrement creusé dans le sol pierreux, sous le commandement de cet homme.

– Tiens-toi droit, Foofy, lui dit sa femme. Rappelle-toi que tu es le Johanna de Gang, et que ces gens que nous allons voir ne sont que de la boue sous tes pieds.

– De la boue sous mes pieds. Oui, ma chère.

– Ne te mets pas à minauder, à enlever les petites peaux de tes ongles ou à manger la bouche ouverte.

Quand on te parlera, n'oublie pas de regarder les gens d'un œil noir.

– Je n'oublierai pas, ma chère.

– Montre-moi ton regard noir.

Il lui lança un regard mauvais.

– Très bien. Comme ça, tu ressembles tout à fait à ton père.

Zohon, le Commandant des gardes de Johjan, magnifique dans sa tenue de cérémonie, chevauchait à la tête de ses hommes. Ses trois mille gardes le suivaient à cheval ou marchaient en double file, encadrant le cortège des carrosses royaux. Zohon n'avait pas demandé si cette imposante escorte serait la bienvenue dans la ville qui leur ouvrait ses portes. Le Johanna n'avait rien dit. Il n'avait pas fait d'objection, malgré tous les efforts de Barzan dans ce sens. Aussi Zohon s'apprêtait-il à conduire ses trois mille hommes au cœur du Haut Domaine.

Secrètement, tandis qu'il se tenait bien droit sur sa selle et que les rives du lac approchaient, il espérait être arrêté. Si cela se produisait, son plan était d'attaquer tout de suite. Un bélier en fer était caché sous l'une des voitures, pour enfoncer les portes. Mais personne ne l'arrêta. Aucune force armée n'était en vue, à part ses propres hommes. Et, de l'autre côté de la longue chaussée qui s'étendait devant lui, les grandes portes étaient ouvertes.

Le cortège s'immobilisa avant de franchir la chaussée. Le carrosse de cérémonie découvert, jusqu'alors inoccupé, fut conduit en tête, et une escouade choisie de gardes de Johjan, tous exactement de la même taille, avec le même teint et la même couleur de cheveux, l'entoura. Le Johanna et la Johdi mirent leurs couronnes, qui étaient impressionnantes, mais lourdes et gênantes. Et tandis que Kestrel observait ce qui se passait, la Johdila fut enfin revêtue de sa robe de mariée.

C'était une création remarquable. La couturière avait insisté pour que la Johdila ne porte aucun sous-vêtement, ce que Sisi trouvait excitant. Non que sa robe révèle la moindre partie de son jeune corps élancé : le fourreau en soie blanche parfaitement bien coupé la couvrait de la gorge aux chevilles, en moulant si bien son corps qu'on aurait presque dit que c'était une seconde peau. Sur la tête, elle portait une coiffe en soie blanche ajustée, dont la coupe épousait la courbe de son cou jusqu'à ses épaules. Sur son visage retombait un simple carré de gaze blanche qui se soulevait sous sa respiration. Tout autour d'elle, de son corps et de sa tête vêtus de blanc, flottait un grand voile de soie aérienne, si fin qu'il était presque invisible : un ruban de brume plus qu'un vêtement. Enveloppé de cette aura, son corps souple, gainé de soie, se mouvait avec une séduction mystérieuse, offrant aux yeux émerveillés une promesse enivrante de beauté.

– Oh, Sisi ! s'écria Kestrel. Je n'ai rien vu d'aussi beau de toute ma vie !

– Tu vois, mon trésor, murmura Lunki. Mon bébé est heureux, maintenant.

La couturière s'empressait autour d'elle, arrangeant les plis du voile.

– Doit-elle s'asseoir dans un carrosse ? demandait-elle sans cesse. Le tissu est coupé pour tomber droit. Si elle est obligée de s'asseoir, il va se froisser.

Sisi elle-même était hésitante. Elle ne voulait pas froisser sa robe, mais elle ne voulait pas non plus traverser la longue chaussée à pied. Finalement elle se laissa conduire dans le carrosse découvert, où elle prit place en face de son père et de sa mère.

Le cortège repartit. Les sabots des chevaux résonnaient sur les planches de la chaussée. Zohon suivait de près le carrosse royal, réglant l'allure de son cheval sur un trot enlevé qui lui permettait de suivre la lente progression du défilé sans donner l'impression d'avancer au pas. La longue file d'attelages, escortée par les rangs rapprochés des gardes de Johjan, roulait derrière, en couvrant une si grande distance qu'au moment où la tête du défilé arriva devant les grandes portes, les derniers fantassins n'avaient pas encore mis le pied sur la chaussée.

Lorsque le carrosse qui transportait la future mariée franchit les portes, un orchestre se mit à jouer et un chœur à chanter. La Johdila regardait autour d'elle, émerveillée par la beauté des édifices devant lesquels elle passait. À chaque fenêtre, chaque balcon, des musiciens jouaient et des chanteurs chantaient. Des enfants, qui s'étaient faufilés entre les interprètes, jetaient une cascade de pétales de fleurs. Les pétales voltigeaient et flottaient autour de Sisi, se prenant çà et là dans son voile, emplissant l'air de couleurs et se mêlant aux flots de la musique, de sorte qu'on avait l'impression que c'étaient les cascades de fleurs elles-mêmes qui inondaient la rue de sons aussi doux.

Zohon, qui caracolait fièrement derrière elle, cachait son intense fébrilité ; mais il avait beau tourner son beau visage de tous côtés, il ne découvrait aucun signe d'hommes en armes. Tout ce qu'il voyait, c'était un nombre incroyable de musiciens. Il faillit en rire tout haut. Il ne risquait pas grand-chose avec cette bande de violoneux et de troubadours !

Kestrel, qui se penchait par la fenêtre du carrosse de la Johdila pour contempler la ville de son ennemi, était, elle aussi, stupéfaite. Cette nation d'assassins et d'esclavagistes était belle, ses rues charmantes, et ses citoyens... musiciens. Ô combien musiciens ! Elle se rendit compte, tandis qu'ils remontaient la rue en roulant lentement, que les interprètes modulaient une grande composition vocale d'un groupe à l'autre, de façon que la mélodie soit toujours reprise par les musiciens les plus proches du carrosse royal, tandis que les harmonies s'amplifiaient derrière le cortège et plus loin, dans la rue, devant lui. Elle s'aperçut que chanteurs et instrumentistes levaient les yeux et qu'ils regardaient tous dans la même direction. En suivant leurs regards, elle vit un toit-terrasse incurvé et miroitant, où une silhouette indistincte avançait et reculait, frappant résolument l'air de ses bras tendus.

Le Maître arpentait les derniers étages, dirigeant ses multiples orchestres et chœurs, chantant lui-même sa grande composition vocale, tandis qu'elle résonnait dans toute la ville, à ses pieds. Perdu dans la musique, ses cheveux blancs au vent, il déclencha d'un geste ample le chant d'une centaine de choristes à cinq rues de là, tandis que les violonistes, en dessous de lui, déversaient leur ardente mélodie. Il leva le doigt et des trompettes sonnèrent au marché aux fleurs ; il tourna la main, et deux cents tambours, rassemblés sur la place, entamèrent leur insistante toccata. Soudain, les cordes des contrebasses se mirent à résonner dans toute la ville, faisant vibrer l'air avec un son plus profond que le son lui-même. Le Maître fit un geste et mille sopranos attaquèrent la première note aiguë et saisissante du mouvement final ; le son éclata, s'élevant dans le ciel comme un vol d'alouettes. Puis vinrent les cordes, la douce lamentation des violes, le tendre murmure des violoncelles se mêlant à l'appel des flûtes. Le Maître traversa les espaces resplendissants jusqu'au bout de la terrasse, puis pointa le doigt vers l'endroit où était massé son chœur de voix mâles et, avec un frisson qui fut ressenti dans tout le Haut Domaine, quinze cents voix basses entonnèrent un chant. Le Maître, perdu dans la splendeur de sa propre création, chantait avec eux.

Une ville-musique, une ville devenue symphonie pour accueillir l'adorable future mariée. « Montrons-leur, pensait le Maître, en cet instant de pouvoir enivrant, montrons-leur le vrai sens de la Seigneurie ! Voilà le monde que j'ai créé, voilà ce que j'offre à mon peuple, voilà ma promesse d'un monde nouveau ! »

Hanno Hath entendit la musique qui annonçait l'arrivée de la future mariée et de sa suite. Il savait que Kestrel était quelque part dans le cortège. Avec la permission du professeur Fortz, il alla jusqu'à la grande fenêtre de la bibliothèque de l'académie pour regarder la mariée passer.

– Le mariage ! dit Fortz avec dégoût. Du miel maintenant. Du fiel plus tard.

– Vous-même, professeur, vous n'êtes pas marié ? lui demanda Hanno.

– Le mariage est une activité de loisir. Je n'ai pas le temps.

– C'est ce qui m'a apporté le plus grand bonheur, lui dit Hanno.

– Vraiment ? s'exclama Fortz, très étonné. Vous aimez sans doute les repas chauds. – Debout sur une chaise, il regardait lui aussi par la fenêtre. – Juste Ciel ! Qui sont ces gens ? Toutes ces dorures ! C'est tellement provincial !

Le chœur qui se trouvait en face de la bibliothèque entonna brusquement sa partie, au signal du Maître, faisant sursauter Fortz. La coordination de ces différentes vagues de sons l'impressionna pourtant profondément.

– Cet homme est un génie, vous devez l'admettre. Écoutez ça ! Le son d'un peuple uni dans le chant !

– Unis dans l'esclavage, aussi, murmura Hanno.

– Qu'est-ce que vous racontez là ? Demandez-vous ce qui fait la richesse d'une nation. L'ordre et le travail. Qui obéit aux ordres et travaille dur ? L'esclave. Débarrassez-vous de toutes ces vieilles fadaises sentimentales sur les droits et la liberté, et qu'obtiendrez-vous ? Le pays le plus prospère du monde !

Dans la rue, les trompettes de plusieurs fanfares firent éclater leurs notes qui montèrent, se superposèrent et dominèrent tous les chœurs rassemblés.

– La mariée doit être arrivée dans la grande salle, dit Fortz.

Hanno n'avait pas vu Kestrel.

– Je me demande, dit-il, si je pourrais aller voir ce qui se passe dehors.

– Eh bien, pourquoi pas ? Personne ne peut se concentrer, avec tout ce vacarme.

Hanno quitta la bibliothèque à peu près au moment où la Johdila sortait de son carrosse découvert et s'apprêtait à entrer dans la grande salle. Cependant, il n'essaya pas de se frayer un passage dans la foule pour regarder la cérémonie. Il tourna de l'autre côté, franchit les grandes portes et traversa la chaussée à présent déserte.

Il était temps de préparer leur départ.

18

LE COMBAT DE MUMPO

Kestrel frissonnait. Depuis que l'immense cortège nuptial avait pénétré dans le Haut Domaine, elle s'attendait à ce que Zohon attaque. Des colonnes et des colonnes de gardes de Johjan marchaient dans la rue, et elle ne voyait aucune force armée en mesure de défendre la Seigneurie. Mais le Commandant continuait à chevaucher en souriant et la cérémonie se déroulait comme prévu.

Elle descendit du carrosse avec Lunki et suivit la future mariée sur les marches qui menaient à la grande salle, surmontée d'un dôme, où le mariage devait être célébré. La musique tourbillonnait autour d'elle. De l'intérieur lui parvint le son d'un chœur chantant un air joyeux. La Johdila, qui était déjà sortie de son carrosse, flanquée du Johanna et de la Johdi, fut accueillie sous la haute entrée voûtée par le Gardien du Palais, qui s'inclina très bas et déploya les bras en un salut cérémonieux. Kestrel suivit la foule.

La salle la stupéfia. D'immenses piliers de pierre couverts de sculptures raffinées soutenaient les coupoles d'une légèreté aérienne ; les arènes, qui avaient été construites pour le mariage, étaient formées d'un treillage de minces piliers de chêne sur lesquels étaient posés des sièges garnis de coussins ; elles étaient surmontées d'un dais écarlate entouré de franges d'or ; le grand espace scintillant et rempli de lumière qui se trouvait au-dessus brillait comme un ciel créé pour l'occasion ; le chant triomphal des quatre cents chanteurs du chœur personnel du Maître emplissait tout ce vaste espace, s'élevant jusqu'à la coupole de verre colorée par les rayons du soleil couchant. Les choristes se tenaient debout sur deux estrades spécialement dressées pour eux, de part et d'autre de la porte d'entrée, et ils portaient tous des robes écarlate et doré, à longues manches.

– Le chant nuptial, murmura le Gardien au Johanna. Composé par le Maître pour l'entrée de la mariée.

– Composé par le Maître !

– Toute la musique du mariage est composée et dirigée par le Maître lui-même !

Des rangées de gardes de Johjan entrèrent, imposants par leur nombre et leur haute taille. Ils se déversèrent de tous côtés, marchant toujours parfaitement en cadence, et remplirent tout l'espace derrière les arènes en bois. Kestrel comprit que s'il devait y avoir une bataille, elle commencerait là, dans cette salle impressionnante et bondée. Elle regarda autour d'elle pour repérer les issues permettant de s'échapper. Il y avait des entrées de trois côtés : une porte qui donnait sur la rue principale et par laquelle la foule continuait d'affluer, et deux entrées latérales, fermées et bloquées par la masse des invités. Elle aperçut un passage, tout au bout, qui menait à d'autres pièces à l'intérieur de la grande salle. Et une étroite volée de marches qui montaient jusqu'à une galerie, juste en dessous du niveau de la plus basse des coupoles. Mais avant de mener plus loin ses investigations, elle dut suivre la cérémonie qui se déroulait dans les arènes.

Il y avait du sable au fond de l'arène, et cela semblait déplacé pour une telle occasion. Elle se rendit également compte, en avançant, que le sol était surélevé, comme pour une scène improvisée. La Johdila fut menée jusqu'à un trône au milieu des sièges placés à gauche. Kestrel prit place derrière la famille royale.

– Sacré bel endroit, n'est-ce pas ? dit le Johanna à sa femme. On devrait demander à nos gars de nous construire quelque chose de semblable à la maison, tu ne trouves pas ? Regarde ces piliers ! Gravés de haut en bas ! On jurerait que ce sont des vraies feuilles qui poussent là !

– C'est trop tarabiscoté pour moi, lui répondit la Johdi.

Sa houppelande dorée lui tenait trop chaud et sa couronne lui faisait mal à la tête.

– Alors, que va-t-il se passer, à présent, Barzan ? demanda le Johanna en indiquant l'estrade recouverte de sable à leurs pieds.

– Un spectacle de manaxa, Excellence. C'est une sorte de combat, très apprécié ici.

– Ça dure longtemps ?

– Je ne crois pas, Sire. Ensuite, il y aura la tantaraza. La danse nuptiale.

– Ça dure longtemps, ça aussi ?

– Une heure en tout, je pense, Majesté. Le banquet de noces doit commencer à midi.

Le Johanna soupira. Son petit déjeuner lui semblait déjà loin.

Un roulement de tambour et un chœur de voix mâles

saluèrent l'entrée du deuxième cortège qui accompa·
gnait le marié. En tête venaient douze jeunes nobles de
la Seigneurie, choisis par Ortiz comme garçons d'honneur. Ils portaient leurs plus beaux vêtements, de lon·
gues robes de cérémonie, traînantes, ouvrant sur des
tuniques richement brodées à la pointe de la mode du
moment. La lumière qui tombait des hautes coupoles
les nimbait d'or et d'orange, jusqu'à ce qu'ils passent
sous le dais, où tout prenait une teinte rosée. La combinaison des couleurs semblait arbitraire tant que les différents éléments de la composition bougeaient dans la
salle mais, une fois que chacun eut trouvé sa place, un
dessin émergea, où les tons dominants du dais, du sable,
de la lumière bleutée étaient repris et rehaussés par la
subtilité des costumes des hôtes, et attiraient l'œil vers
le centre de la composition, vers la pure et blanche simplicité de la robe de la mariée. Les seuls éléments dis-
cordants étaient ceux qui échappaient au contrôle du
Maître : le violet des gardes de Johjan et les tatouages
turquoise qui recouvraient le corps d'Ozoh le Sage.

Kestrel, attentive à tout ce qui se passait, vit entrer le
marié. Marius Semeon Ortiz était vêtu de blanc, mais
les courroies, les ceintures et les boucles de son habit
étaient en argent. Son visage bronzé et ses cheveux fauves étaient mis en valeur par tout ce blanc. Marchant
droit, fièrement, il avançait vers le trône cramoisi qui lui
était destiné, en face de celui de la Johdila, de l'autre
côté des arènes. Il s'inclina profondément devant
la cour royale de Gang et s'assit. Les jeunes nobles
s'installèrent autour de lui. Ses serviteurs person-
nels se mirent en rang derrière. Parmi eux, Kestrel
aperçut Bowman et leurs yeux se croisèrent un instant,
secrètement.

Les derniers accords exaltants de la mélodie nuptiale retentirent, et la tempête musicale qui avait balayé le Haut Domaine depuis presque une heure se tut enfin.

Le Gardien du Palais du Maître fit un pas en avant.

– Pour célébrer l'union prochaine de votre peuple et du nôtre, déclara-t-il, le Maître a le plaisir de vous présenter ses meilleurs combattants, qui vont se rencontrer dans l'art noble du manaxa.

Kestrel chercha Zohon des yeux. Debout, les bras croisés, il regardait la cérémonie. Ses hommes encerclaient complètement les arènes, sur une profondeur de six rangs. Rien ne pouvait l'arrêter. Qu'attendait-il donc ?

Des roulements de tambour marquèrent l'entrée de quatre manacs qui sortirent d'un tunnel sous les estrades et se mirent en file dans l'arène. Le corps luisant d'huile, leurs protections d'acier et leurs lames soigneusement polies, ils sautèrent l'un après l'autre sur la plate-forme et s'inclinèrent respectueusement, d'abord devant le Johanna et sa famille, puis devant Ortiz. Lars Janus Hackel, l'entraîneur, surveillait tout, de l'entrée du tunnel où il était placé, et guidait les applaudissements de courtoisie qui devaient accueillir chaque adversaire.

Vint d'abord Dimon, lutteur très musclé et couvert de cicatrices, vétéran du manaxa et maître en la matière. Il tint son casque armé d'une lame sous le bras pendant qu'il saluait. La Johdila répondit à son respectueux salut en inclinant délicatement sa ravissante tête voilée. Puis elle laissa ses yeux, cachés comme toujours, survoler le manac, puis le trône où était assis son futur époux, pour s'arrêter sur Bowman. Il lui sembla que le frère de son amie la regardait de ses yeux pensifs. La Johdila se tenait très droite, immobile, trop fière pour montrer sa

302

nervosité mais, au fond d'elle-même, elle était toute tremblante. « Oh, Bowman, pensait-elle. Qu'est-ce que je fais ici ? Pourquoi ne pouvons-nous pas simplement nous enfuir quelque part, tous les deux, pour parler et apprendre à nous connaître ? »

Bowman regardait Kestrel.

« Ne fais pas ça, Bo, c'est dangereux. »

Il ne put alors s'empêcher de scruter doucement les pensées de sa sœur. Elle était tendue, ce qui était prévisible, mais très excitée aussi.

« Quand est-ce que ça va commencer ? »

« Je ne sais pas, lui répondit-elle. Sois prêt. »

Elle regarda de nouveau Zohon.

Ba-ba-ba-bam ! Ba-ba-ba-bam ! Cadiz le maigre sauta sur les planches recouvertes de sable. C'était le manac qui avait la meilleure allonge de tous. Mince et dur comme un fil de fer, il s'inclina poliment et salua pour répondre aux applaudissements.

Zohon regardait la Johdila. La courbe de son cou gracieux, sous sa coiffe ajustée, était si séduisante qu'il mourait d'envie de la caresser de sa main puissante. Il lui sembla l'avoir vue trembler tandis qu'il la regardait, et détourner les yeux de son futur époux. « N'aie pas peur, ma bien-aimée ! lui cria-t-il dans son cœur. Je te sauverai ! » Et, se tournant vers son ennemi – l'arrogant jeune homme qui se permettait d'épouser sa Sisi –, il le fixa d'un regard froid et haineux. À sa grande satisfaction, Ortiz rougit et baissa les yeux.

Ba-ba-ba-bam ! Ba-ba-ba-bam ! Maintenant, c'était au tour du grand Arno, de l'énorme Arno, le manac le plus redouté, d'enjamber l'estrade. Ses gros poings sur les hanches, il baissa sa tête de taureau devant les visiteurs royaux.

Ortiz répondit d'un signe de tête au salut d'Arno, les joues toujours en feu. Il avait rougi, car il avait regardé Kestrel, de l'autre côté des arènes ; elle avait croisé son regard, et ses yeux avaient aussitôt lancé des étincelles. « Pourquoi est-elle en colère contre moi ? » s'était-il demandé. Il ne pouvait y avoir qu'une seule réponse : elle avait vu dans ses yeux qu'il l'aimait. Cette pensée remplit soudain Ortiz d'une joie sauvage. Ce visage animé et impatient, qui lui semblait à présent beaucoup plus beau que tous les autres, cet esprit vif, avaient été touchés par son émotion. Peut-être même lui rendait-elle son amour ! « C'est de la folie de penser cela, de la folie ! C'est absurde et impossible ! »

Ba-ba-ba-bam ! Ba-ba-ba-bam ! Le quatrième manac courut sur l'estrade pour saluer les autorités : c'était Mumpo. Kestrel éprouva un choc en le reconnaissant et retint un cri. Il semblait si différent ! Son corps nu et luisant d'huile brillait, il se mouvait avec souplesse et assurance. Maintenant qu'elle contrôlait ses réactions, elle l'observa, étonnée. Elle ne savait pas encore en quoi consistait le manaxa et, au début, elle n'eut donc pas peur pour lui. Bowman, lui, ne savait que trop bien ce qu'il en était, et il frissonna.

Les roulements de tambour cessèrent. On n'entendit plus que le bruit des spectateurs qui s'agitaient en cherchant une position confortable, puis un silence anxieux. Dans ce silence, trois petits coups sourds retentirent ; c'était le son d'un archet de violon frappant sur une rambarde : tap, tap, tap. Tous les yeux se levèrent. Là, dans la pénombre de la galerie, au-dessus des arènes, on pouvait discerner la silhouette d'un homme. Une forme immense drapée dans une robe cramoisie, avec sur la tête un casque d'or d'où pendaient plusieurs chaînes dorées et, dans la main, un violon. Un murmure s'éleva dans la salle.

– Le Maître ! Le Maître !

Le Johanna fut déconcerté.

– Ne devrait-il pas être en bas, avec moi ? murmura-t-il à Barzan.

Le Grand Vizir murmura la même question au Gardien du Palais du Maître. Le Gardien murmura une réponse. Et ainsi le murmure revint au Johanna.

– Le Maître dirige la musique. Il aura l'honneur de vous rencontrer après l'échange des serments.

– Je vois. Bon. Très bien.

Du sable frais recouvrait l'estrade. Des roulements de tambour retentirent de nouveau pour signaler le début du manaxa. Et les deux premiers combattants s'élancèrent dans l'arène. Dimon affrontait Cadiz : le vieux renard contre le jeune géant. Un petit coup fut frappé en haut, dans la galerie, et le combat commença.

Chaque manac tournait autour de l'autre, calquant ses pas sur ceux de son adversaire, sans jamais se toucher. Les courtes lames sur leurs genoux et leurs poignets scintillaient dans la lumière rosée. Ce fut le grand Cadiz qui attaqua le premier, sautant et tournant, mais Dimon s'était écarté lorsqu'il atterrit et, déjà, il contre-attaquait. Clang ! Le son d'une lame sur un brassard fut suivi par un échange incroyablement rapide de coups : les genoux dansaient et les poignets volaient ! Et les deux manacs s'éloignèrent en tournoyant gracieusement, indemnes.

Sisi était galvanisée. Après cette première attaque, elle comprit que le jeu était sérieux. Les combattants voulaient faire mal, blesser et peut-être même tuer. Chaque geste comptait, chaque éclair d'acier pouvait briser une vie. Soudain, le combat lui parut être la chose la plus belle qu'elle eût jamais vue. Les feintes, les attaques, les blocages et les parades, exécutés avec une telle économie de moyens, une telle précision, une telle audace ! Toute cette peau exposée, qui risquait à chaque moment d'être coupée, tranchée, arrachée, déchiquetée ! Le sang semblait déjà jaillir ! Le cœur battant, les yeux brillants, elle suivait chaque pas de la danse mortelle.

Willy Dimon pivota sous le long bras de son adversaire, son genou gauche se levant au moment où Cadiz faisait un bond en arrière. Le bras droit de Dimon se tendit, Cadiz bloqua le coup avec son bras gauche et fit un autre bond en arrière, lorsque Dimon lança à nouveau son genou droit en avant.

– Ha ! cria-t-il.

Par ce dernier mouvement, Dimon avait pris le contrôle du rythme du manaxa, comme le comprirent aussitôt les autres manacs et leur entraîneur. Désormais impuissant, Cadiz bloqua le coup et battit en retraite jusqu'à ce qu'il se retrouve tout au bord de l'estrade d'où il sauta d'un long bond gracieux, reconnaissant sa défaite.

Ils furent généreusement applaudis. Le combat avait été classique, mené par des lutteurs habiles, au mieux de leur forme mais il n'y avait pas eu d'effusion de sang. Ortiz présuma que l'entraîneur avait donné l'ordre qu'il en fût ainsi. Les visiteurs qui n'avaient pas été élevés au contact du manaxa étaient parfois choqués par ses aspects les plus brutaux.

Kestrel regarda de nouveau Zohon. Il avait les yeux brillants d'excitation. « Il ne bougera pas tant que durera le manaxa », pensa-t-elle. Puis toutes ses préoccupations à propos de Zohon et de la future bataille disparurent. Mumpo entrait dans l'arène.

Les roulements de tambour retentirent et Arno monta sur l'estrade pour affronter le débutant. Ils formaient une curieuse paire : Arno avec sa carrure et sa musculature impressionnantes, Mumpo si mince et si souple. Celui-ci semblait se mouvoir encore plus lentement que son énorme adversaire, comme s'il était en transe. Ortiz, en le voyant, reconnut aussitôt la concentration qui précède le combat, présente chez les vrais manacs, ceux dont les mouvements se font dans une demi-conscience. « C'est un manac-né, se dit-il avec satisfaction. Ce sera un combat mémorable. » Il tourna son regard vers Kestrel et remarqua qu'elle semblait fascinée par le jeune manac. « Elle comprend. Elle est sensible au pouvoir du manaxa. Je savais qu'elle le serait ! »

Le signal fut donné, le combat commença, mais aucun des deux manacs ne semblait pressé. Ils bougeaient avec une lenteur excessive, se rapprochant peu à peu, chacun répondant aux tournoiements et aux mouvements circulaires de l'autre, exactement comme dans une danse. En réalité, chacun essayait de trouver le rythme de son adversaire, ce battement subtil qui est au cœur du manaxa. Comme dans un rêve inquiétant, ils oscillaient et décrivaient des cercles, tournant sans arrêt, dans un effort intense pour prendre le contrôle de la situation.

Mumpo s'approcha, replié sur lui-même, et Arno frappa. C'était un leurre évident, une parade facile : mais, à partir de là, le tempo du combat s'accéléra. Mumpo semblait avoir les yeux fermés ; on aurait dit qu'il sentait plus qu'il ne voyait les gestes de son énorme rival.

Il était extraordinairement gracieux, accomplissant chaque mouvement avec une aisance qui donnait l'impression qu'il savait à l'avance ce qui allait se passer. Arno aussi, maintenant que l'action s'accélérait, montrait une maîtrise époustouflante de son corps. Aussi agile que Mumpo, aussi prompt à frapper, il était deux fois plus puissant. Un coup fatal de l'un de ses gros poings munis d'une pointe de fer et Mumpo ne pourrait se relever. Mais tous deux retenaient leurs coups. Les suites formelles d'attaques, de parades, de ripostes, et de contre-offensives se déroulaient comme dans un livre, un vrai cours de grand art.

Lars Janus Hackel, assis près du tunnel, les regardait avec satisfaction. « Ce garçon ne se fera pas de mal, pensa-t-il. Il est trop habile. » Il voyait le profond niveau de concentration avec lequel Mumpo se battait et comprit que le grand champion n'arriverait pas à briser ses défenses. À présent, les mouvements se succédaient à une vitesse éblouissante : des gestes rapides et serrés, chaque coup étant porté avant que l'esprit de l'adversaire ait pu calculer ses effets, selon des figures de combat que les deux manacs avaient parfaitement assimilées. Dikka-dikka-dikka-dik ! faisaient les lames, quand elles se touchaient ou qu'elles effleuraient une pièce d'armure, les combattants ne gaspillant pas leurs forces sur des coups stériles. De plus en plus vite, maintenant, tournant, bondissant, les manacs s'enfermaient dans une danse incessante et accélérée. Les spectateurs retenaient leur souffle. D'un moment à l'autre, l'un des deux allait forcément rater un coup, n'anticiperait pas la prochaine attaque, verrait la lame volante frapper sa peau sans défense. Mais ils continuaient, sans jamais crier, gardant une concentration parfaite, et la tension augmentait.

Sisi avait du mal à le supporter. Elle se tordait les mains et se penchait en avant sur son siège. Elle aurait voulu que les lutteurs fassent... quoi ? Elle rougit de honte en se rendant compte qu'elle voulait arriver au point culminant vers lequel tendait cette danse de lames d'acier, le moment du sang et de la souffrance. Tout, dans le manaxa, appelait à ce paroxysme. Enivré par la beauté, le spectateur criait pour qu'il y ait du sang.

Kestrel ressentait la même chose, mais son excitation était obscurcie par la terreur. Elle avait du mal à regarder, et en même temps ne pouvait détacher ses yeux du combat. De tout son être, elle adjurait Mumpo d'écouter sa voix silencieuse qui lui criait :

« Saute, Mumpo ! Va-t'en ! Ne te laisse pas tuer ! »

Les manacs continuaient de tournoyer, si près l'un de l'autre qu'ils semblaient s'étreindre. Ils avaient atteint le moment du manaxa où le premier combattant, pour rompre le rythme, prend le pas sur l'autre, et dans leur tentative d'y parvenir, tous deux diversifiaient leurs mouvements à chaque tour. Arno tenta une succession de coups de pied circulaires de la jambe gauche, essayant, par un phénomène de répétition, de prendre Mumpo au dépourvu ; mais à la cinquième attaque que Mumpo bloquait avec son genou, ce qui força Arno à parer un dangereux coup de poing, il revint à des figures plus familières.

Soudain, Mumpo fit un bond en avant qui amena ses quatre lames à agir en même temps. Un mouvement qui, d'habitude, force l'adversaire à reculer. Arno, trop expérimenté pour battre en retraite, réagit en projetant les bras en avant, afin d'atteindre violemment Mumpo au ventre, mais Mumpo bondit, se retourna en l'air et reçut la lame sur son tibia protégé par sa cuirasse. De tous côtés, en bas, derrière, les coups de poing volaient, une attaque et une défense magnifiquement exécutées qui furent accueillies par des applaudissements émerveillés.

Les combattants commençaient à se fatiguer. Comment aurait-il pu en être autrement avec un rythme aussi infernal ? Par un accord tacite, ils augmentèrent l'espace qui les séparait et ralentirent un peu le rythme des attaques et des contre-attaques. C'était toujours un moment dangereux. L'un des adversaires – ou tous deux en même temps – pouvait perdre de sa concentration ; l'autre alors en tirerait avantage. Mais la corde invisible qui liait les deux manacs restait toujours aussi tendue, malgré la distance qu'ils avaient mise entre eux. Tournant l'un autour de l'autre avec précaution, ils entrèrent dans une nouvelle phase. L'entraîneur regarda le champion et sut aussitôt exactement ce qu'il allait faire. Mumpo était un combattant encore trop jeune pour prévoir le mouvement de son adversaire. Le temps avait simplement manqué pour tout lui apprendre.

L'offensive ne se fit pas attendre. La fameuse charge du sauvage. Arno se dressa sur la pointe de ses pieds nus et se lança en avant, fendant l'air à coups de lames démentiels qui ne suivaient aucune figure habituelle. Agitant les bras, donnant des coups de pieds en tous sens, il se précipita sur Mumpo, espérant l'amener à réagir avec la même sauvagerie. À ce moment, comme Hackel l'avait déjà vu si souvent, Arno porterait son coup avec une précision mortelle et tout serait terminé. Mais Mumpo resta solide comme un roc. Il ne fit aucune tentative pour parer la violente attaque, concentrant toute son attention sur le corps exposé d'Arno. Cette attitude mit Arno sur la défensive et son attaque se termina aussi vite qu'elle avait commencé. Puis, se servant habilement de cet échec, Arno pivota soudain, offrant un bref instant son dos à son adversaire, et Mumpo se laissa prendre au piège. Il lança une attaque, mais la lame du poing gauche d'Arno pivota, entaillant le bras droit de Mumpo. Le sang étincelant se déversa de la blessure et coula sur l'avant-bras protégé par le brassard. La foule retint son souffle. Hackel hocha la tête : le garçon n'aurait pas dû se laisser prendre ainsi. Kestrel, horrifiée, hurla :

– Non ! Ne lui faites pas de mal !

Mumpo tourna la tête. Il avait reconnu la voix de Kess. Abasourdi, il n'eut que le temps de lui jeter un coup d'œil avant que le grand champion ne l'attaque de nouveau. L'adolescent était plongé dans la confusion. Il recula pour gagner du temps, toute sa concentration évanouie. Hackel le vit avec désarroi. Ortiz observa la même chose avec surprise. Le garçon avait perdu tous ses moyens. Arno se précipita sur lui avec une puissance implacable, sachant qu'à présent la victoire était à sa portée. Son objectif était de forcer Mumpo à aller jusqu'au bord de l'estrade, et là, d'un léger coup oblique, de le faire basculer dans la défaite.

Mumpo recula et para les coups, le sang coulant sur son bras droit et dégoulinant dans le sable. Sa défense était toujours bonne, mais il avait perdu l'initiative. Le grand Arno dictait maintenant la cadence, et malgré son manque d'expérience, Mumpo comprit que cela signifiait sa perte. La règle fondamentale du manaxa était que seul celui qui passait à l'offensive gagnait. Or Arno accélérait sans cesse la vitesse de leur combat, lui

311

ôtant toute chance de transformer son incessante défense en attaque. En outre, là-bas, sur les bancs, Kestrel le regardait. Il ne cessait de lui jeter des coups d'œil, et chacun de ces regards le mettait hors combat.

Hackel était très inquiet. Le garçon faisait des fautes. « Il vaudrait mieux qu'il saute, et vite », se dit-il. À cet instant, Arno s'élança une fois encore et la lame de son genou atteignit Mumpo à la cuisse, faisant de nouveau jaillir son sang. La foule retint son souffle. Mumpo, qui ne sentait même pas sa blessure, leva les yeux et surprit le regard angoissé de Kestrel. Aussitôt, sa confusion disparut. « Kess ne veut pas que je perde, pensa-t-il. Et je ne perdrai pas. » Une explosion de bonheur éclata dans son cœur et il recula d'un bond tandis qu'Arno l'attaquait de nouveau. Il voyait exactement ce qu'il allait faire. Rassemblant ses forces, au lieu de se préparer à parer le prochain coup, il ouvrit grand les bras.

Ortiz le vit. Il se leva de son siège, hors de lui.

– Il ne peut pas faire ça !

Hackel le vit, et pâlit.

– Il ne peut pas faire ça !

Arno le vit et se lança dans la série attendue d'offensives, parades, ripostes, contre-offensives. Mais Mumpo ne para pas. Le coup d'Arno s'abattit, sa lame de poing s'enfonçant dans la poitrine du jeune lutteur. Kestrel hurla, « Non ! ». Tout le monde se leva. Mais Arno ne frappait plus. Il restait debout, immobile, tandis que le bras droit de Mumpo était tendu vers lui. La foule comprit alors que Mumpo n'avait accepté ce coup que pour frapper lui-même. Il avait exécuté la manœuvre de sinistre réputation qu'était la mise à mort réciproque : sa lame de poing était profondément plongée dans le cœur du grand champion.

Lentement, dans le plus grand silence, Arno tomba, retirant lui-même sa lame du flanc de Mumpo en s'écroulant sur le sol. Son corps énorme tomba dans un bruit sourd sur les planches couvertes de sable et ne bougea plus. Mumpo restait immobile, tandis que son sang ruisselait de son bras, de sa cuisse et de sa poitrine. Les applaudissements éclatèrent. D'abord, les spectateurs tapèrent du pied, puis du poing sur les bancs et, enfin, ils se mirent à crier. C'était une tempête, un déchaînement, une explosion d'émotions qui ne pouvaient plus être contenues. La beauté s'était terminée par un meurtre. La danse s'était transformée en mort. Sisi hurla et tambourina avec les autres, emportée par des vagues de sentiments passionnés qui la laissèrent épuisée et enivrée. Seule Kestrel ne criait pas. Elle restait assise, immobile et tremblante, les yeux fixés sur Mumpo.

Hébété, il leva les bras pour remercier le public. Hackel donna le signal et des esclaves montèrent sur l'estrade pour enlever le corps d'Arno. Il fallut six personnes pour le soulever. Hackel lui-même conduisit le manac victorieux hors de l'arène, pour faire nettoyer et panser ses blessures. En partant, Mumpo se retourna pour lancer un dernier regard à Kestrel.

19
KESTREL DANSE
LA TANTARAZA

Dès que le combat fut terminé, la Johdila se leva et, accompagnée de sa jeune servante, elle quitta les arènes. Zohon, toujours transporté par le spectacle, fut surpris de la voir s'éloigner.

– Où va la Johdila ? demanda-t-il.

Une rapide enquête lui révéla que la Johdila s'était retirée dans une salle voisine pour revêtir ses habits de danse.

Dans la petite salle, Sisi ôta rapidement sa robe nuptiale et échangea ses vêtements avec ceux de Kestrel. Les émotions que le manaxa avait suscitées en elle la rendaient plus nerveuse encore à l'idée de la supercherie qu'elle préparait. Ses mains tremblaient tandis qu'elle agrafait la robe étroite de Kess.

– Oh, Kess ! Et si on découvre tout ?

– Non, personne ne s'en apercevra

– Tu trembles, toi aussi. Je le sens.

– C'est à cause du combat.

Elle frissonna.

– C'était affreux, tu ne trouves pas, chérie ? J'ai tellement détesté ça que j'avais chaud et que je tremblais comme une feuille.

– Je n'ai pas détesté ça, dit Kestrel à voix basse. J'aurais dû, pourtant.

– Ah bon, tu n'as pas trouvé que c'était horrible ? Oh, Kess, est-ce que les amies doivent se dire ce qu'elles éprouvent réellement ?

– Oui, si elles veulent.

Sisi murmura :

– Ça m'a fascinée.

– Moi aussi.

– Vraiment ? Oh, merci, Kess, ma chérie ! Parfois, je pense que je suis si mauvaise que je ne devrais pas avoir le droit de vivre plus longtemps. Tiens, prends la coiffe, maintenant

Kestrel mit la coiffe et baissa le voile sans rien dire. Une nouvelle peur l'étreignait. Et si Zohon attaquait pendant qu'elle dansait la tantaraza ?

Elle regarda Sisi et vit des larmes dans ses yeux.

– Que va-t-il se passer, Kess ? Quelque chose d'étrange et de terrible se prépare. Tu ne le sens pas ?

– Si, dit Kestrel. Nous devons être courageuses.

Tandis que les jeunes filles s'habillaient, Ortiz était en proie à une nervosité presque insupportable. Le manaxa l'avait tellement enthousiasmé qu'il était prêt à tout, quelles qu'en soient les conséquences. Il savait qu'après la danse viendrait l'échange des serments, et qu'ensuite il serait trop tard. Il fallait absolument qu'il parle à la jeune inconnue, et sans perdre de temps.

Il fit signe à Bowman. À voix basse, pour que personne d'autre ne risque d'entendre, il lui fit part de son projet et lui désigna la pièce privée où la Johdila s'était retirée.

– Tu as vu où elles sont allées ? Sa servante était avec elle.

– Oui.

– Va la chercher. Dis-lui qu'il faut que je lui parle.

– Comment ? Où ?

– Il y a un passage, là-bas, qui mène à un jardin. Je m'y rendrai directement après la danse. Dis-lui de m'attendre dans le jardin.

Bowman fit ce qu'on lui demandait, trop heureux d'avoir cette chance inespérée de parler seul à Kestrel. Il se fraya discrètement un passage derrière les arènes et se dirigea vers la petite salle retirée. Pendant ce temps-là, Kestrel, qui portait la robe de mariée, mais sans sa traîne, le visage voilé, sortit de la pièce et entra dans les arènes par-devant. Elle ne vit pas Bowman, et il ne la vit pas non plus. Elle ne remarqua pas l'absence de son frère derrière Ortiz, car elle tremblait de nervosité. Malgré tous les dangers qu'elle encourait, Kestrel sentait l'excitation l'envahir : elle avait appris à aimer la tantaraza.

Elle leva les yeux vers Zohon en entrant dans l'arène. Il était tout au bout, là où il se trouvait depuis le début, regardant fièrement la scène. Discrètement, elle pressa ses mains l'une contre l'autre et croisa les doigts. Il se raidit et hocha légèrement la tête. Il avait vu. Elle fit alors un deuxième geste, caressant l'air devant elle et ramenant délicatement sa main vers le bas, pour lui dire « doucement, doucement, pas encore ». Elle espéra qu'il avait compris.

Le maître de danse, Lazarim, qui avait regardé le manaxa avec une admiration qui s'était transformée en effroi, se rendit soudain compte que la grande tantaraza devrait être dansée sur le sable souillé de sang de l'arène. Il avait oublié qu'il était mêlé à une tromperie à haut risque, et que la femme que le marié tiendrait dans ses bras ne serait pas la Johdila. Ce fut au dernier moment, lorsqu'il vit la mince silhouette vêtue de blanc entrer dans l'arène, qu'il se rendit compte qu'il devait s'agir de la jeune servante de la princesse. Quand il se retourna vers le marié, une sueur glacée coulait sur son front.

Marius Semeon Ortiz ne découvrit pas la supercherie. Son esprit était ailleurs : dans la pièce où, d'après ses suppositions, devait se trouver Bowman, en train de parler à la jeune fille aux yeux sombres. Mais à présent, sa future épouse était devant lui, et il devait s'incliner, puis lui donner la main. Ils avancèrent tous deux sur l'estrade et se présentèrent d'abord devant le Johanna, puis devant le Maître. Ortiz croisa le regard de son professeur de danse, Mme Saez : son expression sévère lui conseillait de se concentrer sur la danse qu'il allait exécuter. Elle avait raison : la tantaraza n'était pas facile à danser. Il se demanda si la Johdila serait une bonne partenaire. « Probablement pas », estima-t-il.

Après que tous deux eurent présenté leurs respects à tous ceux auxquels ils étaient dus, Ortiz tendit la main droite et se tint prêt. Sa partenaire lui prit fermement la main, pivotant sur la plante des pieds pour prendre la bonne position de départ. Ortiz fut agréablement surpris. Ses mouvements étaient gracieux. Après tout, peut-être que cette danse serait un plaisir.

Là-haut, dans la galerie, le Maître leva son violon, l'appuya contre son épaule et commença à jouer. Les musiciens, en dessous, l'accompagnèrent : il ne s'agissait plus d'un simple pipeau ni d'un tambour, mais de seize instruments, tous aux mains de virtuoses. Lazarim, qui se tenait derrière, avec les domestiques, oublia ses terreurs, tandis qu'en silence, mais de toutes ses forces, il encourageait sa jeune élève : « Vole comme un oiseau ! Envole-toi, mon enfant ! Envole-toi ! »

L'introduction musicale se termina et la danse elle-même commença. Ortiz se déplaça vers la gauche : un pas, un pas, un pas. Elle était avec lui. Vers la droite : un pas, un pas, un pas. Et le salut. Parfait. Aucune esbroufe, mais des mouvements bien exécutés, purs, sobres. Et, maintenant, dans le tourbillon soudain de la musique, le tournoiement enivrant ! Elle s'était arrêtée ! Et avec quelle précision ! Mme Saez le remarqua, Lazarim le remarqua, Ortiz le sentit avec un frisson dans tout son corps. Elle savait danser ! Les mains tendues, faisant claquer les talons et la pointe des pieds, ils se rapprochaient jusqu'à se rejoindre, et lorsqu'il la prit dans ses bras, il sentit sa joie à elle de danser : alors, tous ses soucis, ses espoirs, ses craintes l'abandonnèrent. C'était la tantaraza, la danse de l'amour, et il était amoureux, il danserait comme il n'avait jamais dansé auparavant. Ils tournoyaient encore et encore, perdus dans le rythme de la musique ; leurs pieds volaient, tou chant à peine le sable maculé de sang.

Alors que tous les yeux étaient fixés sur les danseurs, Bowman s'approcha de la porte de la pièce retirée et l'ouvrit discrètement. Une jeune fille était assise là, lui tournant le dos. Elle portait les vêtements qu'il avait déjà vus sur Kestrel et, accoudée à la fenêtre, regardait un petit jardin, en dessous. Elle avait la tête baissée, se tenait le visage entre les mains et pleurait. Mais il sut immédiatement que ce n'était pas sa sœur.

Il allait repartir quand la jeune fille tourna vers lui son visage baigné de larmes. Voyant Bowman, elle poussa un petit cri de joie.

– Bowman !

Le garçon resta figé sur place d'étonnement. La jeune fille se tamponna les yeux et le regarda d'une façon étrangement attentive.

– Vous êtes Bowman, n'est-ce pas ? Kess m'a parlé de vous.

– Qui êtes-vous ?

Comment pouvait-elle le regarder comme s'ils étaient des amis intimes, alors qu'il ne l'avait jamais vue de sa vie ?

Sisi comprit qu'il n'avait pas découvert l'échange qu'elle avait fait avec Kestrel. Il ne pouvait pas savoir qu'elle était la Johdila de Gang. Après tout, elle portait la robe d'une servante.

– Je m'appelle Sisi, lui dit-elle. Je suis une servante de la Johdila. Comme Kestrel.

– Où est Kestrel ?

– Elle est sortie tout à l'heure. La Johdila veut toujours l'avoir auprès d'elle. Elles sont amies, vous comprenez.

Sisi était ravie de raconter tout cela. Mais Bowman était déjà prêt à repartir.

– Il faut que je la trouve.

– Pas encore ! s'écria Sisi. Elle veut qu'on ne sache rien de vous. Vous êtes son secret.

– Pourtant, elle vous a parlé de moi.

– Oui, parce que nous sommes des amies très proches. Venez, asseyez-vous. Attendez que la danse finisse.

À contrecœur, Bowman s'assit. Il ne voyait pas ce qu'il aurait pu faire d'autre. Il était perplexe. Comment Kestrel avait-elle pu sortir d'ici sans qu'il l'ait vue ?

– Je sais tout sur vous, lui dit Sisi en l'examinant attentivement. Kess voulait qu'on se rencontre, eh bien voilà, c'est fait.

Elle eut un sourire radieux.

– Est-ce que vous me trouvez belle ?

Bowman rougit.

– Je ne sais pas, répondit-il, à peine conscient de ce qu'il disait. Je ne vous ai jamais vue avant.

– Quelle importance ? Il vous suffit de me regarder.

– Si, c'est important.

– Pourquoi ? – Elle le regarda, déconcertée. – Combien de temps vous faut-il ? Vous pouvez me regarder aussi longtemps que vous voudrez. Je ne les laisserai pas vous arracher les yeux.

– Qui voudrait m'arracher les yeux ?

– Oh, n'importe qui. – Sisi essaya de rattraper sa gaffe comme elle pouvait. – Continuez à me regarder. Est-ce que vous commencez à m'aimer ?

– Vous êtes une drôle de fille.

– Drôle, mais belle. Allons, avouez-le.

– Oui. Vous êtes belle.

– Hourra ! – Sisi battit joyeusement des mains. – Cela veut dire que vous m'aimez !

– Non.

– Bien sûr que si. Tout le monde sait ça. Les hommes aiment les belles femmes. Ne seriez-vous pas un tout petit peu bête ?

Bowman la regarda et, pour la première fois, il fit l'effort de sonder son esprit. Il y trouva un mélange de peurs enfantines et un simple besoin d'affection.

– Pourquoi pleuriez-vous ? lui demanda-t-il, plus gentiment.

– Je ne veux pas me… – elle allait dire « marier », mais s'arrêta juste à temps – je ne veux pas rester seule.

– Est-ce que je peux vous donner un conseil ?

– Oui, je vous en prie.

– Partez. Il va y avoir de graves désordres, par ici.

– Oh oui, je sais.

– Dites-le à votre maîtresse. Ortiz ne l'épousera pas. Il vaudrait mieux que vous retourniez tous chez vous.

– Ortiz ne l'épousera pas ? – Elle regarda Bowman, stupéfaite. – Vous en êtes sûr ?

– Il est amoureux de quelqu'un d'autre.

– Vous voulez dire que je ne serai pas obligée... Amoureux de qui ?

– De Kestrel. De ma sœur.

Sisi ouvrait des yeux de plus en plus grands. Comment était-il possible qu'un homme qui avait la chance de l'épouser puisse lui préférer une personne à l'allure aussi bizarre que Kestrel ? Elle ne ressentait aucune jalousie, elle était simplement stupéfaite.

– Alors... Le voile bien sûr ! Il ne l'a jamais vue... elle. À moins que ce soit moi. J'imagine que s'il m'avait vue, moi, il serait tombé amoureux de moi. Vous ne croyez pas ?

– Si, sûrement.

Bowman lui sourit. Sisi était charmante, mais elle disait n'importe quoi.

– Il faut que je m'en aille, à présent.

– Très bien, allez-y, puisqu'il le faut. Mais vous vous rendrez compte que vous m'aimez, à la fin. Vous verrez.

– Si c'est vrai, je vous le ferai savoir.

– Promis ?

– Promis.

Bowman s'éclipsa et regagna sa place sans avoir été vu : il était passé inaperçu, car il n'y avait pas un regard, pas un cœur qui ne fût captivé par la danse. Ortiz et Kestrel, comme des oiseaux dans le vent, étaient emportés par les vibrations enveloppantes de la mélodie, ils tournaient, reculaient, tombaient dans les bras l'un de l'autre et s'éloignaient encore, comme dans le mouvement inconstant du désir et de l'amour même. Bowman regardait, et il sut tout de suite que c'était sa sœur qui dansait. Lazarim esquissait des gestes, imitant ce qu'il voyait de tout son corps menu et, sans s'en rendre compte, il laissait échapper de légers roucoulements d'extase. Le Johanna était si absorbé par le spectacle qu'il en oubliait l'inconfort de sa couronne et penchait la tête d'un côté et de l'autre, tandis que les danseurs virevoltaient devant lui. Mme Saez regardait avec une totale raideur, le corps tendu, la bouche ouverte, figée, prévoyant chaque cadence. Quant aux danseurs eux-mêmes, ils étaient littéralement possédés. Ortiz ne pensait plus à l'enchaînement des pas, il ne pensait plus à guider ni à mener sa partenaire. Aucun des deux ne menait l'autre. Ils volaient ensemble, de la seule manière possible, en suivant l'élan que la musique imposait et que leurs corps désiraient – en s'éloignant, encore et encore, en tournoyant, en tendant les bras sans se toucher, et en s'éloignant de nouveau. Ils revenaient ! Virevoltaient dans les bras l'un de l'autre avec une merveilleuse légèreté, s'effleurant à peine quand ils se rejoignaient, avant de bondir, de retomber sur un pied, de tournoyer ! Puis de nouveau le retour ! l'étreinte.

Kestrel dansait comme si, après cette danse, sa vie devait finir, comme si rien ni personne n'existait en dehors de cet homme, de cette musique, de cette petite estrade tournoyante. Il était son ennemi, l'homme qu'elle devait abattre, et il était son partenaire, son amant, il était elle-même ; car, aussi longtemps que la danse durerait, leurs deux corps n'en formeraient plus qu'un.

Elle sentit ses bras puissants autour d'elle tandis qu'elle se laissait tomber en arrière, sachant qu'il la retiendrait ; elle sentit le cœur de son partenaire battre tandis qu'elle se redressait, pressant sa poitrine contre la sienne. Elle ouvrit grand les bras, il la souleva puis, lorsqu'elle retomba sur le sol, ne sentant plus son poids, le son haché du tambour se fit de nouveau entendre, ce son d'oiseaux effarouchés sous les fougères, clacka-clacka-killacka-clack, et ensemble, dans le même battement de cœur, ils explosèrent en trois vols libres. Un seul esprit, une seule chanson, deux corps en mouvement : précision de l'équilibre et abandon complet, leur danse n'était que le long déploiement d'une étreinte. Dans cet état de grâce, Kestrel savait qu'il n'y avait ni règles ni limites, que son corps pouvait tout faire, car ce qu'il faisait était beau, juste et nécessaire. Elle dansait comme si elle tombait d'une grande hauteur : pour bien tomber, il ne fallait rien faire, sinon ne pas résister. Ainsi, souriante, rayonnante, ravissante, elle arriva vers le point culminant de la danse.

Les pipeaux et les violons resurgirent pour annoncer aux danseurs en extase que la phase finale avait commencé. Sans en avoir réellement conscience, tous deux glissèrent dans de nouvelles figures, s'élevant, se séparant, les mains levées, se rapprochant pour s'effleurer du bout des doigts, s'éloignant de nouveau, dans un rythme qui s'accélérait. Chaque fois qu'ils revenaient l'un vers l'autre, ils se rapprochaient davantage, mais de quelques centimètres à peine, et leurs mains qui se touchaient s'élevaient toujours plus haut ; chaque fois qu'ils se séparaient, ils tournoyaient plus loin l'un de l'autre. Aussi, lorsque la musique s'emballa, ils s'éloignèrent puis se rapprochèrent à toute allure, dans une quasi-étreinte, de plus en plus près, leurs bras de plus en plus haut, et à l'appel aigu et long des pipeaux, les bras levés haut au-dessus de leur tête, face à face, poitrine contre poitrine, ils tournèrent lentement, sans se toucher, aspirant à l'étreinte promise. Les spectateurs retenaient leur souffle, quand la musique relâcha enfin la tension des danseurs qui tombèrent dans les bras l'un de l'autre.

Silence. Le Maître baissa son violon. Puis un grand soupir traversa toutes les arènes. Enfin, les applaudissements. Ce n'étaient pas les cris de folie qui avaient accueilli le manaxa, mais la longue et calme satisfaction qui salue une fin heureuse. Seul Zohon se tenait debout, immobile et silencieux comme une statue.

– Ça, murmura Lazarim, en pleurant, c'est de la tantaraza !

Ortiz tenait Kestrel contre lui et il la sentit frissonner tandis qu'elle reprenait son souffle. Il s'aperçut que son voile se soulevait un peu chaque fois qu'elle respirait. Il pencha la tête sur l'épaule de Kestrel et murmura :

– Je voudrais danser avec vous jusqu'au jour de ma mort !

Ce n'était guère plus que le compliment traditionnel d'un futur marié à sa future épouse à la fin de la tantaraza, mais il pensait chaque mot qu'il avait prononcé. Il regardait aussi son voile. Elle ne donna pas la réponse habituelle, mais son souffle soulevant légèrement la soie légère, il aperçut soudain sa bouche et son menton. Cela lui suffit. Il avait étudié ce visage toute la matinée. Aussi incroyable que ce fût, sa partenaire n'était pas la princesse qu'il devait épouser, mais la jeune fille inconnue qu'il aimait. Cette découverte le remplit de joie. Sans penser davantage aux conséquences de son acte, encouragé par la présence dans ses bras de la jeune fille déguisée, il s'apprêta à lui donner un baiser.

Les yeux de Zohon lancèrent des éclairs vers ses capitaines, prêts à agir, et sa main commença à se lever pour faire signe d'attaquer. Mais avant qu'il puisse achever son geste, Kestrel se retourna, échappa au baiser d'Ortiz et s'enfuit de l'estrade.

Un mouvement de surprise agita les spectateurs. Ortiz s'inclina devant le Johanna, puis devant le Maître, et retourna à sa place. Il fit signe à Bowman de venir à côté de lui.

– C'était elle, murmura-t-il. Tu as vu la danse ?

– J'ai vu, répondit Bowman.

– C'est elle la vraie princesse ! Seule une princesse peut danser comme ça !

Kestrel rentra dans la petite salle retirée, complètement bouleversée.

– Kess ! s'écria Sisi, en se levant d'un bond. Je l'ai vu ! Je lui ai parlé !

Kestrel écoutait distraitement. De ses doigts qui tremblaient violemment, elle commença à dégrafer la robe de mariée aussi vite qu'elle le pouvait. Elle brûlait de honte. Comment avait-elle pu danser avec son ennemi ? Non, bien pire encore, comment avait-elle pu se laisser aller à aimer cette danse ?

– Bowman ! Ton frère !

– Comment ?

– Il est venu. Nous avons parlé. Oh, Kess, il est si mignon. Si grave, si gentil ! Il croit que je suis l'une de mes servantes. Il a dit que j'étais belle. Il va m'aimer.

Kess arrêta de penser à la danse, comprenant sou-

dain que le moment critique était arrivé. Elle retira l'é-
troite robe blanche et aida la Johdila à la mettre.

– Mais, Sisi, tu vas te marier !

– Non. Je ne l'épouserai pas. Jamais, jamais, jamais.

– Que dira ton père ?

– Ça m'est égal.

Elle serra ses jolies lèvres et prit son air le plus buté.

Kestrel finit de s'habiller, puis elle prit les mains de
la Johdila dans les siennes et lui parla gravement.

– Écoute-moi, Sisi. Je suis ton amie. Tu dois te rendre
compte de ce que tu vas faire.

– Je m'en rends très bien compte, chérie. Je vais à
mon propre mariage et je ne me marierai pas.

– Ça va poser des problèmes. Il y aura des désordres.

– Oui, bien sûr. Tout le monde sera horriblement désagréable.

– Des désordres, des affrontements et du danger.

– Oui, je m'y attends. – Une ombre anxieuse assom-
brit ses yeux d'ambre. – Que dois-je faire ?

– Reste près de tes parents. Les gardes te protége-
ront.

– Toi aussi, Kess. Tu es mon amie.

– Non, je dois rejoindre mon frère.

– Je veux aller avec lui, moi aussi.

– C'est impossible, Sisi. Tu le sais aussi bien que moi.

– Non, je ne le sais pas. Comment sais-tu ce que je
sais ? Tu n'es pas moi !

– Je sais que tu as toujours été servie par des domestiques. Tu n'aimeras pas l'endroit où nous allons. Ce
sera trop dur pour toi.

– Non, ce n'est pas vrai. Pourquoi es-tu aussi
méchante avec moi ?

– Il faudrait marcher toute la journée, avec le vent, la

pluie sur ton visage, et dormir sur la terre dure. Tu perdrais ta beauté.

– Oh !

Cela fit réfléchir Sisi un instant. Elle fronçait les sourcils, essayant de voir clair en elle.

– Je n'aimerais pas perdre ma beauté. Mais je ne voudrais pas non plus vous perdre, Bowman et toi.

– Qui sait ce qui va nous arriver à tous ?

Kestrel serra rapidement Sisi dans ses bras et l'embrassa sur la joue.

– Au cas où nous ne nous reverrions pas, rappelle-toi que j'ai aimé être ton amie.

Elle baissa le fin carré de soie blanche sur le joli visage troublé de la Johdila, laissa le nuage de gaze de son voile de mariée retomber autour d'elle et ouvrit la porte.

20

LE MARIAGE TOURNE MAL

Du haut de la galerie, le Maître contemplait tout ce qu'il avait créé. Il était satisfait. Cette grande salle surmontée d'une coupole avait été construite d'après ses propres plans ; de même que le palais-cité, dont elle faisait partie, le lac sur lequel se dressait l'ensemble, et le pays tout autour. Il avait donné sa vie pour bâtir ce monde quasiment parfait, dans tous ses détails. Année après année, il avait tiré le meilleur de son peuple, lui apprenant à travailler uni et sans conflits. Année après année, il avait arraché les germes de la rivalité et de la discorde, il avait donné une discipline aux fainéants et un but aux égarés. Par sa seule volonté, il avait fait surgir cette œuvre d'art de la pagaille et du désordre de l'humanité. Et maintenant, par ce mariage qui faisait vraiment de lui le souverain du monde civilisé, il tissait tous les fils de sa création pour aboutir à une seule et grande représentation. Son peuple était son instrument. C'est de lui qu'il tirait sa mélodie la plus douce, sa musique la plus émouvante. Il jouait le monde.

L'apogée de ce chef-d'œuvre, programmé depuis longtemps, devait être l'échange des serments. Tous les motifs musicaux, à partir du moment où la future mariée était entrée dans le Haut Domaine, avaient été conçus pour culminer en de puissants accords qui devraient s'élever de l'instrument de chaque musicien, de la bouche de chaque chanteur de la Seigneurie. Unis par le son, tous se réjouiraient d'une même voix.

Tandis que le Maître attendait le retour de la fiancée, il laissa son regard parcourir la salle bondée. Au début, il avait été fâché de voir cette grande masse de gardes de Johjan occuper l'espace qu'il avait réservé à son propre peuple. Mais ensuite, il s'était dit que ces soldats aussi faisaient à présent partie de son peuple. Il fallait les laisser regarder, écouter, s'émerveiller. Leur roi et sa grosse femme levèrent les yeux, impressionnés, comme si toute cette cérémonie les dépassait. C'était ce qu'il voulait. Le jeune Marius avait dansé à la perfection, et le Maître lui sourit. Là, derrière Marius...

Un jeune homme levait les yeux vers lui. Leurs regards se croisèrent. L'adolescent baissa alors les yeux. Le Maître fronça les sourcils. C'était le diseur de vérité d'Ortiz. Il y avait quelque chose en lui qui déplaisait au Maître. Il se sentit irrité. Ce n'était pas le moment de se laisser distraire par des choses insignifiantes. Qu'est-ce qui n'allait pas chez ce garçon ? Ah, oui, c'était ça : ce garçon n'avait pas peur de lui.

C'était curieux. Mais il aurait le temps de s'en occuper plus tard. Le dernier mouvement de sa grande symphonie commencerait dès que la princesse reviendrait.

Zohon aussi guettait la Johdila avec une impatience croissante. Ses hommes étaient tous en place et il n'attendait plus que le moment de déclencher les hostilités. Depuis qu'il avait vu la Johdila lui faire signe à travers les arbres, il avait été sûr de son amour. Sachant qu'elle l'aimait, il était convaincu qu'elle n'accepterait pas d'épouser l'héritier de la Seigneurie. À présent, dans cette même salle, elle lui avait fait son signe secret une nouvelle fois, puis lui avait indiqué qu'il fallait attendre avant d'ordonner à ses hommes d'attaquer. Il n'y avait qu'une seule explication. Elle voulait déclarer sa véritable volonté au monde entier. C'est elle qui ferait appel à lui, et il serait prêt à répondre à son appel avec son armée invincible. Ainsi, quand la bataille commencerait, il n'y aurait aucun doute sur ses intentions. Il agirait pour défendre la Johdila. Même le Johanna le verrait. La Seigneurie serait vaincue et la Johdila serait enfin libre d'épouser l'homme qu'elle aimait. Le Johanna céderait sa couronne à son nouveau gendre. Le Royaume de Gang serait de nouveau souverain. Et lui, Zohon, pourrait enfin voir le visage de sa bien-aimée Sisi.

Quand allait-elle faire appel à lui ? Et comment montrerait-elle qu'elle refusait d'épouser celui qui lui était promis ? Elle n'avait qu'un seul mot à prononcer pour consentir au mariage. Zohon, qui l'imaginait comme un être timide et doux, pensait qu'elle choisirait probablement de se taire. Au moment où elle devrait parler et ne dirait rien, il attendrait quelques instants, pour que tous les spectateurs remarquent son silence, puis il attaquerait.

Mumpo était allongé sur un banc dans le vestiaire des manacs, tandis que Lars Janus Hackel lui-même massait les muscles fatigués du vainqueur.

– Ah, mon garçon, lui dit Hackel en soupirant, j'ai l'impression de revivre en toi ! Tu as le don, comme je l'avais moi aussi, autrefois.

Mumpo ne répondit pas. Ses blessures, qui avaient été pansées, lui causaient de violents élancements, mais il ne faisait pas attention à la douleur. Il était à la fois ravi et consterné, ces deux sentiments se mêlant étroitement l'un à l'autre. Kestrel était revenue. Et il avait tué un homme. D'où venait Kestrel ? Avait-elle besoin de son aide ? Pourquoi avait-il tué son adversaire ? Dans quel but ? Ce grand gaillard n'avait jamais été son ennemi.

Pourtant, dans le monde ritualisé du manaxa, cela lui avait paru nécessaire, inévitable même. Mais maintenant qu'il était étendu sur ce banc et qu'il sentait le sang chanter dans ses veines, il se rendait compte qu'un homme était étendu sur un autre banc, non loin de lui, et qu'il ne se relèverait plus. Kestrel était revenue, et il avait mis fin à une vie. Pourquoi ?

– Comment as-tu su qu'il fallait faire ça ? s'étonna Hackel. Il n'y avait qu'un seul geste qui pouvait abattre ce gaillard, et tu l'as choisi. Je ne te l'avais pas appris.

– Je ne voulais pas le blesser aussi cruellement.

– Assez cruellement, en effet. Il a livré son dernier combat.

– Je suis désolé.

– Il est entré dans l'arène prêt à mourir, exactement comme toi. C'est ça, le manaxa.

Mumpo se redressa et s'assit.

– Il faut que je retourne là-bas.

– Tu veux voir le mariage, hein ? Tu as bien raison.

Un groupe d'esclaves faisait la toilette du défunt pour le préparer aux rites funèbres. Une femme, probablement son épouse, était agenouillée près de sa tête et caressait son visage mort.

– Je ne me battrai plus, dit Mumpo.

– Tous les manacs disent ça après avoir tué pour la première fois, lui répondit l'entraîneur, imperturbable. Mais ils y reviennent tous. Une fois qu'on a essayé, on ne peut plus s'en passer.

Mumpo prit un vêtement d'entraînement et le mit en grimaçant de douleur.

– Il faut que je retourne là-bas, répéta-t-il.

Quelque chose n'allait pas, il le sentait. Kestrel allait avoir besoin de lui.

La Johdila rentra enfin dans les arènes, suivie de sa servante, et on la conduisit à sa place, du côté de l'estrade sablonneuse qui lui était réservé. Marius Semeon Ortiz se tenait de l'autre côté et attendait, selon les instructions qu'il avait reçues, que la musique commence. Il remarqua que la Johdila tremblait. « Qu'elle tremble, pensa-t-il. Ça ne me regarde pas. » Il ne quittait pas Kestrel des yeux.

L'échange des serments étant imminent, la Johdi se mit à pleurer. Elle renifla bruyamment sous son voile, et Lunki, en l'entendant, laissa couler ses larmes elle aussi.

– Oh, mon trésor, murmura-t-elle. Oh, mon pauvre petit cœur.

Mumpo entra discrètement et alla se placer à l'entrée du tunnel, d'où il pouvait voir Kestrel. Celle-ci, tendue dans l'attente du moment critique, regardait Sisi. Sisi regardait Bowman, à l'autre bout des arènes. Et Bowman regardait le Maître.

Le Maître posa son violon sur son épaule puis passa doucement l'archet sur les cordes. La première note, douce et basse, résonna. Les autres musiciens lui répondirent. À la huitième mesure, les choristes, tous parfaitement en accord, se mirent à chanter. Le tempo de la musique dictait chaque étape de la cérémonie.

Ortiz fit un pas en avant, puis s'immobilisa. La Johdila, précédée en silence par Meeron Graff, avança d'un pas, elle aussi, puis s'arrêta. Le violon du Maître joua une nouvelle phrase et les autres musiciens le suivirent. À l'extérieur de la grande salle, reliés par des chaînes d'assistants chefs d'orchestre qui se transmettaient les gestes les uns aux autres, tous les chœurs et tous les ensembles du Haut Domaine jouaient le même thème en même temps.

Ortiz suivait les pas qu'il avait répétés auparavant, comme s'il vivait un rêve dont il allait bientôt se réveiller. Ses pas – cinq en tout – le mèneraient lentement vers la Johdila, mais ses yeux ne quittaient pas Kestrel. Il entendit le violon du Maître et fit le deuxième pas mais, même dans l'état de transe où il se trouvait, il savait qu'il devait affronter un choix intolérable. Le souhait de son Maître bien-aimé était qu'il épouse cette princesse. Comment pourrait-il ne pas lui obéir ? Mais quand il regardait la jeune fille aux yeux sombres, celle qui avait dansé la tantaraza avec lui, celle qui était devenue pour lui la vie même, il se demandait : « Comment pourrais-je en aimer une autre ? »

Il fit un troisième pas en avant.

La Johdila sentit la main de Graff lui presser délicatement le bras, et elle aussi fit le troisième pas, se rapprochant encore de son futur époux. Elle leva alors les yeux, suivant les instructions que lui avait données sa mère. Elle vit le futur marié vêtu de blanc en face d'elle, et derrière lui, elle aperçut Bowman, pâle et grave. « Il m'a dit qu'il y aurait de graves désordres, pensa-t-elle. Il croit que je suis faible et sotte, et qu'il faut me protéger.

Mais c'est moi qui vais tout déclencher. Il verra, et alors il comprendra. Je ne suis pas aussi incapable que tout le monde le croit. »

Le violon recommença à jouer en solo et le Gardien du Palais du Maître tira sur le voile de sa robe : elle fit le quatrième pas.

Zohon, regardait, fasciné, les fiancés glisser lentement l'un vers l'autre, sur le sable souillé de sang. Après chaque pas, la musique devenait un peu plus forte, un peu plus pressante, entraînant les deux fiancés vers leurs serments. Les musiciens, à l'extérieur de la salle, se faisaient clairement entendre, à présent, de sorte que ceux qui se trouvaient dans les arènes étaient entièrement enveloppés dans cette musique qui venait de deux endroits à la fois. Zohon contrôla ses capitaines pour s'assurer que tous attendaient son signal. Il n'allait pas tarder à le donner.

Là-haut, dans la galerie, enivré par sa propre musique, le Maître tira de son violon les premières notes du cinquième pas, et il vit Ortiz avancer une cinquième et dernière fois. Puis, tandis que les autres musiciens reprenaient sa musique, dans la salle et à travers toute la ville, il perçut comme une note discordante, une impression de danger. Se tournant brusquement, concentrant tous ses pouvoirs, il en chercha la source. C'était Ortiz. Ce garçon allait lui désobéir ! Sans arrêter de jouer, il se rapprocha de la balustrade et baissa les yeux, regardant fixement le futur marié.

Ortiz sentit le Maître s'emparer de son esprit. Il leva les yeux et fut aussitôt submergé par la seule volonté du Maître. Son sang se glaça. Et, en même temps, sa peau était cuisante, brûlante, comme s'il touchait du feu. Puis la sensation de froid et de brûlure le quitta, et il se sentit très calme : plus que du calme, c'était une tranquillité limpide, invulnérable, la paix des sommets inviolés des montagnes, des étoiles inaccessibles. Tout était redevenu simple. Il n'avait qu'à aimer son Maître et lui obéir.

Bowman, qui le suivait de près, sentit le choc du pouvoir qui s'exerçait sur Ortiz et il comprit exactement ce qui s'était passé. Au même moment, il sut que toute la Seigneurie reposait sur cette volonté suprême, et sur elle seule. Si l'on voulait détruire la Seigneurie, il fallait d'abord briser la volonté du Maître.

La musique monta jusqu'à son apogée. La Johdila fit le cinquième pas. À présent, Ortiz se tenait face à sa fiancée, assez près d'elle pour la toucher. Il n'avait plus ni pensées, ni désirs. Vaguement, comme venant d'un endroit lointain dans le temps et dans l'espace, il ressentait un sentiment de perte mais qui ne correspondait à aucun nom, à aucun visage. Son Maître jouait la musique qui guidait ses pas. Il n'avait qu'à aimer et obéir.

Soudain, la musique s'arrêta, au milieu d'une phrase, presque au milieu d'un accord. Tel était le désir du Maître, que les quelques mots nécessaires soient prononcés dans un espace formé par la musique elle-même, un espace dynamique, chargé d'une tension qui ne pouvait se libérer que dans le mouvement culminant de la musique.

Ortiz connaissait son rôle. Maintenant, il allait parler.

– Avec ces cinq pas, je me tiens devant toi comme ton époux. Veux-tu m'accepter et être ma femme ?

La Johdila resta muette. Le silence, l'absence de musique s'allongèrent en longues secondes angoissantes. Zohon se prépara à agir.

– Dites le mot, Votre Splendeur, murmura Graff.

Personne ne pouvait voir le visage de la Johdila à travers ses deux voiles, mais des larmes lui montèrent aux yeux et se mirent à couler sur ses joues parfaites.

Ortiz comprit que la femme qui lui était promise ne prononcerait pas les mots attendus. Kestrel croisa le regard de Bowman à travers les arènes.

« Ce n'est plus qu'une question de secondes, maintenant... »

Le silence devenait insupportable. Le Maître, qui attendait dans une colère grandissante, se rendit soudain compte qu'il ne s'agissait pas d'un problème de nervosité ou de timidité, mais d'un acte de défi. Il concentra aussitôt ses pouvoirs sur la future mariée, pour mater son esprit, le mettre en accord avec sa propre volonté, et enchaîner majestueusement sur les magnifiques accords qui devaient marquer l'apogée de son chef-d'œuvre...

– Non !

La Johdila avait crié. Il y eut un silence stupéfait.

– Pars ! lui cria Kestrel. Cours, Sisi, cours !

La Johdila se retourna. La consternation envahit la salle. Alors, la main de Zohon fendit l'air. Tous ses hommes brandirent leur épée.

– Au nom du Royaume de Gang, cria-t-il, rendez-vous ou préparez-vous à mourir !

Barzan vit les gardes de Johjan se précipiter vers les sorties pour les contrôler, et il s'écria, au désespoir :

– Imbéciles ! Que croyez-vous faire ?

Le Maître baissa son violon et, fermant les yeux, il répandit sa volonté dans tout le Haut Domaine. Son message ne comportait pas de mots, mais tous l'entendirent, et tous lui obéirent. Tous les hommes valides de la salle, des trompettistes de l'orchestre jusqu'aux jeunes nobles de l'entourage d'Ortiz, se transformèrent en combattants. La question qui avait rendu Zohon si perplexe – où est l'armée de la Seigneurie ? – trouvait sa réponse. C'était le peuple du Maître qui était son armée. Des armes sortirent de sous les robes et les tuniques. En quelques minutes, la grande salle surmontée d'une coupole devint le théâtre d'une bataille sanglante.

Lorsque Zohon s'en aperçut, il reçut un choc. Mais ses gardes étaient sûrement mieux entraînés que cette populace. L'important, c'était de contrôler ses nerfs.

– Abattez-les ! Kang ! Kang ! Kang ! Le Marteau de Gang ! criait-il, en se frayant un passage vers le Johanna et sa femme, terrifiés.

– Espèce d'imbécile, lui dit Barzan d'une voix larmoyante en tapant du pied. Pauvre abruti !

– Où est la Johdila ? demanda Zohon.

Bowman et Kestrel s'étaient tous deux précipités vers la porte en même temps. Tout ce qu'ils voulaient, pour l'instant, c'était échapper au champ de bataille qu'était devenue la salle pour aller retrouver leurs parents. Mumpo s'élança à leur suite, ignorant le danger. Se retrouvant face à un garde de Johjan qui lui barrait la route avec son épée, il l'abattit d'un coup de poing, lui brisa le cou et poursuivit sa course.

Ortiz, entièrement subjugué par la volonté du Maître, prit en charge la masse des combattants.

– Serrez les rangs ! Frappez dur ! Pour le Maître ! Battez-vous jusqu'à la mort !

Bowman et Kestrel réussirent à franchir la porte ouverte qui donnait sur la rue. Dehors, à leur grande surprise, ils virent des colonnes d'hommes en armes avancer, convoquées par la volonté du Maître. Ils venaient de toutes les directions et semblaient innombrables. Les gardes de Johjan ne pourraient jamais résister à un tel assaut. Bowman observa cette fourmilière humaine, vit le même regard résolu dans tous les yeux et comprit ce qu'il devait faire.

– Il faut que je retourne là-bas, dit-il.

– Non ! s'écria Kestrel. C'est notre seule chance !

– Sors de la ville avec les autres ! Je vous rejoindrai dès que je pourrai.

– Non ! Je viens avec toi !

– S'il te plaît, Kess ! – Il se tourna vers elle d'un air farouche, sachant qu'il disposait de très peu de temps. – Tu m'affaiblirais. Sors de la ville. Tout va être détruit, ici !

Kestrel regarda son frère, bouleversée. Jusqu'alors, il n'avait jamais décidé d'affronter un danger sans elle.

– Comment pourrais-je t'affaiblir ?

Mumpo les rejoignit en courant.

– Kess !

– Mumpo ! Tu vas bien ! Bo…

Mais il était déjà parti.

– N'aie pas peur, Kess. Je sais me battre. Je ne laisserai personne te faire de mal.

– Je sais, Mumpo. J'ai vu.

Elle se retourna, vit la rue envahie par des flots d'hommes en armes, et décida de faire ce que son frère voulait.

– Allons chercher mes parents.

Bowman rentra dans la grande salle où le combat faisait rage. Un garde de Johjan, qui frappait sauvagement tout ce qui passait à sa portée, lui donna un coup de poing. Se mettant instinctivement en situation d'autodéfense, Bowman dirigea son regard brûlant sur lui, et sans lever la main, concentrant ses forces, il le frappa violemment. Le garde tomba comme une pierre.

Bowman porta alors son regard vers la galerie, tout en haut, où le Maître se tenait toujours, les yeux fermés, répandant son inépuisable volonté. Il vit comment les hommes du Maître se battaient, soutenus par son pouvoir, sans se préoccuper le moins du monde de leur propre sécurité. Ils ne seraient jamais vaincus tant que le pouvoir de cet homme ne serait pas brisé.

« C'est la mission qui m'a été confiée. »

Il concentra son attention sur la silhouette du Maître et lui transmit un violent rayon mental. À cette distance, le choc perdit de sa puissance, mais le Maître le reçut quand même avec une telle force qu'il sursauta et laissa tomber son violon, qui s'écrasa sur les dalles. Furieux, il chercha qui l'avait attaqué et il trouva Bowman. Il lui envoya aussitôt une onde puissante, mais le garçon s'y attendait et s'y était bien préparé. À la stupéfaction du Maître, il resta debout, bloquant l'assaut, détournant le flot d'énergie négative vers le sol où il s'enfonça sans lui faire de mal.

Aussi soudainement qu'il avait attaqué, le Maître se retira. Ce fut au tour de Bowman d'être surpris. Il ne pouvait pas l'avoir battu aussi facilement ! Mais le Maître s'était retourné, et il s'éloignait à grands pas dans le bruissement de sa cape cramoisie.

Bowman chercha le moyen d'atteindre la galerie et il aperçut l'étroit escalier qui montait le long du mur, à l'autre bout de la salle. Il traversa la pièce en ligne droite, utilisant ses pouvoirs croissants pour écarter sans ménagement les combattants de son chemin. Quelques gardes de Johjan étaient déjà sur l'escalier

Bowman les repoussa comme des insectes et les fit rouler sur le sol. Il monta en courant les marches de pierre jusqu'à la galerie. Elle était vide. Un long passage menait à un autre escalier. En bas des marches, il vit l'archet du violon du Maître, gisant sur le sol. Il monta l'escalier quatre à quatre jusqu'à un petit palier, en haut. Le casque doré du Maître et sa cape cramoisie étaient jetés à terre. Bowman vit devant lui une petite porte munie d'une poignée en fer.

En posant la main sur cette poignée, Bowman savait qu'il trouverait le Maître à l'intérieur. Il le sentait. La porte ne serait pas fermée. Il entrerait. Et la vraie bataille commencerait.

21

LE DUEL MENTAL

Derrière la porte, l'espace était éblouissant. Bowman comprit qu'il devait se trouver au sommet du plus haut des dômes. Au-dessus de lui, à travers une grande coupole de verre transparent, les nuages passaient dans le ciel gris. Devant lui s'étendait un simple plancher en bois sur lequel reposaient un étroit lit de fer, une table et une chaise. L'extrême simplicité de l'ameublement donnait à la pièce, si l'on pouvait qualifier de pièce cet endroit sans murs ni toit, l'aspect d'une cellule de prison. Sur la chaise était assis un vieil homme voûté qui lui tournait le dos. Il portait une robe de grosse laine écrue. Ses pieds étaient nus.

Bowman le regarda, désorienté. La porte se referma toute seule derrière lui. Quand le loquet s'enclencha, le vieil homme tourna la tête.

La même cascade de cheveux blancs, la même bouche puissante et les mêmes joues colorées : mais le regard était différent, éteint. Il avait perdu sa force. Le Maître dévisagea Bowman avec un étrange détachement, comme s'il était curieux de voir ce que le garçon allait faire, sans se sentir personnellement impliqué.

– Vous êtes un Chanteur ?

– Bien sûr, répondit le Maître. – Il parlait à voix basse, presque dans un murmure. – Ou plutôt, je l'étais.

– Alors pourquoi… ?

– Pourquoi gouverner ? Il faut bien que quelqu'un le fasse, mon garçon. Tout le monde ne peut pas chanter des chansons.

Bowman était venu se battre, et tuer au besoin. Mais devant lui, il n'y avait pas de résistance, pas de pouvoir. Il ne savait plus quoi faire.

– Ils ne comprennent pas ça, à Sirène.

Le Maître fit un grand geste de la main pour montrer la ville, derrière la vitre.

– C'est Sirène qui t'a envoyé, bien sûr.

– Oui.

– Je savais que cela arriverait, un jour. – Il examina attentivement Bowman. – Es-tu assez fort ?

– Je ne sais pas.

– En cas de besoin, lui dit le Maître, tu peux demander de l'aide. Un parmi les innombrables, une partie du tout.

Un frisson de peur parcourut Bowman. C'était ce que l'ermite borgne lui avait dit. Comment le Maître pouvait-il en savoir autant ?

L'homme lui souriait.

– Qu'est-ce qu'ils t'ont dit de faire, exactement ?

– Détruire et gouverner.

– Ah oui. D'abord, tu détruis, et ensuite tu gouvernes. Ça ne change pas beaucoup ! Après tout, tu es comme moi.

Bowman s'efforça de s'en tenir à ses propres valeurs, à ce qu'il pensait être juste et vrai.

– Non, dit-il. Je libérerai le peuple.

Le Maître eut un petit rire.

– Qu'est-ce qui te fait penser que les gens veulent être libres ? Tu crois que je les force à obéir ?

– Vous êtes le Maître. Ils vous obéissent.

– Je suis ce qu'ils ont fait de moi.

Son sourire s'effaça. Comme un rideau que l'on tire, le vieil homme permit à Bowman de voir plus profondément en lui, et celui-ci sentit de nouveau le pouvoir d'un homme sans craintes et sans désirs.

– Tu vois ? lui dit tranquillement le Maître, ce n'est pas eux que tu es venu délivrer, c'est moi.

Bowman ne répondit pas. Il sentait que le Maître rassemblait ses forces. Il voulait être prêt quand le coup viendrait.

– Alors, quand j'aurai disparu, tu prendras ma place

– Jamais !

– Pauvre Marius. Il pensait que ce serait lui. Mais il n'est pas comme moi.

– Je ne suis pas comme vous. Je ne veux pas ce que vous voulez.

« Pourquoi faire semblant ? Tu crois que je ne le sais pas ? »

Cette pensée déchira l'esprit de Bowman comme un coup de couteau. Juste à temps, il rassembla ses forces. Les yeux du Maître étaient posés sur lui, et son esprit se dressa devant lui comme une vague.

« Détruis-moi si tu le peux ! Si tu en es incapable, c'est moi qui te détruirai. »

Bowman vacilla sous l'impact de la volonté du Maître. Un jet de pouvoir sortit de cet énorme corps, bousculant son esprit et aspirant ses pensées.

« Montre-moi quelle est ta force. »

Bowman lutta désespérément pour garder le contrôle de sa propre volonté. Il se rendit compte avec horreur qu'il n'y parvenait pas. Il avait l'impression de devenir de plus en plus lourd, que ses muscles étaient de plus en plus faibles. Il sentit ses genoux fléchir.

« Allons, je m'attendais à ce que tu te battes mieux que ça ! »

L'adolescent tomba à genoux. Ses lèvres commencèrent à former des mots, des mots de soumission et d'obéissance. Dans son cœur, il sentait le désir de servir, de plaire, d'être aimé. Mais alors même qu'il baissait la tête, il sut ce qu'il devait faire. Il ne fallait pas résister. Rien ne pouvait résister à une volonté aussi envahissante. Ne pas résister, se laisser aller. Il fallait contrer ce vide immense par son propre vide. Il fallait combattre le néant par le néant.

Avec un dernier effort désespéré, il ouvrit les portes de son esprit ; il le vida comme il le faisait quand il essayait de joindre sa sœur. Soudain, tandis que sa propre confusion disparaissait, il sentit que le Maître perdait son emprise sur lui. Bowman était devenu insaisissable.

Il releva la tête et croisa le regard du Maître.

« C'est mieux. On va voir, maintenant. »

Bowman soutint le regard de son ennemi et fit pénétrer son esprit dans le sien. Il ne voulait pas lui faire de mal ni le maîtriser, mais simplement en savoir plus. Il trouva le silence ; et derrière le silence, le pouvoir ; derrière le pouvoir, la colère ; et derrière la colère, la souffrance. Plus il restait en possession de l'esprit du Maître, plus celui-ci s'affaiblissait.

« Oublie-moi, dit le Maître, mais n'oublie pas ce que j'ai fait. »

Il vit le vieil homme frissonner.

- Vous avez froid.

– Bien sûr, plus tu as chaud, plus j'ai froid.

Bowman ressentit un élan de pitié pour lui. Aussitôt le Maître attaqua, l'ébranlant par une irrésistible explosion de pouvoir. Il ferma les yeux, chancelant, et serra ses tempes entre ses mains.

« Pas si facile après tout, mon garçon. Fais attention ou je vais t'écraser. »

Bowman respira profondément et s'éclaircit de nouveau les idées ; il leva les yeux, reprenant le duel silencieux. Et, dans l'esprit du vieil homme, loin derrière le silence et le pouvoir, derrière la colère et la souffrance, il découvrit un rêve de gloire enseveli depuis longtemps.

« Tu le sens, mon garçon ? C'est ton avenir. D'abord tu détruis, puis tu gouvernes. Mais tu ne pourras pas y arriver tout seul. »

Dehors, dans la ville, les combats entre le peuple de la Seigneurie et les gardes de Johjan faisaient rage. Zohon se rendait compte, à présent, qu'il avait fait une erreur en faisant entrer toute son armée dans la grande salle. Tandis qu'une multitude d'hommes arrivaient de l'extérieur, ses gardes et lui se retrouvèrent encerclés et face à un nombre d'ennemis très supérieur. Il n'avait plus d'autre choix que de disposer ses hommes en un carré défensif et de combattre pour survivre.

Ortiz vit que la bataille était presque gagnée. Le Maître n'était plus à son poste, en haut, dans la galerie. Il s'était probablement retiré dans ses appartements. Comme Ortiz regardait le combat, il vit une mince silhouette se glisser dans la salle et se faufiler entre les gens qui se battaient. C'était la jeune fille aux yeux sombres. Aussitôt son amour pour elle explosa de nouveau dans son cœur. Mais où allait-elle ?

Kestrel était déjà arrivée aux portes du Haut Domaine lorsqu'elle avait perçu la souffrance de son frère. Elle avait immédiatement fait demi-tour, disant à Mumpo :

– Vas-y, toi, va chercher les autres. Je ne peux pas l'abandonner.

Elle s'était mise à courir dans la rue, envahie par un terrible pressentiment. Bowman avait des ennuis, elle devait le retrouver.

À présent, guidée par ce sens qui n'était ni l'ouïe ni l'odorat, mais par lequel elle percevait l'état d'âme de son jumeau, ignorant le danger tout autour d'elle, elle gravit à toute vitesse l'escalier en pierre, sachant que Bowman n'était plus très loin désormais, et qu'il souffrait.

Ortiz, qui la suivait en courant, n'était plus qu'à quelques pas d'elle.

Bowman était toujours dans la cellule du Maître, les yeux clos, profondément enfermé dans le duel mental qui les opposait. Il avait froid au visage, très froid. Son corps s'engourdissait. Il avait perdu toute notion du temps. Était-il là depuis quelques secondes ou depuis des siècles ? Il ne le savait plus. Le Maître lui faisait face, immobile et sans expression, luttant silencieusement contre son jeune adversaire. Chacun, avec une concentration croissante, s'était introduit dans l'esprit de l'autre et, lentement, essayait de l'étouffer. Pour Bowman, c'était comme s'il avait tendu une main invisible et l'avait plaquée sur le visage du vieil homme pour l'écraser et l'empêcher de respirer. Mais en même temps, la main du Maître était sur son visage à lui, et il suffoquait. C'était si dur, si lent...

Soudain, il entendit un vague bruit au loin. Une silhouette entra dans la pièce ; elle semblait flotter, tellement elle bougeait lentement. Avec elle, Bowman ressentit une sensation familière de chaleur et de force, qui le fit sortir de son duel.

« Kess ! »

Aussitôt, profitant de cette perte de concentration, la volonté du Maître submergea Bowman comme une rivière en crue. L'adolescent tomba doucement, tout doucement sur le sol ; il suffoquait, se noyait. L'air bourdonnait comme si la pièce abritait un nuage de mouches somnolentes.

« Bo ! Sers-toi de moi ! »

Kestrel lui transmit toute son énergie, sa force de volonté pour lutter farouchement contre les flots noirs qui le submergeaient. Bowman se secoua et se sentit revivre un peu. Il essaya obstinément de reprendre le combat, désormais assisté par la volonté de Kestrel.

– Ah ! murmura le Maître, en sentant le changement qui s'était produit. Deux sont devenus un.

Au prix d'un violent effort, Bowman réussit à se réintroduire dans l'esprit du vieil homme et le duel reprit. Rassemblant toutes ses forces, il pénétra plus loin, dans des profondeurs qu'il n'avait jamais atteintes jusque-là, mais il lui fallait aller plus loin encore.

« Deux, c'est mieux qu'un, ironisa le Maître, mais ça ne sera pas suffisant. Demande de l'aide et l'aide viendra. »

« Jamais ! »

« Ne dis pas ça, mon garçon. Même toi, tu pourrais avoir besoin d'aide. »

Le Maître tordit l'esprit de Bowman dans un étau mental, et celui-ci haleta de douleur. Mais il ne se laissa pas aller. Ils avaient pénétré si profondément dans les pensées l'un de l'autre qu'ils partageaient le même battement de cœur, et le garçon s'aperçut avec un choc qu'il pouvait voir par les yeux du Maître. Le duel se déroulait à la vitesse de l'éclair, mais à l'extérieur d'eux-mêmes, tout le reste paraissait bouger si lentement qu'ils avaient l'impression d'une immobilité quasi totale.

C'est avec cette vision double et ralentie que Bowman vit Ortiz entrer dans la pièce, d'abord par ses propres yeux, puis à travers ceux du Maître. Il vit Ortiz se tourner et essayer de saisir Kestrel. Sa voix lui parvint comme un bourdonnement.

– Mmmmmmaîttttrrr....

Ortiz attendait des ordres. Mais avant même qu'il ait pu exprimer entièrement sa demande par des mots, le Maître lui répondit :

– Tue-la ! Tue-la ! Tue-la ! Tue-la !...

Il n'avait prononcé ces paroles qu'une seule fois : mais lorsque Bowman les avait entendues, par les oreilles du Maître et par les siennes, ces mots s'étaient mis à se répéter au plus profond de lui-même, dans un écho sans fin.

« Non ! »

Par les yeux du Maître, il vit le visage d'Ortiz se tordre de douleur. Grâce à ses propres sens, il perçut l'atroce angoisse du jeune homme dont l'obéissance se heurtait violemment à son amour. Bien sûr ! Bowman se rappelait maintenant vaguement, il y avait si longtemps ! « Il aime ma sœur. Il ne la tuera pas. »

Mais déjà la main droite d'Ortiz cherchait le pommeau de son épée, tandis que son bras droit attirait et pressait Kestrel contre sa poitrine.

– J'obéis, j'obéis, j'obéis, j'obéis…

Les mots lointains résonnèrent aux oreilles de Bowman tandis qu'il sentait le pouvoir du Maître, immobile, insondable et sans pitié, le serrer comme un étau. Au loin, il entendait les sanglots d'Ortiz et voyait les larmes couler lentement sur son visage. Bowman comprit alors qu'Ortiz pleurait à cause de Kestrel, qu'il l'aimait et était obligé de la tuer. L'épée étincelante sortit de son fourreau, de plus en plus longue dans la lumière oblique, jusqu'à ce qu'enfin sa lame nue scintille au soleil. Bowman vit ce lent éclat d'un côté, de l'autre, puis la lame aiguisée tournoyer, se mettre à flotter dans les airs et lentement s'abattre vers la poitrine de sa sœur.

Avec fureur, désespoir, sauvagerie et de toute sa volonté, Bowman combattit le pouvoir implacable du Maître. Le vieil homme était assis, immobile, les yeux ouverts, son faible sourire s'attardant toujours sur ses lèvres, mais derrière ce regard insaisissable était tapie la force que Bowman ne pouvait vaincre. Qu'il ne pouvait vaincre seul en tout cas. Qu'il ne pouvait vaincre avec Kestrel. Qu'il ne pouvait vaincre sans aide.

« Tue-la, tue-la, tue-la, tue-la… »

La lame étincelante jaillit, portée par la main tourmentée et obéissante de Marius Semeon Ortiz, esclave de la volonté du Maître. Les yeux de Kestrel s'écarquillèrent, remplis de pitié, non pour elle-même, mais pour le frère qu'elle aimait plus qu'elle-même.

« Je t'aime, Bo… »

L'épée était tout près d'elle à présent, et Bowman savait qu'il ne pouvait briser l'étau mental, pas seul, sans aide. Quel choix avait-il ? « Vite, maintenant, vite ! » Ne s'était-il pas déjà rendu une fois ? Quelle innocence devait-il protéger ? « Maintenant, maintenant ! » Ne mourrait-il pas pour elle, pour celle qu'il aimait, la moitié de lui-même, sa sœur ? Alors pourquoi ne pas demander du secours à la seule source qui fût plus puissante que ce vieil homme, ce puits d'indifférence, ce Maître dénué de tout désir ? « Doit-elle mourir pour ma pureté ? »

– À l'aide ! s'écria-t-il d'une voix qui paraissait faible et étrange. Je ne peux pas y arriver tout seul !

Bowman vit le visage du Maître se tordre en un rictus victorieux mais, au même moment, il sentit le pouvoir monter en lui.

« Un parmi les innombrables, une partie du tout ! »

Bowman respira profondément. Il grandit. Il devint brûlant. L'épée avançait toujours vers sa cible fatale, mais Bowman l'intercepta, devançant le temps lui-même, tandis que le pur et brillant esprit du Morah battait en lui.

« Nous sommes la légion des innombrables ! Nous sommes tout ! »

Kestrel vit dans ses yeux une multitude d'yeux, des centaines d'yeux qui s'emparaient de lui, et elle comprit ce qu'il avait fait pour elle. Mais elle ne pouvait plus l'arrêter.

« Plus jamais peur ! Que la peur soit pour les autres, désormais ! »

Tandis que son pouvoir se renforçait encore et encore, il le retourna contre le Maître, le dirigea contre lui pour l'étouffer, l'écraser. Bowman entendit la vieille chanson dans sa tête et, marchant en cadence, bien que son corps ne fît aucun mouvement, il sentit la joie sauvage éclater en lui.

« Il faut tuer, tuer, tuer. Il faut tuer, tuer, tuer ! »

Le pouvoir du vieil homme fondit devant lui, incapable de résister à la légion des innombrables qu'était le Morah.

« Tuer ! » dit Bowman en écrasant et en broyant le Maître. « Tuer ! » cria-t-il, en extirpant peu à peu la vie de son ennemi sans bouger un doigt. « Tuer ! » répétat-il en riant, se réjouissant de voir le vieil homme décliner.

Ortiz sentit le pouvoir du Maître le quitter et l'épée s'arrêter dans sa course à un centimètre de la poitrine de Kestrel. Tenant toujours étroitement la jeune fille, vaincu par l'angoisse, il laissa tomber sa tête fauve sur son épaule et se mit à sangloter.

C'est ainsi que Mumpo le trouva quand il fit irruption dans la pièce. C'est ainsi que Mumpo le vit, de dos, son épée semblant prête à frapper. S'élançant aussitôt, il lui donna un violent coup de poing, l'atteignant à la base du crâne. Ortiz mourut à l'instant même, Kestrel dans ses bras, des larmes encore fraîches sur les joues. Mumpo le saisit avec fureur, l'arracha à Kestrel et le jeta violemment par terre.

– Il t'a fait mal ?

– Non, dit Kestrel qui était secouée de longs frissons. Je n'ai rien.

Elle baissa les yeux et regarda Ortiz. Il semblait indemne et sa beauté rayonnait dans la mort. Elle avait obtenu sa vengeance. Mais rien n'était comme elle l'avait imaginé. Il n'y avait aucune joie dans son cœur.

Le Maître n'avait pas quitté un instant Bowman des yeux. La lumière de sa vie déclinait rapidement, à présent. Il ne luttait plus. L'immense volonté qui avait construit et soutenu une nation était brisée.

– Enfin libre, murmura-t-il.

Et la lumière s'éteignit.

Kestrel sentit le frémissement de la séparation parcourir son frère. Elle le sentit revenir lentement d'un endroit sombre et profond, vers la clarté du jour. Quand il tourna enfin son regard vers elle, il y avait tant d'angoisse sans ses yeux qu'elle poussa un cri et s'élança vers lui pour le prendre dans ses bras. Il la laissa étreindre son corps brûlant et embrasser ses joues enflammées. Il leva doucement ses bras pour l'étreindre. Lentement, il reprit conscience de lui-même.

« Je ne pouvais pas te laisser mourir, Kess. Je ne pouvais pas vivre sans toi. »

Kestrel le remercia d'un regard et l'embrassa. Mais elle savait qu'ils avaient très peu de temps devant eux.

– Aide-moi, Mumpo. Nous devons l'emmener loin d'ici.

22
LA COLÈRE DES ESCLAVES

La défaite du Maître changea tout. Les hommes armés qui se battaient dans la grande salle et dans les rues tout autour, qui attaquaient les gardes assiégés de Zohon, laissèrent tomber leurs épées, désorientés, ne sachant plus ce qu'ils faisaient ni pourquoi. Ils se regardaient sans se reconnaître, avec l'impression que ceux qui avaient combattu à leurs côtés leur étaient étrangers. Sans rien y comprendre, les gardes de Johjan sentirent que le vent de la bataille tournait. Zohon pressait ses hommes de renouveler leurs efforts en criant :

– Kang! Kang! Kang! Le Marteau de Gang!

À sa grande surprise, ses hommes encerclés finirent par sortir du piège. L'ennemi cédait du terrain. L'ennemi – c'était incompréhensible mais pourtant évident – abandonnait.

Kestrel, Bowman et Mumpo redescendirent l'escalier de pierre et se retrouvèrent au milieu d'effroyables scènes de vengeance. Les gardes de Johjan tuaient sans merci. Mumpo protégea Kestrel et Bowman, écartant avec adresse et brutalité les hommes armés, pendant qu'ils traversaient la grande salle surmontée d'une coupole.

Un homme robuste, brandissant son épée, et qui, sous la volonté du Maître, s'était frayé un passage dans la salle, se retourna juste devant eux et assena un coup d'épée sur la pierre gravée d'un pilier. Tac ! fit son arme en entamant la délicate maçonnerie. L'homme se mit à crier. Tac ! Tac ! Puis, il continua à hurler de plus en plus fort, tout en frappant, entaillant et mutilant le pilier. Dehors, dans la rue, ils entendirent un bruit assourdissant. Un étal de fleuriste était piétiné. Des cris et des huées s'élevaient de toutes parts. Clang ! Une vitre fut brisée. Soudain, comme si ce bruit avait libéré la foule, tout le monde se mit à casser les fenêtres, à coup d'épées, de pierres et même de bottes. Cling ! Clang ! Cling, entendait-on de tous côtés. Des gens firent irruption dans une boutique et réapparurent les bras chargés de bouteilles de vin. Cling ! Clang ! Cling ! Ils jetaient les bouteilles contre les murs, en hurlant et en riant aux éclats.

Dans la salle, un homme de haute taille se tenait au-dessus de la fontaine, balançant une hache des deux mains. Il fracassa d'abord les oiseaux en marbre. Puis en deux ou trois coups, il cassa les barreaux de la cage. l'eau jaillissait comme avant, mais il n'y avait plus de cage pour la contenir, ni d'oiseau pour survoler la vague montante. Des fragments de marbre délicat jonchaient le sol, mêlés aux éclats de verre et aux flaques de sang.

« Tu es venu pour détruire… »

Ainsi, c'était la destruction ! Les esclaves étaient enfin libres et ils utilisaient leur liberté pour broyer et déchirer, blesser et tuer, sans autre but ni intérêt que de goûter le pouvoir qu'on leur avait si longtemps refusé. Les musiciens piétinaient leurs instruments, les laitiers dansaient dans le beurre, les chevaux s'enfuyaient en désordre et les enfants urinaient dans les rues. On arrachait les branches des arbres dans les squares. Les carrosses dorés de la famille de la mariée étaient réduits en miettes. Des forcenés firent même irruption dans la bibliothèque de l'académie et se mirent à jeter les livres par la fenêtre. En bas, dans la rue en folie, leurs pages arrachées volaient comme des ailes d'oiseaux blessés. Tout le monde criait, soit de joie – la joie sauvage de la destruction –, soit de douleur, à cause de blessures accidentelles. Des feux commencèrent alors à brûler.

Les gardes, autour des cages à singe, avaient passé la matinée à regarder les excentricités d'un chat errant qui, après avoir grimpé en haut de l'une des cages, se jetait par terre de la plus drôle des façons. Ils avaient essayé de le caresser, lui avaient offert de la nourriture, mais il ne faisait pas attention à eux. Maintenant, il était de nouveau au sommet de la cage et s'apprêtait à s'élancer dans les airs.

C'est alors que les premiers cris éclatèrent dans le Haut Domaine. Les gardes se retournèrent pour voir ce qui se passait. Le chat aussi regarda de l'autre côté du lac. Les prisonniers commencèrent à s'inquiéter, et tous se donnèrent la main. À mesure que les bruits de destruction augmentaient, les gardes devenaient plus nerveux. Leurs regards allaient sans cesse des cages à la ville et de la ville aux cages, comme s'ils sentaient qu'ils devaient faire quelque chose, mais ne savaient pas quoi. Pinto Hath les observait, sur le qui-vive, mais calme, serrant la main de son voisin pour lui donner du courage.

Soudain, elle vit son père. Il avait dévalé la colline en courant pour implorer les gardes de relâcher les otages.

– Écoutez ! Vous n'entendez pas ? Tout est fini ! Tout a changé ! Vous pouvez les libérer, maintenant !

Un garde le regarda d'un air effrayé. C'était un Loomus, et il avait l'esprit lent.

– Les libérer ? dit-il.

– Prenez la clé, le pressa Hanno en parlant clairement et avec autorité. Ouvrez la cage. Laissez-les partir.

– Les laisser partir ? répéta le garde.

De la fumée âcre venant de la ville traversa le lac, portée par le vent. L'un des esclaves enfermé dans la même cage que Pinto vit la fumée et se mit à crier :

– Regardez ! Ça brûle !

– Non, s'écria Hanno, ne dites pas ça !

Mais il était trop tard. Déjà le garde Loomus revenait vers ses camarades en disant ·

– Ça brûle ! Ça brûle !

Leurs larges narines flairèrent l'odeur de la fumée et, en entendant les hurlements au loin, ils se mirent eux aussi à pousser de petits cris. Ils semblaient avoir perdu la tête dans la confusion générale.

– Ça brûle ! crièrent-ils, en sautillant comme des enfants en train de jouer. Ça brûle !

Ils se mirent à rire. L'un d'eux s'approcha du feu et en sortit un tison rougeoyant. Il le montra aux autres ·

– Ça brûle !

– Ça brûle ! répétèrent-ils en hochant la tête avec enthousiasme.

Hanno se jeta devant le garde tandis que celui-ci se dirigeait vers la cage à singe. Le garde ne s'arrêta même pas, il frappa simplement Hanno de sa main libre et celui-ci tomba par terre, le souffle coupé. Le garde enfonça le tison dans le fagot, sous la cage de Pinto. Les prisonniers essayèrent de l'enlever en passant leurs doigts à travers le grillage, sous leurs pieds, mais les mailles étaient trop serrées. Le petit bois prenait déjà feu. Le chat gris le sentit et, d'un bond, il s'élança du sommet de la cage jusqu'au sol.

Les gardes Loomus observaient la scène avec délices et excitation. Dansant d'un pied sur l'autre, ils mimaient en riant les contorsions des malheureux qui allaient brûler vifs. Les prisonniers se retirèrent au fond de la cage, le plus loin possible des flammes. Pinto s'assit là en silence, les yeux fixés sur son père.

La chaussée était encombrée de gens qui fuyaient la ville en feu. Mumpo mit un certain temps avant d'arriver à se frayer un passage et à ouvrir la voie à ses compagnons. La pagaille était aggravée par le pillage. Les habitants emportaient avec eux des monceaux d'argenterie, de beaux vêtements, des draps et des couvertures roulés, et certains avaient même pris un lit en fer. Le passage étant bouché, les gens qui poussaient derrière trébuchèrent contre ceux qui s'étaient arrêtés, et certains furent piétinés à mort. Plusieurs personnes coururent le long de la petite balustrade de la chaussée, mais ce parapet en bois n'était pas construit pour supporter un tel poids et il s'écroula en plusieurs endroits à la fois. Les infortunés tombèrent alors dans l'eau froide du lac. Ceux qui ne savaient pas nager se débattirent en criant, dans l'indifférence générale, jusqu'à ce qu'ils n'aient plus la force de hurler.

Descendant à flanc de coteau au-dessus des cages à singe, Créoth menait son troupeau, conduisant une carriole à cheval qui transportait la production de lait de la journée. Hanno Hath l'avait appelé et il allait le rejoindre pour participer à l'évasion promise ; il emmenait avec lui ses vaches, sa carriole et quatre grands bidons de lait. C'est l'agitation de ses vaches qui lui avait d'abord fait comprendre que la bataille avait éclaté. Puis il avait vu des feux s'élever dans le Haut Domaine. Enfin, il avait entendu les appels d'Hanno.

– Créoth ! Le lait !

Au début, Créoth n'avait pas compris ce qu'Hanno voulait dire. Puis il avait vu les prisonniers recroquevillés au fond de l'une des cages à singe, et le feu qui pétillait à l'autre bout, tandis que les gardes Loomus dansaient en riant.

– Sur le feu ! lui criait Hanno. Jette le lait sur le feu !

– Par la barbe de mes ancêtres ! marmonna Créoth.

Il tira sur les rênes du cheval pour arrêter la carriole, sauta à terre et courut prendre les bidons de lait à l'arrière. Les bidons étaient lourds, mais Créoth était fort ; prenant fermement un bidon par le milieu, il s'aperçut qu'il pouvait le porter. Chancelant sous le poids, raillé par les gardes, il le porta jusqu'à la cage et le fit basculer au-dessus. Le lait riche et crémeux sortit du bidon du mauvais côté et se répandit en une flaque blanche sur la route. Les gardes se tapaient sur les cuisses de rire. Les prisonniers criaient à présent, sentant le feu ramper sous leurs pieds.

Créoth se donna une gifle.

– Je suis la honte de mes ancêtres, dit-il en pleurant. Pourquoi suis-je si incapable ?

– Aide-moi ! Par ici !

Hanno était déjà derrière la carriole, en train d'essayer de soulever un autre bidon, mais c'était trop lourd pour lui. Créoth se hâta de le rejoindre et prit le récipient dans ses bras puissants. Hanno le guida, lui indiquant où le renverser. Cette fois, le lait se déversa sur le bois brûlant et, sifflant, écumant, il éteignit une partie des flammes. L'odeur du lait brûlé emplit l'air.

Les gardes cessèrent de rire et ouvrirent des yeux ronds. Puis, fou de rage, l'un d'eux sortit son épée et se tourna vers Créoth, tandis que l'autre prenait un fagot de bois sec pour faire reprendre le feu. L'épée se dressa contre Créoth qui se protégea derrière le bidon renversé, puis elle retomba, fendant l'air. Créoth avait roulé sous la cage. Frustré, le garde se mit à courir en tous sens, donnant de grands coups d'épée, tandis que Créoth se tenait hors d'atteinte, recroquevillé entre les roues.

Mist vit le deuxième garde apporter le bois d'allumage vers la cage et il comprit ce que cela signifiait. L'homme était assez loin de lui, mais le chat était furieux. Toute la matinée ces deux abrutis s'étaient moqués de lui parce qu'il n'arrivait pas à voler. Et maintenant ils se moquaient de gens qui allaient mourir brûlés. Stimulé par son exaspération, Mist se ramassa sur lui-même, puis s'élança. Toutes griffes dehors, il fendit l'air, plus loin, plus vite, plus haut qu'il ne l'avait jamais fait, et retomba en plein sur le visage du garde. Lui déchirant les joues et le nez de ses griffes, il fit trébucher le garde qui lâcha le bois d'allumage.

– Aïe ! cria-t-il en repoussant le chat accroché à son visage.

Mist se laissa tomber par terre et regarda derrière lui, stupéfait. Comment avait-il pu sauter aussi loin ? Avait-il vraiment sauté ?

« Est-ce que j'aurais volé ? Ce serait ça, voler ? »

L'autre garde poussa un hurlement. Il s'était tellement acharné à attraper Créoth qu'il n'avait pas entendu les autres arriver.

Mumpo frappa le premier garde d'un seul coup mortel avant même que celui-ci ait compris qu'on l'attaquait. Le deuxième, entendant le dernier cri de son camarade, regarda autour de lui, juste à temps pour voir le poing de Mumpo fondre sur lui. Puis tout disparut.

Hanno arrachait déjà la clé du ceinturon de l'homme mort. Bowman était à côté de la cage, tendant sa main à travers les barreaux vers Pinto. Ira Hath avait retrouvé Kestrel et la serrait dans ses bras.

La porte de la cage s'ouvrit, et les prisonniers en sortirent d'un pas chancelant. Pinto attendit que tous les autres soient partis avant de laisser son père venir la prendre dans ses bras. Alors, pendant un court et précieux instant, Hanno, Ira, Kestrel, Bowman, Mumpo et elle se pressèrent tous les uns contre les autres sans parler.

Puis, Hanno dit :

– Il est temps d'y aller.

Le Haut Domaine était à présent sous le contrôle de Zohon. Enfin, si l'on pouvait parler de contrôle à propos d'une ville livrée à la destruction, au pillage et aux incendies. Mais Zohon n'avait pas l'intention de sauver les beautés de la Seigneurie. Il ressentait même une sinistre satisfaction à voir les bâtiments et les coupoles s'effondrer et brûler. Que le Haut Domaine et toute sa gloire périssent ! Que la Seigneurie retombe dans la poussière stérile d'où elle venait ! Que ses habitants se massacrent entre eux ! Lui, Zohon, le Maître de la Seigneurie, le conquérant du monde, avait un but plus grandiose en vue. À la tête de ses victorieux gardes de Johjan, il reviendrait triomphalement à Obagang, et là, il se proclamerait lui-même dirigeant suprême de l'empire : le Zohonna de Gang. Il lui fallait simplement trouver sa bien-aimée, son épouse, celle qui légitimerait sa prise de pouvoir et apporterait la joie dans son cœur orgueilleux : la Splendeur de l'Orient, Perle de la Perfection, et Délectation d'un Million de Regards.

Mais il ne la trouvait nulle part. Ses hommes avaient fouillé les plus hautes pièces du palais. Ils y avaient découvert le corps d'Ortiz, mais pas la Johdila.

– Quelqu'un l'a enlevée ! enrageait Zohon, furieux. Quelqu'un la cache loin de moi !

Il avait fait amener de force le malheureux Grand Vizir devant lui, ainsi que l'augure royal. Ozoh le Sage était fou de terreur.

– Où est-elle ? hurla Zohon. Je veux qu'on me le dise !

– Je ne sais pas, geignit Barzan.

Zohon prit son marteau et, le renversant du côté de sa lame d'acier effilé, il trancha le devant de la tunique de Barzan. Barzan poussa un cri. L'arme avait entamé le tissu de son vêtement et sa peau, faisant jaillir un filet de sang.

– Dois-je enfoncer la lame plus loin ?

– Je jure, je jure que je ne sais pas, balbutia Barzan en pleurant de douleur et de peur.

Zohon le regarda avec dégoût.

– Tu n'as donc aucune dignité ? Tiens-toi droit !

Barzan essaya de redresser son dos servile.

– Quand je pense qu'un ver de terre comme toi a cru qu'il pouvait s'opposer à moi ! Tu es donc incapable de reconnaître la vraie grandeur quand tu l'as sous les yeux ?

– Je ne savais pas, bredouilla le Grand Vizir.

– Eh bien, tu le sais maintenant. À genoux !

La lame du marteau se balança sous le nez de Barzan. Il se dépêcha de s'agenouiller.

– Je suis le Zohonna, Seigneur d'un Million d'Âmes !

– Oui, oui.

– Oui, qui ?

– Oui, Majesté.

Zohon se tourna vers l'augure.

– Ozoh le Sage, dit-il en ricanant, puisque tu es si sage, dis-moi où est la Johdila.

– Ma sagesse a disparu, Majesté, pleurnicha Ozoh. J'ai perdu mon œuf. Je ne sais rien.

– Baisse ton pantalon !

Ozoh baissa précipitamment son pantalon flottant, le laissant tomber sur ses chevilles. Son derrière et le haut de ses cuisses apparurent : nus, pâles, sans aucun ornement.

– De la peinture ! dit Zohon. Ce n'était que de la peinture ! Je le savais ! Faites-le bouillir !

Le pauvre Ozoh, pleurant de peur, fut emmené. Zohon se tourna vers les officiers qui l'escortaient.

– Voici mon ordre au peuple de la Seigneurie, déclara-t-il. Qu'on m'amène la Johdila Sirharasi ou tout le monde mourra. Tous, hommes, femmes ou enfants, jusqu'au dernier d'entre eux ! Aucun être vivant ne restera en vie si la Johdila n'est pas rendue à la puissante étreinte de mes bras caressants !

23
SISI TEND L'AUTRE JOUE

La lumière du jour déclinait tandis qu'Hanno Hath guidait les fugitifs hors de la Seigneurie. Les terribles événements de la journée avaient prouvé qu'Ira Hath était une véritable prophétesse, et cela avait poussé certaines personnes à rejoindre leur groupe. Mais la plupart des gens restaient pour piller, s'emparer des fermes abandonnées, travailler la terre déjà cultivée. « Car, disaient-ils, où allaient ceux qui partaient ? Personne ne le savait. Comment se protégeraient-ils ? Qu'allaient-ils manger ? Comment se réchaufferaient-ils une fois l'hiver venu ? »

– Est-ce qu'il est loin, ce pays des origines ? demandèrent-ils à la prophétesse.

– Assez loin, leur répondit-elle. Mais pas trop.

Qu'aurait-elle pu leur dire d'autre ? Elle ne l'avait vu qu'en rêve. Elle n'avait aucune idée de l'endroit où il se trouvait ni à quelle distance.

Aussi la colonne qui gravissait péniblement la route caillouteuse à la tombée du jour ne comptait-elle que trente personnes appartenant au peuple Manth, cinq vaches, une carriole traînée par un cheval et un chat gris.

Quelques Manths, qui avaient décidé de ne pas les suivre, se rassemblèrent pour leur souhaiter bonne route. Mais c'était un triste au revoir. Ceux qui restaient étaient épuisés, apeurés, remplis d'incertitudes quant à leur propre sort. Ceux qui partaient savaient qu'ils avaient tout juste assez de provisions pour quelques jours et qu'ensuite ils devraient se procurer de la nourriture en chemin ou mourir de faim. Ils devraient aussi chercher du bois pour faire du feu et des abris pour la nuit, car l'hiver approchait. Ce fut donc un petit groupe soutenu davantage par l'espoir et la foi que par des chances raisonnables de survie qui fit ses adieux puis gravit la colline avant de s'enfoncer sous les arbres.

Hanno Hath ouvrait le chemin, sa femme à ses côtés. Ils avançaient à pied, comme ils l'avaient fait pendant la marche des esclaves. Derrière eux venaient leurs enfants, Bowman, Kestrel et Pinto. Mumpo s'était chargé d'assurer la sécurité et, avec les deux fils aînés de Miko Mimilith, il arpentait la colonne sur toute sa longueur, guettant tous les dangers qui pouvaient les menacer. Scooch s'était joint à eux, ainsi que la famille Mimilith et la grosse Mme Chirish ; Créoth était là aussi, avec ses vaches qui traînaient lamentablement derrière, car l'heure de la traite était déjà passée.

Ils marchèrent sous les arbres, dépassèrent les bornes en pierre qui marquaient les frontières de la Seigneurie et arrivèrent sur les plateaux désolés. Là, Ira Hath s'arrêta un moment, jusqu'à ce qu'elle sente sur une joue la chaleur lointaine qu'elle seule pouvait percevoir. Guidés par ce sens de l'orientation, faible mais sûr, ils obliquèrent vers le nord. Hanno voulait mettre la plus grande distance possible entre eux et la Seigneurie avant de s'arrêter pour dormir. Mais la nuit tombait, et ses compagnons étaient affaiblis par les terreurs d'une longue journée, aussi, dès que cela lui parut raisonnable, il fut obligé de faire halte.

Ils allumèrent un feu en entamant leurs provisions de bois et se rassemblèrent tout autour. Créoth put enfin traire ses vaches, en s'excusant auprès de chacune d'elle tandis qu'il pressait leur pis.

– Il valait mieux que ce soit vous qui le portiez que moi, leur disait-il.

Il y eut ainsi du lait frais pour tout le monde, ainsi que du pain. Personne n'aurait faim pendant cette première nuit. Quant aux jours à venir, c'était autre chose.

Pinto se blottit dans les bras de son père et lui murmura :

– Que va-t-il se passer quand nous n'aurons plus de nourriture ?

– Elle nous tombera du ciel.

– Non, sérieusement ?

– Ce que je veux dire, lui expliqua-t-il en embrassant sa joue osseuse, c'est que si nous suivons le bon chemin, nous arriverons au bout d'une manière ou d'une autre.

– Je t'aime beaucoup, Pa.

– Et nous sommes enfin de nouveau réunis.

Bowman parlait peu. Il était resté pratiquement silencieux depuis la fin de son duel mental avec le Maître. Il paraissait très affaibli et comme honteux. La seule compagnie qu'il supportait était celle du chat gris qui le suivait partout. Il s'assit à l'écart, le chat pelotonné sur ses genoux, et tous deux regardèrent silencieusement dans le vide.

Sa mère comprenait en partie ce qui s'était passé. Elle savait que rien de ce qu'elle dirait ne pourrait défaire ce qui avait été fait. Au lieu d'essayer de le consoler ou de le rassurer, elle lui rappela qu'ils avaient toujours besoin de son aide.

– Une période difficile nous attend, lui dit-elle. Nous avons besoin de ton pouvoir. Quoi qu'il t'en coûte.

C'était exactement ce que voulait Bowman : pouvoir payer le prix de ce qu'il avait fait.

– Je n'ai pas peur, lui dit-il. J'affronterai tous les dangers. Peu importe le risque. Je ferai n'importe quoi.

– Tu feras ce que tu es appelé à faire lui dit doucement sa mère.

Ces mots réconfortèrent enfin Bowman, lui donnant l'espoir qu'il faudrait continuer à se battre et qu'il n'avait donc pas encore perdu. Il se laissa entraîner par sa mère pour faire leurs vœux de la nuit avant de dormir. Là, tandis qu'ils se tenaient tous étroitement et que leurs têtes se touchaient, Pinto, la plus jeune, fit un souhait la première ·

– Je veux que notre famille reste toujours ensemble

À son tour, Kestrel fit le même vœu.

Bowman sentit la chaleur familière des autres qui se pressaient contre lui et, bien qu'il pensât que ce ne serait pas possible, il souhaita la même chose :

– Je veux que notre famille reste toujours ensemble.

Ira Hath dit doucement :

– Je voudrais la force.

Hanno Hath dit :

– Je voudrais que tous ceux que j'aime se portent toujours bien.

Mumpo veillait pendant que les autres dormaient. La nuit était noire ; des nuages bas masquaient les étoiles. Lorsque le feu vacilla puis mourut, ne laissant que des

366

tisons rougeoyants, il s'aperçut qu'il ne voyait presque plus rien. Il ferma donc les yeux et confia à ses oreilles le soin de le maintenir en alerte. Assis, immobile, sentant la douleur de ses blessures battre doucement dans son flanc et dans sa jambe, il laissa ses pensées se tourner vers Kestrel. Elle le considérait d'une façon différente, à présent, il en était sûr : avec reconnaissance, et mieux encore, avec respect. Il n'avait pas eu le temps de lui parler et, de toute façon, ce n'était pas le moment. Il aurait l'occasion de le faire plus tard, au bout du voyage. Pour l'instant, sa tâche était simple : il devait la protéger et faire en sorte qu'il ne lui arrive rien de mal. Il devait défendre tous ceux qu'il aimait. La Seigneurie lui avait appris qu'il était fort, que, s'il le voulait, il pouvait se battre et tuer. Il en était encore surpris et considérait son habileté comme quelque chose d'accidentel, d'immérité, et même d'un peu effrayant. Mais il était fier de savoir que lui aussi avait un rôle à jouer, et que Kestrel avait besoin de lui.

Il restait donc assis tranquillement, écoutant les bruits de la nuit. Quelque part, non loin de lui, un ruisseau coulait sur un lit de pierre, son doux murmure se mêlant au faible sifflement du feu. De temps en temps un oiseau de nuit passait au-dessus de lui, bougeant à peine les ailes, comme un soupir dans l'air. Une petite créature invisible grattait la terre avec ses pattes : scri-scri-scrik, scri-scri-scrik. Et, en permanence, sous les autres bruits, il y avait le battement régulier, lent et assourdi de son propre cœur.

Une bourrasque de vent lui souffla dans la figure. Il ouvrit les yeux et vit que les nuages bougeaient au-dessus d'eux, qu'ils roulaient vers l'ouest. Des étoiles apparurent ainsi qu'un croissant de lune. Il contempla les

constellations familières : la Hache avec son long manche, la Couronne avec ses trois pointes.

– Tu es réveillé, Mumpo ?

Il sursauta. C'était Pinto.

– Pinto ! Tu ne dors pas ?

– Je n'y arrive pas.

– Il le faut, pourtant. Nous allons marcher toute la
journée, demain.

– Toi aussi, et en plus, tu es blessé.

– Je vais bien. Je suis fort.

– Eh bien, moi aussi.

Il la regarda avec affection et vit qu'elle frissonnait.

– Je vais ranimer le feu.

Il remua les braises, remit des bûches qui n'avaient
pas entièrement brûlé, et les flammes tremblotèrent,
reprenant vie. À leur lueur rougeoyante, ses compagnons endormis réapparurent, serrés les uns contre les
autres pour avoir plus chaud. Mumpo chercha Kestrel
des yeux ; il l'aperçut, blottie entre son frère et sa mère,
sa main dans celle de Bowman endormi.

– Tu l'aimes toujours, Mumpo ?

– Oui, dit-il simplement.

– Et si elle mourait ?

Il regarda Pinto, choqué.

– Ne dis pas ça.

– Non, mais si ça arrivait ?

– Je ne veux pas y penser.

– Tu l'oublierais et tu commencerais à aimer quelqu'un d'autre. C'est ce que tout le monde fait.

– Personne ne va mourir.

– Ne sois pas idiot, Mumpo. Tout le monde va mourir.

– Pas tout de suite. Nous avons encore beaucoup de
temps devant nous.

– Kess mourra avant moi, puisque c'est l'aînée. Alors, il ne restera plus que moi. Tu pourrais m'aimer quand tu seras vieux.

– D'accord, lui dit Mumpo, touché par sa loyauté farouche. Je t'aimerai quand je serai vieux.

Ils restèrent assis un moment sans rien dire, regardant les cavernes qui se formaient dans le feu. Puis l'ouïe exercée de Mumpo perçut un bruit différent, plus régulier que le crépitement et les craquements du bois qui brûlait. Des pas approchaient.

Il se leva d'un bond et brandit son épée.

Tandis que Pinto rejoignait ses parents endormis, Mumpo s'éloigna silencieusement dans l'obscurité. À présent, Pinto aussi entendait des bruits de pas, mais le jaillissement soudain d'une flammèche sortie du feu rendit la nuit impénétrable. Elle entendit les pas s'arrêter, puis un bruit confus de voix : des voix féminines. Mumpo revint ensuite dans le cercle de lumière orange ; il était accompagné de deux femmes, une grosse et une mince. Elles tremblaient de froid et semblaient terriblement effrayées. Mumpo les conduisit près du feu pour qu'elles se réchauffent. La grosse femme dit :

– Allons, mon petit chat. On va se réchauffer.

La femme mince ne dit rien. Elle se rapprocha simplement du feu et baissa la tête.

Mumpo murmura à Pinto :

– Essaie de trouver quelque chose à manger.

La fillette acquiesça et se dirigea à tâtons jusqu'à un chariot. Elle en rapporta deux quignons de pain, prélevés sur leurs précieuses provisions.

La grosse femme prit le pain sans un mot et en donna un petit morceau à la femme mince. Celle-ci le tint un moment à la main, puis le laissa tomber par terre.

– Ne faites pas ça ! lui cria Pinto, consternée. Nous n'avons pas assez de nourriture pour nous.

La jeune femme fronça les sourcils et se retourna pour regarder Pinto, puis elle baissa les yeux sur le bout de pain qu'elle avait laissé tomber. Lentement, elle le ramassa et le tendit à la fillette.

– Pardon, dit-elle doucement, d'une voix triste.

– Oh, mon trésor. – La grosse dame fut secouée d'un grand sanglot. – Mon trésor doit manger ou il va mourir, et que deviendra Lunki ?

– Chut ! fit Mumpo.

Mais il était trop tard. Le sanglot de Lunki avait réveillé Bowman. En s'asseyant, il tira Kestrel du sommeil. Bowman, troublé, avait devant les yeux la vision éclairée par le feu de la Johdila Sirharasi, toujours vêtue de sa robe de mariée, mais sans voile, qui le regardait, avec une douceur et une tristesse infinies sur son ravissant visage. Croyant rêver, et que tout allait disparaître lorsqu'il s'éveillerait, il lui tendit la main en disant :

– Ne partez pas !

Kestrel se leva, les idées claires.

- Sisi !

– Oh, Kess !

Sisi laissa enfin couler les larmes qu'elle avait retenues jusqu'alors et tomba dans les bras de son amie.

– Tu vois, mon petit chat, lui dit Lunki, pleurant elle aussi de soulagement. Tu vois, l'amie va tout arranger.

– Qui est-ce ? demanda Pinto à mi-voix.

– C'est la princesse qui est venue se marier, lui répondit Mumpo.

Kestrel calma Sisi et lui fit raconter tout ce qui lui était arrivé.

– Zohon a arrêté papa et maman, et il tue tout le monde. Il dit qu'il va m'épouser, mais je le hais. Je préfère venir avec toi, parce que tu es mon... – elle éclata encore en sanglots – tu es mon... tu es mon... amie.

– Mais, Sisi, lui dit gentiment Kestrel, nous ne sommes pas ton peuple. Tu vas te sentir mal à l'aise avec nous. Nous n'avons pas de princesse ni de voiles. Nous sommes des gens simples.

– C'est ce que je veux être, moi aussi. Regarde, je ne porte plus de voile. Je l'ai laissé me voir.

Elle désigna Mumpo.

– Aucun autre homme ne m'a jamais vue. Ah, si, ton frère ! – Elle se retourna et vit que Bowman la regardait. – Il croit que je suis une servante. Eh bien, je pourrais aussi bien l'être, maintenant. Lunki, tu ne peux plus être ma servante. Nous allons être des gens ordinaires, à partir de maintenant. Tu devras être mon amie.

Lunki était consternée.

– Je ne sais pas être une amie. Je sais seulement être une servante.

Sisi regardait toujours Bowman.

– Cela vous ennuierait que nous venions avec vous ?

Bowman ne répondit pas.

– Pourquoi ne me parle-t-il pas ?

– Il n'y a pas qu'à toi, Sisi, dit Kestrel. Il ne parle presque plus depuis... depuis que nous avons quitté le palais.

– Non, c'est moi qu'il ignore. Il pense que je suis bizarre. Pourtant, il m'a dit « Ne partez pas ». – Elle pinça ses lèvres d'un air obstiné, comme si Bowman allait le nier. – Vous m'avez dit ça, c'est pourquoi je ne partirai pas.

– Nous en reparlerons demain matin, lui conseilla Kestrel.

Mais la princesse avait retrouvé toute sa détermination.

– Ce n'est pas la peine d'en reparler. Je viendrai avec vous, je ne serai pas une princesse et on pourra me regarder autant qu'on le voudra, jusqu'à avoir les yeux qui sortent de leurs orbites. – Elle se tourna vers Pinto, qui la regardait, bouche bée. – Même les petites filles.

Pinto n'était pas impressionnée du tout.

– Je regarde qui je veux.

– Je suis contente d'être aussi intéressante.

– Vous n'êtes pas intéressante, lui dit Pinto. Vous êtes simplement belle.

– Oh! Oh! s'exclama Sisi. Lunki, frappe-la! Arrache-lui les yeux! Un vrai petit chat sauvage! Ne t'avise pas de me parler ainsi, je suis… je suis… Non, je ne suis pas, à moins que… Oh! Je ne sais plus qui je suis.

– Allez, viens, lui dit gentiment Kestrel. Tu peux t'allonger à côté de moi avec Lunki. Ça vous va, Lunki? Nous ne sommes pas loin du feu, par ici. Nous n'aurons pas froid.

Après quelques grognements tout le monde se recoucha, à l'exception de Mumpo qui insista pour continuer à monter la garde, et de Bowman qui déclara avoir assez dormi.

Mumpo se sentait un peu intimidé par Bowman depuis quelque temps. Il était devenu si grave, si taciturne! Il avait le même âge que Mumpo, mais il semblait avoir beaucoup mûri récemment. C'était comme s'il s'était absenté pour un long voyage durant lequel il avait appris des choses que les autres ignoraient.

Mumpo n'aurait jamais osé interroger son ami sur ces expériences mais, à sa grande surprise, c'est Bowman qui se mit à lui parler, au cœur de la nuit.

– Te souviens-tu du Morah, Mumpo ?

– Bien sûr.

C'était loin, mais il n'avait rien oublié.

– Le Morah n'est pas mort. Le Morah ne meurt jamais.

Bowman se tut quelques instants. Puis il reprit :

– Mais tu sais ce que c'est, tu l'as senti, toi aussi.

– Je pense, oui.

– Le Morah est revenu en moi, Mumpo. Je l'ai appelé pour sauver Kess.

– Pour sauver Kess ? Mais je croyais que c'était moi...

Il s'interrompit. Il revoyait tout si clairement. Ortiz, dont l'épée s'abaissait vers Kess. Son propre poing qui fendait l'air.

– Je croyais qu'il allait la tuer.

– Oui.

– Alors quoi ? Comment...

– Non, rien. Je n'ai rien fait.

Bowman se tut, laissant Mumpo mal à l'aise, les idées confuses. Mais au bout d'un moment, il recommença à parler.

– Si je dois partir, est-ce que tu pourras veiller sur Kess pour moi ?

– Bien sûr ! Toujours.

– Elle pense que c'est elle qui veille sur moi. Mais ce sera dur pour elle.

– Je m'occuperai d'elle jusqu'à ma mort.

– Je sais que tu l'aimes.

– Oui. – Le seul fait de pouvoir le dire emplit Mumpo

de bonheur. – Crois-tu qu'un jour, pas maintenant, mais quand nous aurons résolu tous ces problèmes, elle pourra m'aimer, elle aussi ?

– Elle t'aime déjà maintenant.

– Je veux dire plus qu'un ami.

Bowman ne répondit pas tout de suite. Puis, il dit, tranquillement :

– Je ne crois pas. Elle ne veut épouser personne.

Mumpo baissa la tête. Il ne contesta pas la réponse de Bowman. Il avait entendu Kestrel elle-même le dire si souvent, autrefois, à Aramanth.

– Qu'est-ce qu'elle cherche, Bo ?

– Je pense qu'elle ne le sait pas encore.

– Moi, je sais ce que je veux. Et si clairement que je peux presque le voir.

– Qu'est-ce que tu veux, Mumpo ? lui demanda Bowman en caressant le chat, toujours blotti sur ses genoux.

– Je veux me marier. Je veux avoir une maison avec une véranda. Et je veux avoir un fils. Mon petit garçon sera si propre, ses habits seront si bien tenus que tout le monde l'aimera. Il jouera avec ses petits amis, ne se sentira jamais seul, et rira toute la journée.

Bowman sourit à la lueur des flammes.

– Comment l'appelleras-tu ?

– Au début, je voulais lui donner le nom de mon père. Mais ensuite, je me suis dit non, je l'appellerai comme moi. Il sera Mumpo Deux. Comme ça, quand je serai assis sur la véranda, l'été, j'entendrai les enfants crier : « Mumpo, viens jouer ! Mumpo, on t'attend ! On ne peut pas commencer sans toi, Mumpo ! »

– J'espère que nous vivrons tous pour voir ce jour-là, mon ami.

Dans le silence qui suivit, Mist parla à Bowman, sachant que Mumpo ne pouvait l'entendre.

– Garçon, dit-il.

– Oui, chat ?

– Est-ce que tu m'as vu dans la bataille ? Je me suis battu, moi aussi.

– Oui, j'ai vu.

– Écoute…

– Oui, chat ?

– Je crois que j'ai volé. Il me semble bien que c'était un vol. Je t'apprendrai à voler, si tu veux.

– Oui, chat, ça me plairait.

Mist était content.

La lumière revenait peu à peu dans le ciel. Les nuages s'étaient dispersés. Des étoiles lumineuses se détachaient nettement dans la nuit, alors que déjà les premières teintes vert d'eau du jour filtraient à l'horizon, vers l'est. Les vaches s'éveillaient les unes après les autres et se levaient pour aller brouter l'herbe rare. Dans les arbres, au loin, des oiseaux commençaient à pépier.

Soudain, Mist dressa les oreilles.

Le son étouffé d'un clairon résonnait au loin. Mumpo se leva d'un bond. Un autre son lointain suivit, porté par le vent : le martèlement de sabots de chevaux. Le chat sauta des genoux de Bowman, tandis que celui-ci se levait.

– Vite ! Réveillez-vous, tous !

Hanno Hath se levait déjà.

– Qu'est-ce qui se passe ?

– Des hommes à cheval, dit Bowman.

Mumpo restait immobile, écoutant attentivement. Les chevaux avançaient en formation, tous en cadence

– Des soldats, dit-il.

Tous les voyageurs étaient réveillés et se levaient. En se retournant, Ira Hath vit Sisi blottie contre elle.

– Qui êtes-vous ? Miséricorde, quelle belle enfant !

Sisi se mit à trembler.

– Ils viennent me chercher ! Ne les laissez pas me prendre ! Je vous en prie !

– Vite ! Vite ! cria Hanno. Chargez le chariot !

– Il faut la cacher, dit Kestrel à sa mère.

– Dans le chariot, dit Ira, comprenant que ce n'était pas le moment de demander des explications.

On aida Sisi et Lunki à monter dans le chariot, à côté des provisions, et on les dissimula sous des couvertures. Les cavaliers apparurent bientôt dans un bruit de tonnerre, sur la crête de la colline : c'était tout un régiment de gardes de Johjan, conduit par Zohon lui-même.

Les Manths n'essayèrent pas de fuir. Ils restèrent tranquillement là où ils étaient, frissonnant dans le froid qui précédait l'aube, tandis que les soldats à cheval encerclaient leur campement. Zohon s'approcha des dirigeants, près du feu, et pointa son marteau d'argent vers eux.

– Où est-elle ? demanda-t-il. Livrez-la !

– Qui ? demanda Hanno, aussi poliment que possible.

– Vous le savez très bien ! La Johdila !

– Qu'est-ce que c'est qu'une Johdila, s'il vous plaît ?

– La princesse ! Donnez-la-moi !

Zohon avait passé une nuit sans sommeil à la recherche de Sisi, et il était dans un tel état de fureur, d'exaspération que le moindre signe de résistance le rendait fou.

– Nous n'avons pas de princesse ici.

– Vous me défiez ? hurla Zohon. Tuez-les tous ! Tous autant qu'ils sont !

Les grands gardes de Johjan descendirent de leur monture et dégainèrent leur épée.

– Pourquoi nous tuer ? le raisonna Hanno. Cela ne vous donnera pas ce que vous voulez.

– Comment savez-vous ce que je veux ? cria Zohon. Commencez par lui ! Tuez-le !

Il pointa son marteau d'argent vers Hanno. Un garde s'approcha. Mumpo agrippa son épée, prêt à bondir. Les Manths regardaient, glacés d'horreur. Le garde de Johjan leva son épée...

– Arrêtez !

Une voix claire, aiguë et autoritaire retentit. Tout le monde se retourna pour voir. Sortant de derrière le chariot, Sisi, la tête haute, magnifique dans son élégante robe blanche, avançait, voilée.

L'attitude de Zohon changea complètement. Il s'adoucit. Il sourit. Toute son amertume et sa colère disparurent. Il fit signe à ses hommes de rengainer leurs épées. Un regard lumineux éclaira son visage las mais beau, et il sauta à bas de son cheval.

– Princesse, dit-il en s'inclinant devant elle.

Sisi resta parfaitement immobile, sans rien dire. Zohon s'était à moitié attendu à ce qu'elle se jette dans ses bras en poussant un cri de gratitude. Mais il lui vint soudain à l'esprit qu'elle était princesse et qu'elle n'était pas au courant des récents développements de la situation.

– Princesse, lui dit-il, vous voyez devant vous le Zohonna de Gang, Seigneur d'un Million d'Âmes.

Sisi se taisait toujours. Zohon commençait à trouver son silence gênant. Elle était peut-être inquiète pour ses parents. Ce serait assez naturel.

– Votre honorable père, lui expliqua-t-il, m'a cédé son trône. Votre mère et lui vont bien. Ils sont sous ma protection.

Sisi ne parlait toujours pas. Zohon se mit à agiter son marteau d'argent dans sa main droite, sans même s'en rendre compte. Il ne lui restait plus qu'une chose à dire. Il ne faisait pas de doute que, réservée comme elle était, c'était ce qu'elle désirait entendre, avant de lever son voile et de le prendre dans ses bras.

– Princesse, je vous demande en mariage.

Lentement, Sisi leva enfin une main et releva son voile. Zohon la regarda, émerveillé. Elle était si belle ! Beaucoup plus belle encore que tout ce qu'il avait pu rêver !

– Princesse ! Puis-je oser espérer… ?

Il mit un genou à terre.

– Levez-vous ! lui ordonna Sisi. Ne vous adressez plus jamais à moi de cette façon.

Zohon devint écarlate et se releva.

– Princesse, j'ai cru comprendre… – il se retourna, en lançant un regard noir à Kestrel – que vous partagiez mes espérances.

– Kess ! As-tu dit à cette personne que je lui portais quelque intérêt ?

Kestrel était impressionnée par la façon dont Sisi dominait la situation. Elle était impériale.

– Je lui ai dit que tu aimerais celui qui te donnerait la liberté, lui répondit-elle. Celui qui rendrait sa grandeur à ton pays.

– Vous voyez, Princesse ! s'exclama Zohon en retrouvant un peu d'aplomb. Qui peut donner de la grandeur à votre pays, si ce n'est moi ?

– Êtes-vous l'héritier du trône ? lui demanda Sisi

avec un profond mépris. C'est moi qui ferai en sorte que mon pays soit grand.

Zohon était stupéfait. Il ne comprenait pas encore très bien ce qui se passait.

– Vous rejetez ma proposition ?

La Johdila inclina sa tête royale.

– Puis-je en savoir la raison ?

– Vous n'êtes rien, dit Sisi. Je n'ai pas besoin de vous. Vous ne m'intéressez pas. Vous pouvez disposer, maintenant.

Tout se mit à tourner autour de Zohon. Ses mains devinrent moites, et un bruit de chevaux au galop lui martela les oreilles. Il essaya de parler, sans même savoir ce qu'il voulait dire. Puis il entendit un bruit étouffé, contenu, suivi d'un autre du même genre. Alors il comprit que tout le monde se moquait de lui. La brume rouge qui lui obscurcissait le cerveau s'éclaircit. Sa formidable vanité l'inonda de nouveau. Il se redressa de toute sa taille.

– Dégainez vos épées ! ordonna-t-il à ses gardes. Si quelqu'un bouge, tuez-le.

Il fit brusquement signe à deux de ses hommes.

– Saisissez cette femme !

Deux officiers avancèrent, chacun attrapant Sisi par un bras. Furieuse, elle tenta de se dégager, mais les gardes ne la lâchèrent pas. Zohon respira profondément. Il se sentait de nouveau calme et fort.

– Princesse, lui dit-il, je vais vous refaire ma proposition d'une façon différente. – Il fit tourner son marteau de façon à diriger la fine lame d'acier vers elle. – Soit vous m'épousez, soit vous mourrez.

– Ma chérie, non ! s'écria Lunki en tremblant d'horreur.

Personne d'autre ne fit le moindre bruit. « Ils ne se moquent plus de moi, maintenant », pensa Zohon avec amertume. La Johdila lui répondit par un regard de défi absolument glacial. Elle était plus éblouissante que jamais. « Quel couple nous ferons, pensa Zohon. Comme nos enfants seront beaux ! »

– Alors, tuez-moi, dit Sisi.

Zohon cligna des yeux. Pendant une seconde, l'assurance qu'il venait de retrouver vacilla. Puis il comprit.

– Vous ne me croyez pas, lui dit-il.

– Oh si, je vous crois. C'est exactement le genre de bataille que vous préférez. Une femme sans armes, sans défense, tenue par deux gardes. Quel redoutable adversaire ! Comme vous devez être courageux pour lui tenir tête !

– Taisez-vous !

– Que tout le monde voie le Marteau de Gang frapper son coup le plus glorieux !

– Ça suffit.

Il baissa sa lame. Au même moment, il surprit dans les yeux de la Johdila un éclair de triomphe méprisant

Ce regard suffit à transformer tout son amour pour elle en haine. Autant il avait désiré l'embrasser et la caresser, autant il voulait à présent lui faire du mal. Elle l'avait blessé au plus profond de son cœur c'est-à-dire de son orgueil, et maintenant il voulait l'humilier, lui enlever tout ce qu'elle avait, briser sa fierté, pour la faire ramper, pour qu'elle implore son pardon. Il ne voulait plus qu'elle meure. Il voulait beaucoup plus et bien pire. Il voulait qu'elle vive, qu'elle souffre et qu'elle regrette. Il voulait qu'elle maudisse le jour où elle avait perdu l'amour qu'il lui avait porté, et avec lui toute chance de bonheur.

Tandis que la haine montait en lui, il la regarda et fut frappé par sa beauté. Il eut comme l'impression qu'elle le narguait par cette beauté qu'il ne pourrait jamais posséder. Puis la vague montante déferla en lui et la haine inonda son cerveau. D'un coup de lame, il tailla la joue gauche de Sisi. Des gouttes écarlates suivirent la lame, enflèrent et roulèrent sur son visage. Les gens qui regardaient se taisaient sous le choc, immobiles, osant à peine respirer.

– Je tue votre beauté, dit Zohon.

Sisi ne cilla pas. Lentement, fièrement, elle lui tendit l'autre joue, encore indemne. Elle le défiait une fois de plus ! D'un sauvage coup de lame, Zohon entailla cette joue-là aussi.

– Puissent ces blessures ne jamais cicatriser !

Avec ces mots cruels, il fit signe à ses hommes de la relâcher et marcha à grands pas vers son cheval. Une fois en selle, il cria de sa voix de commandant :

– Allons-y ! Il n'y a rien d'intéressant à prendre, ici !

Les gardes de Johjan se rangèrent en ligne, partirent au galop et disparurent de l'autre côté de la colline. Sisi ne bougea pas ; le sang ruisselait sur ses deux joues, puis dans son cou, tachant sa robe blanche. Lunki et Kestrel se précipitèrent vers elle. Elles étanchèrent le sang qui coulait avec les manches et le bord de leurs vêtements et crièrent pour qu'on leur apporte de l'eau. Pendant ce temps, tandis que Lunki sanglotait et que Kestrel donnait des ordres, Sisi restait immobile, les yeux secs.

– Allez lui chercher quelque chose à boire ! Elle tremble.

– Oh, mon petit chat, mon trésor, oh, mon cœur ! C'est fini, c'est fini.

– Les entailles sont superficielles, dit Kestrel. Regarde, ça ne saigne déjà plus.

– Mais son si joli visage !

Ira Hath apporta à Sisi un bol de lait et le porta jusqu'à ses lèvres. Sisi en but un peu.

– Vous êtes une jeune fille très courageuse, dit Ira à Sisi.

Sisi frissonna. Le vent devenait plus froid, tandis que l'aube se levait. Tout autour du campement, les gens roulaient leurs couvertures et se préparaient à partir. De l'autre côté du chariot, auquel on attelait les chevaux, Créoth trayait ses vaches.

– Apportez-lui une couverture, cria Kestrel.

Ils enveloppèrent le corps mince et tremblant dans une couverture. Lunki continuait à tamponner les blessures de Sisi, mais soudain, celle-ci la repoussa.

– Va me chercher un miroir, Lunki, je veux voir.

– Non, mon cœur, non. Il ne faut pas.

– Si, va me chercher un miroir.

Elle avait du mal à parler. Lunki la vit grimacer de douleur, et, de chagrin, elle tordit ses mains potelées.

Il n'y avait pas de miroir. Kestrel versa de l'eau dans une cuvette et, quand la surface fut tout à fait tranquille, Sisi se pencha pour voir son reflet. Elle s'observa soigneusement, voyant comment les deux entailles convergeaient en lignes diagonales, des pommettes jusqu'à la mâchoire, ce qui changeait complètement son visage. Toute sa douceur avait disparu, toute sa délicatesse. Elle semblait plus vieille, plus dure, plus farouche. Le sang se coagulait en deux lignes irrégulières, d'un rouge sombre sur sa peau blanche et froide.

– Je suis désolée, lui dit Kestrel.

– Ne t'en fais pas, lui répondit tranquillement Sisi. Je peux enfin être moi-même, maintenant.

Kestrel se mordit la lèvre. Le calme avec lequel Sisi acceptait les choses la touchait plus profondément que tous les gémissements et les sanglots de Lunki. Elle vit que son frère les regardait et comprit qu'il ressentait la même chose qu'elle.

– Est-ce que je peux toujours venir avec vous ?

– Bien sûr. Tu peux monter dans le chariot.

– Non, je marcherai comme les autres. Est-ce que c'est très loin, l'endroit où nous allons ?

– Oui, c'est très loin.

– Tant mieux.

Elle regarda autour d'elle et vit Bowman. Elle eut un petit geste fugitif vers ses joues défigurées.

– Vous n'êtes plus tenu de m'aimer. Vous n'êtes même plus tenu de m'adresser la parole. Mais j'aimerais bien vous parler, de temps en temps.

– J'aimerais bien, moi aussi.

Sisi essaya de lui sourire, mais ses blessures lui firent trop mal.

– Je ne peux même plus sourire.

Elle prononça ces paroles sans s'apitoyer sur elle-même, comme si ce nouvel état était un désagrément qui ne la concernait pas vraiment.

– Tout va être si différent, maintenant !

24
LE DÉPART

Les voyageurs étaient prêts, le chariot attelé, le bois d'allumage pour la nuit suivante ramassé et rangé. Un soleil blanc apparaissait au-dessus des collines vers l'est, et on sentait dans l'air que les premières averses de neige n'étaient pas loin. Hanno Hath rassembla tout le monde et demanda à sa femme de dire quelques mots avant de se mettre en route.

– Que puis-je vous dire que je ne vous aie déjà dit ?

Elle regarda tous les visages familiers regroupés autour d'elle, et vit leurs espoirs, leurs craintes.

– Nous avons très peu de temps devant nous. Ce sera un voyage difficile. Mais le pays des origines nous attend. Là-bas, nous serons en sécurité.

Elle s'arrêta, car elle repensait à son rêve. Elle-même n'entrerait pas au pays des origines : ces gens qu'elle aimait, son peuple, iraient sans elle. Elle ne leur dit pas que ses forces déclinaient lentement, mais inexorablement. « Mon don est un mal qui me ronge. Je mourrai de mes prophéties. »

– Tout ce qui compte, déclara-t-elle en tendant les bras pour les embrasser tous à la fois, c'est de rester unis et de nous aimer les uns les autres. Nous sommes le peuple Manth. Faisons notre vœu de Manth.

Hanno, comprenant ce qu'elle voulait dire, lui prit la main gauche et tendit son autre main vers Bowman. Kestrel prit la main droite de sa mère. Pinto saisit celle de Bowman et appela Mumpo pour qu'il se joigne à elle. Kestrel attrapa la main de Sisi et la jeune fille rejoignit la chaîne qui ne cessait de s'allonger. Sisi prit Lunki avec elle, puis Créoth se plaça près de la servante. À côté de Mumpo, il y avait Mme Chirish, et près d'elle le petit Scooch, puis la famille Mimilith et le principal, M. Pillish. Alors, à la suite d'Ira Hath, tous récitèrent le vœu ancien et familier. Sisi, qui n'avait jamais entendu ces mots auparavant, sentit ses yeux s'emplir de larmes. Ce n'étaient pas les blessures infligées à sa peau tendre qui la faisaient pleurer, ni la perte de sa beauté. Elle pleurait parce que ces mots semblaient venir de sa propre nostalgie, et lui parler d'un amour qu'elle n'avait jamais connu.

– Aujourd'hui commence mon chemin avec toi. – Ils parlaient ensemble, leurs voix résonnant doucement dans l'air froid. – Là où tu vas, je vais. Là où tu demeures, je demeure. Quand tu dormiras, je dormirai. Quand tu t'éveilleras, je m'éveillerai. Je passerai mes jours au son de ta voix et mes nuits à portée de ta main. Et personne ne se glissera entre nous.

Ainsi, tous liés les uns aux autres, ils ramenèrent leurs manteaux autour de leurs épaules et commencèrent leur voyage. Ils marchaient vers le nord, sous la lumière du soleil levant. La neige tombait légèrement mais régulièrement, de petits flocons durs qui frappaient le visage et soufflaient en tourbillonnant sur le sol caillouteux. L'hiver s'annonçait.

TABLE DES MATIÈRES

WILLIAM NICHOLSON
L'AUTEUR

William Nicholson a été longtemps réalisateur, producteur et scénariste avant de se consacrer à la littérature.

Avec *Les Secrets d'Aramanth*, premier volume de la trilogie *Le Vent de Feu*, il fait une entrée spectaculaire dans la littérature pour la jeunesse. Son premier roman lui a valu la Smarties Gold Award, une des plus grandes récompenses décernées en Grande-Bretagne pour la littérature de jeunesse.

Il est également l'un des trois scénaristes du film réalisé par Ridley Scott, *Gladiator*, au succès international. Il fut à cette occasion nominé aux Oscars du meilleur scénario. Il vit actuellement dans le Sussex avec sa femme et leurs trois enfants.

Le troisième volume de la trilogie, *Le Chant des Flammes*, est disponible aux éditions Gallimard Jeunesse en livre hors série.

Achevé d'imprimer
en mars 2003
sur les presses de la Société Nouvelle Firmin-Didot

Loi n°49-956 du 16 juillet 1949
sur les publications destinées à la jeunesse
Numéro d'édition : 11622
Numéro d'imprimeur : 62788
Dépôt légal : mars 2003
ISBN 2-07-053578-9
Imprimé en France